CURSO DE DERECHO PROCESAL LABORAL
2ª Edición

CURSO DE DERECHO PROCESAL LABORAL

2ª Edición

Director:

LUIS ENRIQUE NORES TORRES

Autores:

JOSÉ MARÍA GOERLICH PESET

*Catedrático Derecho del Trabajo y
Seguridad Social de la Universitat de València*

LUIS ENRIQUE NORES TORRES

*Profesor Titular Derecho del Trabajo y
Seguridad Social. Universitat de València*

AMPARO ESTEVE-SEGARRA

*Profesora Titular Derecho del Trabajo y
Seguridad Social. Universitat de València*

tirant lo blanch

Valencia, 2022

© José María Goerlich Peset
Luis Enrique Nores Torres
Amparo Esteve-Segarra

© TIRANT LO BLANCH
EDITA: TIRANT LO BLANCH
C/ Artes Gráficas, 14 - 46010 - Valencia
TELFS.: 96/361 00 48 - 50
FAX: 96/369 41 51
Email:tlb@tirant.com
www.tirant.com
Librería virtual: www.tirant.es
DEPÓSITO LEGAL: V-1937-2022
ISBN: 978-84-1130-803-8
MAQUETA: Disset Ediciones

Si tiene alguna queja o sugerencia, envíenos un mail a: *atencioncliente@tirant.com*. En caso de no
ser atendida su sugerencia, por favor, lea en *www.tirant.net/index.php/empresa/politicas-de-empresa*
nuestro procedimiento de quejas.

Responsabilidad Social Corporativa: http://www.tirant.net/Docs/RSCTirant.pdf

Índice

Lección tercera

PRINCIPIOS DEL PROCESO, JUSTICIA GRATUITA Y ACTOS PROCESALES

Lección cuarta

LOS ACTOS PREVIOS, LOS ACTOS PREPARATORIOS Y EL PROCESO CAUTELAR

Lección quinta
EL PROCESO ORDINARIO

Lección Sexta
LAS MODALIDADES PROCESALES

Lección Séptima
LOS MEDIOS DE IMPUGNACIÓN

Lección Octava
LA EJECUCIÓN

Anexo
LAS ACCIONES LABORALES EN EL MARCO DEL CONCURSO

INTRODUCCIÓN

El Derecho Procesal Laboral es una pieza fundamental del ordenamiento laboral. El Derecho del Trabajo y el Derecho Sindical dan cuenta de una serie de derechos y obligaciones que recaen en un segmento muy importante de la población –trabajadores y empresarios– en el marco de unas relaciones muy concretas, esto es, las que se desarrollan con ocasión del trabajo dependiente y por cuenta ajena; el Derecho de la Seguridad Social, por su parte, nos acerca al régimen de protección social frente a determinadas situaciones de necesidad. Pues bien, como quiera que ese conjunto de derechos y obligaciones –laborales, sindicales y de seguridad social– no siempre es objeto de un cumplimiento pacífico y voluntario, y sus titulares están claramente interesados en la efectividad de los mismos, el ordenamiento jurídico facilita una serie de cauces para la consecución de tal objetivo.

Uno de esos cauces es, precisamente, acudir a una instancia judicial que, como tercero imparcial que es, puede proporcionar una solución adecuada al conflicto que surge entre el que persigue el cumplimiento de un derecho y el que lo niega. Las singularidades que presentan las relaciones laborales determinan que los órganos y cauces para resolver los conflictos que aparecen en este ámbito sean también "singulares", distintos a los que se prevén para resolver otro tipo de conflictos que surgen en la vida en sociedad. Así las cosas, el Derecho Procesal Laboral tiene por objeto analizar estas vías de solución judicial de los conflictos laborales.

A partir de estas consideraciones, la relevancia que presenta la materia resulta indudable, pues el reconocimiento de un derecho de poco sirve si no resulta posible hacerlo efectivo; de hecho, los planes de estudio suelen situar esta asignatura al final de la titulación, como colofón a las cuestiones "sustantivas" que se aprenden en las restantes disciplinas con carácter previo.

Los contenidos del Derecho Procesal Laboral son muy amplios. En primer lugar, se encuentran unos contenidos de corte general, relativos a la organización y estructura –esto es, los órganos que se encargan de resolver los conflictos laborales, la delimitación de los conflictos que pueden resolver, los sujetos que pueden acudir ante estos órganos y las actuaciones que desarrollan unos y otros–; por otra parte, existen otros de carácter más específico, relacionados con el proceso que se desarrolla desde que surge un conflicto hasta que se resuelve.

Este Curso pretende ser una vía que facilite el estudio y la comprensión de todas estas cuestiones, tanto a los alumnos del grado en derecho, como del grado en relaciones laborales y recursos humanos. El tratamiento de la materia aparece ordenado en ocho grandes lecciones: las primeras tienen por objeto el estudio de los aspectos de corte más general como son la estructura del orden social (lección primera), los sujetos que intervienen (lección segunda) y los actos procesales (lección tercera). A partir de ahí, las lecciones intermedias se destinan de manera sucesiva al análisis de los actos previos y preparatorios del proceso (lección cuarta), del proceso ordinario (lección quinta) y de las modalidades procesales (lección sexta). En fin, las dos últimas lecciones permiten efectuar un acercamiento a los medios de impugnación (lección séptima) y al proceso ejecutivo (lección octava), a lo que nos ha parecido interesante añadir un anexo en el que se aborden las principales claves de la repercusión de las situaciones concursales en el proceso laboral (anexo).

El contenido de todas las lecciones ha tratado de ajustarse en extensión a los créditos que habitualmente se le asigna a la disciplina en los diferentes planes de estudios, lo que ha exigido un gran esfuerzo de síntesis en la exposición. Con todo, este Curso proporciona las principales herramientas para la comprensión de la materia, la cual se puede completar –incluso, se debe completar– mediante la realización de las actividades que se proponen en cada módulo y la lectura de la bibliografía recomendada. En este sentido, la estructura de cada lección obedece a una fórmula común, en la que, tras indicar sus contenidos generales, los objetivos perseguidos y el sumario, se procede a su desarrollo. Una vez completada esta labor, se está en condiciones de valorar la comprensión alcanzada mediante la realización de los cuestionarios y actividades que se proponen al final de cada lección, así como de profundizar en los distintos contenidos por medio de la lectura de la bibliografía recogida al final de la obra.

En fin, este Curso se nutre de las aportaciones, sugerencias y recomendaciones que han ido efectuando tanto los diferentes profesores del Departamento de Derecho de Trabajo y de la Seguridad Social de la Universitat de València que han impartido la asignatura, como los estudiantes de la mencionada Universidad. A todos ellos, nuestro agradecimiento más sincero.

LOS AUTORES

Lección Primera
EL ORDEN SOCIAL DE LA JURISDICCIÓN Y SUS COMPETENCIAS

CONTENIDO GENERAL

Esta primera lección tiene por objeto servir como introducción a una disciplina un tanto compleja como es el derecho procesal. En este sentido, su finalidad primordial se encamina a proporcionar una serie de conceptos básicos sobre la materia que permitan el seguimiento de los módulos sucesivos.

El punto de partida será la aproximación a la noción de conflicto, su tipología y las distintas vías que existen para solucionarlos, entre ellas, la judicial. Ello permitirá enlazar, desde una perspectiva general, con el significado del derecho procesal, entendido como el sector del ordenamiento jurídico que se encarga de regular la solución de conflictos en sede judicial, y sus contenidos esenciales –la organización judicial, el derecho a la tutela judicial efectiva y el modo de llevarla a la práctica–; por otra parte, desde una perspectiva específica, el enlace se efectúa con la delimitación del derecho procesal "laboral", entendido como la parte del derecho procesal relacionada con los conflictos de la rama social del derecho.

En segundo lugar, a partir del entendimiento de lo que sea el proceso laboral, esta lección también pretende concretar qué es el orden social de la jurisdicción. Esta labor se efectúa recurriendo al análisis de sus orígenes, siquiera sea de una manera muy sucinta, para dejar constancia de la razón por la cual existen unos órganos especializados en resolver las controversias laborales; la exposición continúa mediante la determinación de sus fuentes reguladoras, pues resulta conveniente saber qué disposiciones se encargan de regular esta materia; a partir de ahí, el análisis de dichas normas permite concretar los órganos que lo integran y los asuntos que resuelve.

OBJETIVOS PERSEGUIDOS

– Conocer la noción de conflicto, sus tipologías y los cauces para resolverlos.

– Entender el papel del derecho procesal en esta cuestión, así como sus contenidos: organización, acceso a la justicia y cauces para ello.

– Conocer la existencia de diferentes órdenes jurisdiccionales: civil, penal, contencioso-administrativo y social.

– Entender el origen histórico del orden social de la jurisdicción.

– Conocer las fuentes del derecho procesal laboral

– Familiarizarse con los órganos que lo componen y los litigios que resuelven.

SUMARIO: I. DESARROLLO. 1. Introducción. 1.1. La noción de conflicto: el conflicto laboral y su tipología. 1.2. Los cauces de solución. 1.3. El derecho procesal. 1.4. El derecho procesal laboral y sus fuentes reguladoras. 2. El orden social de la jurisdicción. 2.1. El origen y desarrollo del orden social de la jurisdicción. 2.2. Los órganos del orden social de la jurisdicción en la actualidad. 3. La competencia del orden social de la jurisdicción. 3.1. La extensión de la jurisdicción española en materia social. 3.2. La competencia genérica de los órganos de la jurisdicción social. 3.2.1. La delimitación positiva. A) Conflictos en el terreno de las relaciones individuales de trabajo, análogos y conexos. B) Conflictos en el terreno de las relaciones colectivas de trabajo. C) Conflictos en el terreno de la Seguridad Social y la protección social. D) Conflictos en el terreno del derecho administrativo laboral. 3.2.2. La delimitación negativa. 3.2.3. La competencia funcional por conexión. 3.3. La competencia objetiva y funcional de los órganos del orden social. 3.4. La competencia territorial. 3.5. El control del cumplimiento de las reglas sobre competencia. 3.5.1. El control de oficio. 3.5.2. El control a instancia de parte. 4. Las posibles situaciones de conflicto relacionados con la competencia. 4.1. Conflictos de jurisdicción. 4.2. Conflictos de competencia. 4.3. Cuestiones de competencia. II. CUESTIONARIO. III. SOLUCIONES AL CUESTIONARIO. IV. ACTIVIDADES PROPUESTAS. V. GLOSARIO.

I. DESARROLLO

1. Introducción

1.1. La noción de conflicto: el conflicto laboral y su tipología

1.–Las relaciones entre individuos generan habitualmente conflictos. Un conflicto presupone la existencia de posturas enfrentadas respecto un determinado asunto o cuestión: la propiedad de un objeto; el régimen de visitas tras una separación; la imputación de un delito; la imposición de una multa de tráfico; la denegación de una licencia para construir; etc. Pues bien, cuando ese conflicto versa sobre derechos y obligaciones de contenido laboral, estaremos ante un conflicto laboral.

2.–Los conflictos laborales se pueden clasificar atendiendo a criterios variados (Entre otros, Alfonso Mellado, 1993, 28 y ss.):

2.1.–En primer lugar, atendiendo a su **naturaleza** o **dimensión**, cabría diferenciar entre conflictos individuales, conflictos colectivos y conflictos plurales; una distinción que resulta un tanto compleja.

– El **conflicto individual** es el que enfrenta a un trabajador singularmente considerado con su empresario, ejercitando una acción que le afecta directamente, actuando un interés singular (p.e., el impago del salario).

– El **conflicto plural**, por su parte, se presenta como la suma de distintos conflictos individuales. En este caso, el objeto del conflicto también incide de forma individualizada y directa en los trabajadores, sólo que afecta a más de uno (p.e., el impago del salario a varios trabajadores). La solución que se dé al conflicto afectará sólo a quienes hayan sido parte en el proceso.

– El **conflicto colectivo** es el que enfrenta a empresarios y trabajadores sobre cuestiones que afectan a un interés colectivo o general (p.e., el significado de un determinado precepto convencional; el reconocimiento de una subida salarial), si bien la noción de interés colectivo presenta unos perfiles un tanto difusos. La solución que se derive se aplica a todos los integrantes del grupo, con independencia de que hayan sido parte o no del conflicto.

2.2.–En segundo lugar, atendiendo a su **objeto** o el **tipo de pretensión**, cabría diferenciar entre conflictos jurídicos o de interpretación y aplicación, por un lado, y conflictos económicos o de intereses, por otro.

– Los **conflictos jurídicos** son aquéllos en los que la discrepancia entre las partes se plantea respecto la aplicación o interpretación de una norma legal, reglamentaria o convencional. A su vez, este tipo de conflictos pueden ser de dos tipos: por un lado, INTERPRETATIVOS, cuando lo que persiguen es determinar el significado de una norma (p.e., cuando se duda sobre si el número de días de permiso por matrimonio reconocidos en un convenio son hábiles o naturales); por otro lado, APLICATIVOS, cuando lo que se persigue es determinar la nulidad o vigencia de una norma o su ámbito de aplicación (p.e., si una determinada cláusula convencional que fija el período de prueba en cuatro meses es lícita; o cuál es el convenio aplicable a los trabajadores de una ETT que prestan servicios en un hotel).

– Los **conflictos de intereses** (económicos o de reglamentación) son aquéllos en los que se plantea la creación de una norma que ha de regular las relaciones de trabajo, su modificación o su sustitución (p.e., el intento de obtener una subida salarial o la pretensión de equipar a las parejas de hecho con el matrimonio en materia de permisos retribuidos).

1.2. Los cauces de solución

3.–Las clasificaciones anteriores son importantes, pues no todos los conflictos pueden resolverse de la misma manera; y es que, el ordenamiento jurídico prevé diferentes cauces para la solución de controversias, también susceptibles de ser clasificadas en grupos diferentes (Entre otros, Alfonso Mellado, 1993, 47 y ss.).

3.1.–En primer lugar, existen una serie de mecanismos en los que la solución a la situación de conflicto viene de la mano de las propias partes; por ello se denominan **mecanismos autónomos de solución**. Dentro de los mismos, cabe diferenciar:

– Por un lado, los medios autónomos puros: son aquellos mecanismos en los que las propias partes, sin ayuda o intervención de terceros, alcanzan una solución. Es el caso de la *negociación*.

– Por otro, los medios autónomos con intervención de tercero: se trata de sistemas en los que las partes llegan una solución gracias a la intervención de un tercero que les brinda su ayuda, pero siendo ellas mismas las que alcanzan la solución, no el tercero; es el caso de la *conciliación* y de la *mediación*.

3.2.–En segundo lugar, junto a estos sistemas autónomos, existen los denominados **procedimientos heterónomos,** en los que la solución del conflicto la proporciona un tercero.

– Ese tercero puede ser una instancia carente de naturaleza jurisdiccional, como por ejemplo sucede en el caso del *arbitraje*.

– Asimismo, ese tercero puede tener naturaleza jurisdiccional, esto es, tratarse de un juez o tribunal. Ahora bien, estos sujetos nunca podrán resolver conflictos económicos o de intereses, pues su función es la de juzgar y no la de crear normas.

4.–Los distintos procedimientos de solución de conflictos se analizan por diferentes disciplinas. Así, en el terreno laboral, la negociación se estudia por el derecho sindical; lo mismo sucede con la conciliación, la mediación y el arbitraje, aunque debido a su importancia en algunas facultades es una asignatura autónoma. Finalmente, la solución judicial de conflictos constituye el objeto de estudio del derecho procesal.

1.3. El derecho procesal

5.–En efecto, el derecho procesal es el sector del ordenamiento jurídico encargado de regular el proceso, la ciencia jurídica que lo estudia. En todo caso, se trata de una disciplina mucho más amplia, pues también forma parte de ella la regulación del acceso al proceso y de los órganos ante los cuales aquél se desarrolla. En otras palabras, la regulación de la jurisdicción, de la acción y del proceso son los tres núcleos básicos de esta materia (Montero, 2011, 23 y ss.).

5.1.–La **jurisdicción** constituye uno de los tres brazos del poder en la división clásica de Montesquieu –legislativo, ejecutivo y judicial–. La CE regula el poder judicial en los arts. 117 y ss. La potestad jurisdiccional corresponde exclusivamente a los Juzgados y Tribunales, según el art. 117.3 CE; sólo a ellos les corresponde *juzgar y hacer ejecutar lo juzgado*.

5.2.–Los sujetos que entienden vulnerados sus derechos deben tener abierta la posibilidad de acudir a estos órganos dotados de potestad jurisdiccional para que, ejercitando las **acciones** correspondientes, aquéllos sean restablecidos. En este sentido, la CE consagra el derecho de todas las personas a la **tutela judicial efectiva**, esto es, el derecho de acceso a los tribunales, elevándolo a la categoría de fundamental en su art. 24 y dotado, en consecuencia, de una especial protección. Se trata de un derecho complejo que integra una **pluralidad de contenidos** (Montero, 2011, 258 y ss.):

– En primer lugar, estaría el derecho a acudir a los juzgados y tribunales, lo cual no impide que el legislador pueda establecer ciertos requisitos de acceso, siempre que los mismos sean razonables.

– En segundo lugar, la tutela judicial efectiva implica también el derecho a obtener una resolución fundada en derecho, esto es, una respuesta al problema planteado que no sea arbitraria, sino que esté debidamente justificada. Ello no quiere decir que se tenga derecho a obtener un fallo favorable, que estime la pretensión ejercitada; de manera más limitada, el derecho consiste en obtener una respuesta y que ésta esté motivada de una manera adecuada.

– En tercer lugar, también integra la tutela judicial efectiva el derecho a la ejecución del fallo, esto es, el derecho del sujeto que ha obtenido una resolución favorable a ver realmente cumplido el derecho que se le ha reconocido.

– En fin, obviamente forma parte del derecho en cuestión la necesidad de que las actuaciones que se sigan ante los órganos dotados de potestad jurisdiccional se efectúen respetando una serie de principios, entre los cuales, por ahora interesa destacar el relativo a que no se genere indefensión. Ello va a implicar, entre otras cosas, la necesidad de garantizar que nadie pueda ser condenado sin haberle dado la oportunidad de participar en el pleito.

5.3.–Por último, el ejercicio de la tutela judicial efectiva por parte de sus titulares y de la potestad jurisdiccional por los tribunales no se efectúa de cualquier manera, sino que se desarrolla a través de unos cauces específicos; esos cauces son los del **proceso**, la tercera de las piezas de la asignatura según se ha señalado anteriormente.

1.4. El derecho procesal laboral y sus fuentes reguladoras

6.–El hecho de que las pretensiones que se pueden plantear ante los tribunales sean por hipótesis muy variadas, pertenecientes a diferentes sectores del ordenamiento jurídico, aconseja que exista una cierta especialización a la hora de determinar los órganos encargados de resolverlas.

6.1.–En este sentido, el art. 9 LOPJ diferencia cuatro órdenes jurisdiccionales (el orden civil; el orden penal; el orden contencioso-administrativo; y el orden social) y atribuye unas competencias diferentes a cada uno de ellos. A grandes rasgos, puede decirse que al orden civil le corresponden la mayoría de cuestiones de derecho privado; al penal, las relacionadas con los delitos y faltas; al contencioso-administrativo, la impugnación de las actuaciones de las Administraciones Públicas; finalmente, al orden social las relativas a los conflictos laborales.

6.2.–Así las cosas, el **derecho procesal laboral** sería la parte del derecho procesal que se encarga de analizar la solución judicial de los conflictos laborales ante el orden social de la jurisdicción: los órganos competentes para resolverlos, las actuaciones que se llevan a cabo ante los mismos, etc.

7.–Las normas reguladoras de este sector del ordenamiento jurídico, es decir, sus **fuentes**, son variadas (Alfonso Mellado, 2015, 25).

7.1.–De entrada, estarían las **comunes** a todos los órdenes jurisdiccionales:

– En primer lugar, los preceptos constitucionales: artículo 24 CE –derecho a la tutela judicial efectiva– y los artículos 117 a 127 CE –ya que regulan el poder judicial–.

– En segundo lugar, la Ley Orgánica 6/1985, de 1 de julio, del Poder Judicial (LOPJ), que ha sido modificada en diferentes ocasiones.

– En tercer lugar, otras normas generales, como la Ley 38/1988, de 28 de diciembre sobre Demarcación y Planta Judicial (LPDJ), o la Ley 1/1996, de 10 de enero, sobre Asistencia Jurídica Gratuita (LAJG).

7.2.–Por otra parte, lógicamente, junto a estas normas generales, existen unas **normas específicas** del proceso laboral.

– De entrada, la más importante es sin lugar a dudas la Ley 36/2011, de 10 de octubre, Reguladora de la Jurisdicción Social (LRJS), que sustituyó a la anterior *Ley de Procedimiento Laboral*, introduciendo una profunda reforma del sistema; con posterioridad, esta norma ha sido objeto de diferentes modificaciones.

– Junto a la LRJS, y al margen de la legislación sustantiva, que muchas veces contiene importantes previsiones procesales –Estatuto de los Trabajadores; Ley Orgánica de Libertad Sindical; Ley General de Seguridad Social; etc.–, se podrían citar otras normas específicas con incidencia en el proceso laboral. Así, por ejemplo, el RD 2756/1979, de 23 de noviembre, a efectos de conciliación; o el RD 418/2014, de 6 de junio, sobre reclamación al Estado de salarios de tramitación en juicios por despido; etc.

7.3.–Finalmente, debe tenerse en cuenta la eventual repercusión que las **normas propias de otros órdenes jurisdiccionales** puedan tener en el social.

– En este sentido, ante todo, debe destacarse la Ley 1/2000, de 7 de enero, de Enjuiciamiento Civil (LEC). Y es que, según dispone la DF 4ª LRJS, las lagunas de este texto se colmarán acudiendo a aquél, de manera que el texto procesal civil resulta de aplicación supletoria en el proceso laboral.

– Por otra parte, hay que mencionar la Ley 29/1998, de 13 de julio, de la Jurisdicción Contencioso Administrativa (LJCA), por dos grandes razones: en primer lugar, porque la DF 4ª LRJS señala que es de aplicación supletoria a la impugnación de los actos administrativos cuya competencia corresponda al orden social; en segundo lugar, por la delimitación que de las competencias del orden contencioso la misma contiene, ya que ayudará a delimitar las competencias del orden social en los casos fronterizos.

– En fin, algo similar puede decirse de la Ley 39/2015, de 1 de octubre, del Procedimiento Administrativo Común de las AA.PP. (LPACA) y la Ley 40/2015, de 1 de octubre, de Régimen Jurídico del Sector Público (LRJSP), no sólo por su repercusión en la delimitación de competencias, sino sobre todo en relación con algunas previsiones que van a desplegar efectos en la interpretación de la normativa procesal laboral.

2. El orden social de la jurisdicción

2.1.El origen y desarrollo del orden social de la jurisdicción

8.–El origen y desarrollo de unos órganos jurisdiccionales con competencias especializadas en materia laboral comienza a fraguarse entre nosotros en los inicios del siglo XX, en paralelo a la aparición del Derecho del Trabajo.

8.1.–En efecto, la jurisdicción social no ha existido desde siempre, sino que surgió de manera paulatina, como respuesta a las necesidades que planteaban las características singulares de la legislación laboral, las peculiaridades de los protagonistas de las relaciones laborales y el incremento de las relaciones asalariadas (Baylos, Cruz y Fernández López, 1995, 15).

8.2.–Y es que, en un principio, las reclamaciones judiciales con base en las relaciones de trabajo eran resueltas por los tribunales ordinarios del orden civil, algo que resultaba enormemente insatisfactorio: por un lado, debido a la especialización de la materia laboral, con principios inspiradores diversos a los del derecho común; por otra parte, porque los procesos civiles eran muy lentos; finalmente, porque su utilización representaba un importante coste económico que los hacía inviables para los trabajadores.

8.3.–Así las cosas, no es de extrañar que una de las aspiraciones del movimiento obrero fuera la creación de unos órganos especializados en materia laboral y unos procedimientos específicos que permitieran resolver los conflictos derivados de las relaciones de trabajo de manera rápida y económica.

El primer objetivo se alcanzó acudiendo a la oralidad del procedimiento; el segundo mediante la gratuidad. Ambos principios han acompañado desde entonces al proceso laboral y siguen estando vigentes: de hecho, la justicia laboral sigue siendo gratuita, al menos en la instancia; por otra parte, el art. 74 LRJS señala que el proceso laboral se rige por el principio de oralidad, así como por la inmediación, concentración y celeridad.

9.–La aparición y consolidación de tales órganos fue lenta. Al respecto, por lo que respecta a nuestro país y de un modo muy abreviado, cabe señalar lo siguiente:

9.1.–En un principio, aparecieron unos órganos, los **Tribunales Industriales,** creados por la Ley de 19 de mayo de 1908, con competencias limitadas –sólo ciertos litigios y con soluciones recurribles ante los órganos del orden civil; más adelante a éstos se unieron los **Comités Paritarios,** creados por el DL de 26 de noviembre de 1926, posteriormente sustituidos por los **Jurados Mixtos,** regulados en la Ley de 27 de noviembre de 1931; ese mismo año, se creó la **sala de lo social en el Tribunal Supremo,** en concreto, la VI –en la actualidad es la IV–.

9.2.–Durante el período franquista, se consolida el orden social de la jurisdicción, con una estructura más parecida a la del que hoy en día conocemos. Así, la misma estaba compuesta por las **Magistraturas de Trabajo** (1938), el **Tribunal Central de Trabajo (1940) y la sala de lo social del Tribunal Supremo.**

9.3.–Este orden especializado en materia social se ha mantenido tras la aprobación de la CE, y ello a pesar del principio de unidad jurisdiccional proclamado en el art. 117.5 de la misma; con todo, ha experimentado importantes cambios estructurales.

– En efecto, por un lado, ya se ha indicado que el art. 9 LOPJ hace referencia a cuatro órdenes jurisdiccionales diversos: civil, penal, contencioso-administrativo y social. Estas previsiones no suponen un quebranto del principio constitucional antes mencionado, pues dicho principio no implica que no puedan existir tribunales especializados por materia, sino que solamente impide la existencia de distintos fueros, de tribunales "especiales" y los atentados contra la independencia judicial (Montero, 1984, 439; Baylos, Cruz y Fernández López, 1995, 15; Alfonso, 2015, 24).

– Por otra parte, la LOPJ no se limitó a mantener la existencia de un orden social de la jurisdicción, sino que transformó la estructura del mismo de forma importante, con innovaciones profundas (De La Rúa, 1992, 23), que dieron lugar al organigrama que se conoce en la actualidad y que se detalla en el epígrafe siguiente.

2.2. Los órganos del orden social de la jurisdicción en la actualidad

10.–Los órganos que integran hoy en día el orden social de la jurisdicción, como resultado de la evolución someramente descrita, son los **Juzgados de lo Social**, las **Salas de lo Social de los Tribunales Superiores de Justicia**, la **Sala de lo Social de la Audiencia Nacional** y la **Sala de lo Social del Tribunal Supremo**.

10.1.–El **JUZGADO DE LO SOCIAL** es un órgano de tipo unipersonal que aparece regulado en los arts. 92 y 93 de la LOPJ, complementado por el art. 6 LRJS.

En principio, la regla general es que exista uno o más en cada capital de provincia, atendiendo al grado de conflictividad existente. Esta regla general puede presentar dos tipos de excepciones:

– Por un lado, es posible la creación de juzgados de lo social en núcleos de población distintos a la capital de provincia cuando las necesidades del servicio o la proximidad de determinados núcleos de trabajo así lo aconsejen: es el caso, de Elche y Benidorm en Alicante; Cartagena en Murcia; Ferrol y Santiago en La Coruña; Arrecife, Galdar y Puerto del Rosario en Las Palmas; Algeciras y Jerez de la Frontera en Cádiz; etc. El listado completo aparece en el anexo IX de la LPDJ.

– Por otro, excepcionalmente cabría que uno o más juzgados de lo social extendieran su ámbito de actuación a dos o más provincias siempre que perteneciesen a la misma comunidad autónoma. Esta posibilidad no ha sido empleada.

10.2.–La **SALA DE LO SOCIAL DEL TSJ** es un órgano colegiado, jerárquicamente superior al JS, que tiene su origen en el art. 152 CE y se regula en los arts. 70 y ss. LOPJ, así como en el art. 7 LRJS.

La LOPJ ordenó su establecimiento en todas las Comunidades Autónomas existentes en el Estado. A pesar de que sólo existen diecisiete Comunidades Autónomas, hay veintiuna salas de lo social de los TTSSJJ. Y es que en algunas Comunidades Autónomas, el TSJ cuenta con más de una sala de lo social. Así sucede en Andalucía (Sevilla, Granada y Málaga); en Castilla-León (Burgos y Valladolid); y en Canarias (Las Palmas y Santa Cruz de Tenerife).

10.3.–La **SALA DE LO SOCIAL DE LA AN** es también un órgano colegiado con sede en Madrid. La regulación de este órgano aparece en los arts. 62 y ss. LOPJ, complementado con el art. 8 LRJS.

Aunque su actividad sea de carácter nacional, no puede decirse que sea superior jerárquicamente a los Juzgados de lo Social o a los Tribunales Superiores de Justicia, es decir, no existe relación de jerarquía entre los mismos.

10.4.–La **SALA DE LO SOCIAL DEL TS** es también un órgano colegiado, con sede en Madrid. La regulación se encuentra en los arts. 53 y ss. LOPJ, en especial, el art. 59 LOPJ, así como en el art. 9 LRJS. Se trata del órgano jurisdiccional superior en todos los órdenes, salvo lo dispuesto en materia de garantías constitucionales.

3. La competencia del orden social de la jurisdicción

11.–El hecho de que el orden social de la jurisdicción coexista con otros órdenes jurisdiccionales, y que en el seno del mismo concurran esa pluralidad de órganos a los que se acaba de aludir, obliga a plantearse la cuestión de cuándo un determinado conflicto se resolverá por el orden en cuestión, así como la relativa a qué órgano en concreto se encargará de hacerlo. Pues bien, para ello el ordenamiento jurídico cuenta con unas normas que distribuyen los litigios entre los diferentes órdenes y, dentro de éstos, entre los distintos órganos. Estas normas son las normas sobre **COMPETENCIA**, que pueden ser de diferente tipo: de entrada, las que reparten los asuntos por órdenes (**COMPETENCIA GENÉRICA**); por otro lado, las que lo hacen entre los órganos pertenecientes a un mismo orden (**COMPETENCIA OBJETIVA Y FUNCIONAL**); finalmente, las que efectúan la distribución entre órganos de un mismo orden y tipo (**COMPETENCIA TERRITORIAL**).

3.1. La extensión de la jurisdicción española en materia social

12.–Ahora bien, con carácter previo a conocer cuáles son las materias atribuidas al orden social de la jurisdicción en general, y a cada uno de sus órganos en particular, interesa determinar cuándo los tribunales españoles pueden entrar a resolver estos asuntos, es decir, cuál es la **extensión y límites de la jurisdicción española** en materia social.

Y es que, nos encontramos en un mundo donde las relaciones comerciales y de prestación de servicios entre distintos países tienen cada vez una mayor relevancia. En este sentido, hay muchas empresas que tienen centros de trabajo en más de un país, lo que determina que trabajadores españoles puedan prestar servicios en empresas españolas o extranjeras; y ello tanto en territorio español, como en otro país. Asimismo, puede suceder que los trabajadores extranjeros presten servicios en empresas extranjeras o españolas, y que la actividad se desarrolle en España o en otro Estado. Pues bien, en todos los casos con elementos de extranjería implicados, cuando hay un conflicto, surgen siempre dos problemas derivados de distinta índole:

12.1.–Por un lado, el relativo a la determinación de la **jurisdicción competente**, es decir, qué país puede enjuiciar el asunto, pues los tribunales españoles no pueden resolver los conflictos que surjan entre cualquier trabajador y cualquier empresa con independencia de cuál sea la nacionalidad de los implicados y del lugar donde se trabaje (piénsese, por ejemplo, en el despido de un trabajador canadiense, contratado por una empresa japonesa para prestar servicios en Nueva Zelanda: no parece que los tribunales españoles vayan a poder resolver el asunto; en cambio, sí podrían cuando se tratase de un trabajador español, contratado por una empresa española para trabajar en España; pues bien, frente a estos dos ejemplos extremos, la duda se suscitará en las situaciones intermedias).

12.2.–Por otro lado, el vinculado a la determinación de la **legislación aplicable**. Así, por ejemplo, aunque los tribunales españoles sean los llamados a enjuiciar un asunto, pudiera suceder que en la resolución del mismo deban aplicar el derecho sustantivo de otro país (p.e., que aun siendo competente la jurisdicción española, ésta deba aplicar la normativa alemana sobre la protección frente al despido para resolver el pleito).

13.–La solución a los problemas relativos a la **jurisdicción competente** debe tomar como punto de partida, entre nosotros, las previsiones contenidas en el art. 21.1 LOPJ, donde se señala que *"Los Tribunales civiles españoles conocerán de las pretensiones que se susciten en territorio español con arreglo a lo establecido en los tratados y convenios internacionales en los que España sea parte, en las normas de la Unión Europea y en las leyes españolas"*. Ello obliga, por tanto, a rastrear la posible existencia de previsiones más específicas, tanto en las normas supranacionales como en la propia LOPJ.

13.1.–Por lo que respecta a las normas supranacionales, la cuestión relativa a la determinación de la jurisdicción nacional competente ha sido afrontada en diferentes instrumentos internacionales. Estos instrumentos no entran en juego en cualquier caso, sino que su aplicación requiere la existencia de un elemento de extranjería en la relación que da origen al conflicto, afectando dicho elemento, bien al domicilio de alguna de las partes, bien al lugar de prestación de servicios; en cambio, no resulta relevante la nacionalidad de los sujetos.

Entre tales instrumentos, por su importancia, cabe destacar, de un lado, el **Convenio de Bruselas** de 27 de septiembre de 1968, suscrito en el ámbito de la Unión Europea; de otro, el **Convenio de Lugano** de 16 de septiembre de 1988, suscrito en el ámbito de la EFTA, es decir, de la Asociación Europea de Libre Cambio; finalmente, el **Reglamento Comunitario 1215/2012**, de 12 de diciembre de 2012, relativo a la *competencia judicial, el reconocimiento y la ejecución de resoluciones judiciales en materia civil y mercantil*, heredero del Reglamento 44/2001, de 22 de diciembre de 2000, que a su vez sustituyó al Convenio de Bruselas, con alguna excepción.

13.2.–Los litigios con elementos de extranjería no resueltos por los instrumentos anteriores quedan sometidos al régimen del artículo 25 LOPJ que, en consecuencia, vendría a tener un carácter subsidiario o residual respecto los primeros. Las previsiones del art. 25 LOPJ, a diferencia de las contenidas en los instrumentos supranacionales, no determinan la jurisdicción de qué país resulta competente para conocer del conflicto: siendo unas normas nacionales, se limitan a señalar cuándo la jurisdicción española puede entrar a conocer de un asunto (Montero, 2000, 46).

En este sentido, el precepto reseñado establece una serie de "puntos de conexión o referencia" que el juez español debe encontrar para poder extender su jurisdicción a la solución del conflicto laboral con elemento de extranjería que se le someta. Estos puntos de conexión aparecen diferenciados en función de cuál sea el objeto del litigio: derechos y obligaciones derivados del contrato –en cuyo caso, p.e., se exige que el contrato se haya celebrado en España; o que se hayan prestado servicios aquí; etc.–; el control de legalidad de convenios colectivos y solución de conflictos colectivos –se exige, entonces, que se trate de convenios suscritos en España y de conflictos originados en este territorio–; pretensiones de Seguridad Social –en cuyo caso se requiere que se dirijan contra entidades españolas–.

14.–Un problema autónomo del relativo a la jurisdicción competente es el relacionado con la **legislación aplicable**. Y es que, tras comprobar la aptitud de la jurisdicción española para resolver un asunto determinado, puede suceder que el juez nacional deba aplicar el derecho propio o el derecho extranjero. La cuestión de la determinación de la Ley aplicable encontraba entre nosotros respuesta en el art. 1.4 ET, si bien sus previsiones deben entenderse superadas por las contenidas en ciertos instrumentos supranacionales. En este sentido, debe mencionarse el **Convenio de Roma** sobre Ley aplicable de 19 de junio de 1980, que se vio sustituido en el ámbito de los países miembros de la Unión Europea por el **Reglamento 593/2008**, de 17 de junio, en los términos que establece el art. 24 del propio Reglamento.

3.2. La competencia genérica de los órganos de la jurisdicción social

15.–Una vez resulte clara la capacidad de los órganos nacionales para intervenir en un determinado conflicto, hay que tener en cuenta que no todas las pretensiones se pueden sustanciar ante el orden social de la jurisdicción. Al respecto, recordemos una vez más que la LOPJ diferencia cuatro órdenes distintos, cada uno con unas competencias específicas; como se ha indicado con anterioridad, es lo que se conoce como **COMPETENCIA GENÉRICA**.

Pues bien, la competencia genérica del orden social alcanza a cuantos conflictos judiciales se susciten dentro de la rama social del derecho. En este sentido se pronuncian tanto el art. 9 LOPJ, como el art. 1 LRJS.

15.1.–En efecto, el punto de partida en la delimitación de competencias genéricas del orden social lo constituye el artículo **9.5 LOPJ**. El precepto establece tres grandes bloques de atribución competencial:

– En primer lugar, el referido a *la rama social del derecho, en sus aspectos individuales y colectivos.*

– En segundo lugar, el relativo a las *reclamaciones en materia de Seguridad Social.*

– Finalmente, el concerniente a las *reclamaciones contra el Estado cuando le atribuyan responsabilidades la legislación laboral.*

15.2.–Unas previsiones más específicas las encontramos en la LRJS

– De entrada, el **artículo 1 LRJS** reitera las previsiones genéricas que se contenían en la LOPJ, al señalar que *"Los órganos jurisdiccionales del orden social conocerán de las pretensiones que se promuevan en la rama social del derecho, tanto en su vertiente individual como colectiva, incluyendo aquéllas que versen sobre materias laborales y de Seguridad Social, así como las impugnaciones de las actuaciones de las Administraciones Públicas realizadas en el ejercicio de sus potestades y funciones sobre las anteriores materias".*

– Por otra parte, el **artículo 2 LRJS** nos añade o concreta algo más, ya que contiene un listado de supuestos respecto los que expresamente declara la competencia del orden social. Se trata de una **delimitación positiva** que se concreta en veintiuna letras que funcionan como títulos competenciales específicos.

– Finalmente, el **artículo 3 LRJS** proporciona una **delimitación negativa**, en el sentido de que contiene una referencia a ciertos supuestos respecto los cuales declara expresamente la incompetencia del orden social.

3.2.1. La delimitación positiva

16.–La delimitación positiva se contiene en el largo listado de materias que proporciona el artículo 2 LRJS: en la medida que un conflicto pueda reconducirse a alguna de las veintiuna menciones contenidas en dicho precepto, los órganos del orden social podrán ser competentes para resolverlo. Estas menciones se sistematizaban en tres grupos (Baylos, Cruz y Fernández, 1995, 18), al que hoy en día se une un cuarto:

16.1.–EN PRIMER LUGAR, estaría el correspondiente a los conflictos derivados del contrato de trabajo, análogos y conexos, o, cuanto menos, vinculados a los aspectos individuales del Derecho del Trabajo, a los que se pueden reconducir las letras a), b), c), parte de la d), e), parte de la f), p) y ñ).

16.2.–EN SEGUNDO LUGAR, se encontraría el que englobaría los conflictos relacionados con el Derecho Sindical o, cuanto menos, estrechamente vinculados a la vertiente colectiva del Derecho del Trabajo y a la protección de la libertad sindical, huelga y demás derechos fundamentales – letras d), en parte, f), g), h), i), j), k), l) y m)–.

16.3.–EN TERCER LUGAR, deben mencionarse los conflictos en materia de Seguridad Social y otras cuestiones conexas a la misma, categoría a la que se podrían reconducir las letras o), parte de la s), así como la q) y la r).

16.4.–EN CUARTO LUGAR, desde la aprobación de la LRJS, cabe hablar de una "nueva" categoría que englobaría lo que podrían denominarse como conflictos sobre derecho administrativo laboral y a la que pertenecerían las letras n) y s).

16.5.–FINALMENTE, la letra t) establece a modo de cierre que será competencia del orden social cualquier cuestión que le sea atribuida por una norma con rango de Ley.

A) Conflictos en el terreno de las relaciones individuales de trabajo, análogos y conexos

17.–Un primer grupo de conflictos que serán resueltos por el orden social de la jurisdicción son, según se ha apuntado, los que se suscitan en el terreno de las **relaciones individuales de trabajo**, así como otros análogos y conexos a los mismos.

17.1.–**En primer lugar,** el supuesto típico será el que enfrente a las partes de una relación laboral, esto es, a un empresario y a un trabajador a su servicio, siempre que el conflicto sea consecuencia de un contrato de trabajo o, en su caso, de un contrato de puesta a disposición según prevé la **letra a)** del **art. 2 LRJS**.

a) El presupuesto habilitante de este título competencial, por tanto, resulta ser la existencia de una relación laboral, ya sea común o especial, no así las de carácter funcionarial o cualquier otra relación excluida del ámbito laboral. Asimismo, el precepto menciona los conflictos entre empresarios y trabajadores que sean consecuencia del contrato de puesta a disposición: la amplitud hace que sean competencia del orden social no sólo los conflictos que surjan en la relación entre el trabajador y la ETT, sino también los que se produzcan entre la empresa usuaria y el trabajador; en cambio, no se incluyen los conflictos entre la empresa usuaria y la ETT.

b) Pues bien, tratándose de alguna de estas relaciones mencionadas en los artículos 1 y 2 ET, los conflictos que puede resolver el orden social de la jurisdicción son muy amplios y variados, eso sí, siempre que deriven del contrato:

– Así, p.e., los relativos al cumplimiento de las obligaciones contractuales, incluyendo todas las vicisitudes del contrato desde su nacimiento hasta su extinción; los conflictos relacionados con las fases previas y tratos preliminares; o los conflictos relativos a pactos accesorios en la medida que guarden relación con el contrato.

– Asimismo, en función de lo establecido en la **letra b**), también corresponde al orden social el conocimiento de las reclamaciones por daños originados en el ámbito de la prestación de trabajo o que tengan su causa en accidentes de trabajo o enfermedades profesionales, incluida la acción directa contra la aseguradora. Ahora bien, se excluye de esta competencia la eventual acción de repetición que pueda interponerse por alguno de los sujetos implicados.

– Por otra parte, según la **letra e**), al orden social le corresponde garantizar el cumplimiento de las obligaciones legales y convencionales en materia de prevención de riesgos laborales; es más, en este específico terreno, la competencia del orden social alcanza también al conocimiento de las actuaciones de las AA.PP. en dicha materia respecto todos sus empleados, bien sean éstos funcionarios o personal estatutario de los servicios de salud, bien se trate de personal laboral. En todo caso, el precepto hay que ponerlo en conexión con lo previsto en el **art. 3.b) LRJS**, donde ciertas cuestiones en materia preventiva quedan excluidas del orden social.

c) En fin, téngase en cuenta que la competencia del orden social para resolver los conflictos que se produzcan entre empresarios y trabajadores como consecuencia del contrato de trabajo o del contrato de puesta a disposición, aparece prevista "*con la salvedad de lo dispuesto en la Ley 22/2003, de 9 de julio, Concursal*", una referencia que hoy habrá que entender hecha al RDL 1/2020, de 5 de mayo, por el que se aprueba el texto refundido de la Ley Concursal que está vigente. Y es que dicha norma prevé que, cuando la empresa se encuentra en concurso, ciertas acciones laborales planteadas se sustancian ante los juzgados de lo mercantil, detrayendo su conocimiento del orden social; en concreto, habrá que estar a lo dispuesto en los artículos 53, 136 y ss. y 169 y ss. LC, donde se especifica cuáles son esas acciones y sobre lo que volveremos en otro lugar.

17.2.–**En segundo lugar**, junto a todos estos conflictos reconducibles a la letra a) del artículo 2 LRJS o ligados a la misma, hay que hacer referencia a dos supuestos más que pueden incardinarse en este epígrafe, si bien presentan ciertas peculiaridades:

– Por un lado, la **letra c**) se refiere a los litigios que se susciten entre las sociedades cooperativas de trabajo asociado o las Sociedades Laborales y sus socios trabajadores exclusivamente por la prestación de sus servicios. Este tipo de relaciones, por tanto, pueden originar la competencia de dos órdenes distintos según se atienda a la condición de socio (orden civil) o de trabajador (orden social).

– Por otro lado, la **letra d)** atribuye al orden social la solución de los conflictos relacionados con el régimen profesional de los trabajadores autónomos económicamente dependientes (TRADE), tanto en la vertiente individual, como en la colectiva. Estos sujetos, a pesar de no ser titulares de una relación laboral, gozan de una mínima tutela que les brinda la Ley Reguladora del Estatuto del Trabajador Autónomo y que pueden hacer valer ante los órganos de este orden, según prevé el art. 17 de la Ley 20/2007, de 11 de julio, por la que se aprueba el Estatuto del Trabajo Autónomo.

17.3.–**Finalmente,** existen una serie de conflictos, a veces conexos a los mencionados anteriormente, que también pueden englobarse en esta categoría de conflictos pertenecientes a los aspectos individuales del Derecho del Trabajo. Se trata de las previsiones contenidas en las **letras ñ) y p) del artículo 2 LRJS**:

– La **letra ñ)** se refiere a las reclamaciones contra las Administraciones Públicas, incluido el Fondo de Garantía Salarial, cuando les atribuya responsabilidad la legislación laboral: así, por ejemplo, cuando en función de lo establecido en el art. 57 ET se requiere al Estado el pago de parte de los salarios de tramitación derivados de un despido por concurrir determinadas circunstancias; en el caso específico del FOGASA, su responsabilidad se regula por el artículo 33 ET, precepto que cuenta con un desarrollo reglamentario (RD 505/1985, de 6 de marzo).

– La **letra p)**, por su parte, se refiere a los pleitos en materia de intermediación laboral que puedan surgir entre los trabajadores y los servicios públicos de empleo, las agencias de colocación autorizadas y otras entidades colaboradoras de aquéllos y entre estas últimas entidades y el servicio público de empleo correspondiente.

B) Conflictos en el terreno de las relaciones colectivas de trabajo

18.–Un segundo bloque competencial dentro del listado del artículo 2 LRJS es el relativo a los conflictos relacionados con las **cuestiones de Derecho Sindical,** o, cuanto menos, estrechamente vinculados a la vertiente colectiva del Derecho del Trabajo y a la protección de la libertad sindical, huelga y demás derechos fundamentales, donde cabe incluir todas las menciones comprendidas entre las **letras f y m)** de dicho precepto.

18.1.–En primer lugar, la **letra f)** atribuye al orden social el conocimiento de los litigios relativos a la tutela de los derechos de libertad sindical, huelga y demás derechos fundamentales y libertades públicas, incluida la prohibición de discriminación y la protección frente al acoso. Y ello, con independencia de que la acción se dirija contra el empresario o contra terceros vinculados a éste por cualquier título, cuando la vulneración alegada tenga conexión directa con la prestación de servicios.

a) A pesar de que este tipo de conflictos se pueden manifestar también en el plano individual, no cabe duda de que incluso en tales casos subyace en ellos un interés colectivo, por lo que se pueden integrar en este bloque a efectos sistemáticos. Al margen de lo anterior, la competencia en virtud de esta letra alcanza también a los conflictos que se susciten entre dos o más sindicatos, o entre éstos y las asociaciones empresariales, siempre que el litigio verse sobre cuestiones objeto de la competencia del orden social.

b) Por otra parte, el precepto hay que ponerlo en conexión con el **art. 3.c) LRJS**, donde se excluye de la competencia del orden social la tutela de los derechos de libertad sindical y del derecho de huelga de los funcionarios públicos, del personal estatutario de los servicios de salud y del personal a que se refiere el art. 1.3.a) ET; por el contrario, la tutela de tales derechos en el caso del personal laboral al servicio de las AA.PP. sí que pertenece a la esfera de conocimiento del orden social.

18.2.–En segundo lugar, **la letra g)** se refiere a los conflictos colectivos, eso sí, como corrobora el artículo 153 LRJS, siempre que se trate de un conflicto de carácter jurídico, es decir, de interpretación o aplicación de norma, no así cuando sea un conflicto económico o de intereses cuya solución es ajena al mundo judicial, pues excedería de la función atribuida por el art. 117 CE a jueces y magistrados.

18.3.–En tercer lugar, la **letra h)** menciona la impugnación de los convenios colectivos y acuerdos, cualquiera que sea su eficacia, así como la de los laudos arbitrales en materia social. Esta previsión hay que ponerla en conexión con lo establecido en el **art. 3.e) LRJS**, donde se excluye de la competencia del orden social la impugnación de los pactos o acuerdos concertados por las AA.PP. y que sean de aplicación al personal funcionario o estatutario de los servicios de salud, ya sea de manera exclusiva o conjunta con el personal laboral.

18.4.–En cuarto lugar, **la letra i)** atribuye al orden social el conocimiento de los procesos sobre materias electorales, esto es, las elecciones a representantes unitarios de los trabajadores (delegados de personal y miembros de los Comités de Empresa), también cuando se refieran a elecciones a los órganos de representación del personal al servicio de las AA.PP.

18.5.–En quinto lugar, **la letra j)** se refiere a los pleitos que versen sobre constitución y reconocimiento de la personalidad jurídica de los sindicatos (p.e., la impugnación de la resolución que deniega el depósito de los estatutos), la impugnación de sus estatutos, así como su modificación. Una previsión en todo punto análoga introduce la **letra l)**, en relación con las asociaciones empresariales

18.6.–En sexto lugar, la **letra k)** hace referencia a las controversias en materia de régimen jurídico sindical, tanto legal como estatutario, en lo relativo a su funcionamiento interno y a las relaciones con sus afiliados (p.e., la expulsión de un miembro).

18.7.–En séptimo lugar, **la letra m)** menciona los pleitos relacionados con la exigencia de responsabilidades a sindicatos y asociaciones empresariales por infracción de normas de la rama social del Derecho (p.e., la reclamación contra un sindicato por su actuación durante una huelga ilegal).

18.8.–Por último, debe mencionarse de nuevo la **letra d)**, pues la atribución de competencias al orden social en materia del régimen profesional de los TRADE alcanza también a los aspectos colectivos.

C) Conflictos en el terreno de la Seguridad Social y la protección social

19.–El tercer bloque de materias atribuidas al orden social de la jurisdicción está relacionado con la **Seguridad Social y la protección social**. Al respecto, el artículo 2 LRJS dedica diferentes apartados a especificar el alcance de la jurisdicción social en este terreno –**letras o), q) r) y s)**–.

19.1.–El punto de partida en este bloque lo constituye el **art. 2.o) LRJS**, donde se contiene una referencia general a la competencia del orden social *en materia de Seguridad Social, incluidas la prestación por desempleo y la protección por cese de actividad de los trabajadores por cuenta propia,* incluso en su modalidad de pago único según precisa el art. 303 LGSS.

– Así, todas las cuestiones relativas al reconocimiento y disfrute de las prestaciones del sistema, contributivas y no contributivas, incluida la revisión de actos declarativos de derechos en perjuicio de los particulares, corresponden al orden social. Asimismo, también corresponde al orden social las cuestiones relacionadas con las prestaciones de protección social que establezcan las CCAA en el ejercicio de sus competencias dirigidas a garantizar recursos económicos suficientes para la cobertura de las necesidades básicas y a prevenir el riesgo de exclusión social de las personas beneficiarias. En fin, lo mismo sucede con la valoración, reconocimiento y calificación del grado de discapacidad y con las prestaciones previstas en la Ley de Dependencia, si bien, en relación con estas últimas, la asunción de la competencia se encuentra en período de letargo (**DF 7ª LRJS**).

– Ahora bien, junto a los conflictos anteriores, existen otros que, a pesar de su conexión con la Seguridad Social, su control escapa del orden social, siendo los tribunales del orden contencioso los competentes para su solución. Así sucede, de manera clara, con los supuestos mencionados en el **art.**

3.g) y 3.h) LRJS, entre los que se encuentran los actos de gestión recaudatoria o los actos de encuadramiento y la responsabilidad patrimonial de las entidades gestoras y servicios comunes de la Seguridad Social por asistencia sanitaria defectuosa.

19.2.–Los órganos del orden social encuentran un segundo título de atribución de su competencia en materia de Seguridad Social en el **art. 2.q) LRJS**, referido a los pleitos surgidos con ocasión de la aplicación de los sistemas de mejoras de la acción protectora de la Seguridad Social, incluidos los planes pensiones y contratos de seguro, siempre que su causa derive de una decisión unilateral del empresario, un contrato de trabajo o un convenio, acuerdo o pacto colectivo.

19.3.–Finalmente, la competencia del orden social relacionada con la Seguridad Social se cierra con la referencia en el **art. 2.r) LRJS** a los pleitos entre los asociados y las Mutualidades, excepto las establecidas por los Colegios Profesionales, en los términos previstos en los artículos 43 y ss. de la Ley 20/2015, de 14 de julio, de ordenación, supervisión y solvencia de las entidades aseguradoras y reaseguradoras, así como entre las fundaciones laborales o entre éstas y sus beneficiarios, sobre cumplimiento, existencia o declaración de sus obligaciones específicas y derechos de carácter patrimonial, relacionados con los fines y obligaciones propios de estas entidades.

D) Conflictos en el terreno del derecho administrativo laboral

20.–El último de los bloques de materias pertenecientes a la esfera de competencias del orden social es el que se relaciona con los conflictos en el terreno del derecho administrativo laboral, recogido básicamente en las letras n) y s) del **art. 2 LRJS**.

20.1.–En primer lugar, el control de la potestad sancionadora en materia laboral, sindical y de seguridad social, algo que en su momento constituyó una de las grandes novedades introducidas por la LRJS, pues en el pasado estos litigios habían sido competencia del orden contencioso-administrativo. En efecto, aunque ya la LJCA de 1998 había anunciado su traspaso, ello no se hizo efectivo sino hasta la aprobación de la LRJS en el año 2011. El modo de articularlo es un tanto complejo pues hay que coordinar distintas previsiones.

a) Por un lado, la alusión en la **letra n)** a las sanciones en materia laboral y sindical y en la **letra s)** a las sanciones en materia de seguridad social, siembra la duda de qué sucede con las restantes infracciones y sanciones previstas en la LISOS, singularmente, las sanciones en materia de extranjería y cooperativas o las derivadas de las actas de obstrucción. Pues bien, en estos casos, seguramente quepa entender que también sea competente el orden social, con algunos matices en el caso de las sanciones en materia de extranjería (en concreto, aquellas que están previstas en la Ley Orgánica de Extranjería y no en la LISOS).

b) Por otra parte, en el caso de las infracciones en materia de Seguridad Social, resulta necesario poner en conexión la **letra s)** del art. 2 con el art. **3.g) LRJS** y tomar en consideración que quedan excluidas del orden social *"las actas de liquidación y actas de infracción vinculadas con dicha liquidación de cuotas"*.

20.2.–Asimismo, en función de lo establecido en el último inciso de la **letra n)** y en el primer inciso de la **letra s)** del **art. 2 LRJS**, corresponde al orden social el conocimiento de la impugnación de los actos administrativos sujetos al derecho administrativo y que pongan fin a la vía administrativa en materia laboral, sindical y de seguridad social, salvo que se atribuyan a otro orden (como, por ejemplo, hace el art. 3.g) LRJS en relación con ciertos aspectos de seguridad social).

a) Esta previsión de la LRJS constituyó en su momento otra de las grandes novedades introducidas por la LRJS de 2011 frente al sistema que contenía la LPL de 1995, donde la regla general era justamente la inversa: no pertenecía al orden social la impugnación de las disposiciones generales y de los actos de las AA.PP. sujetos al derecho administrativo en materia laboral, salvo las excepciones.

b) Actualmente, la impugnación directa de las disposiciones generales continúa correspondiendo al orden contencioso-administrativo (**art. 3.a) LRJS**), pero, en materia de actos, la regla general es que la competencia corresponde al orden social salvo que se indique lo contrario. Ello tiene una importante repercusión en la atracción de diferentes competencias hacia la jurisdicción social en el ámbito individual, colectivo y de seguridad social de cuestiones que en el pasado fueron competencia del orden contencioso: así, por ejemplo, la impugnación de los actos por los que se autoriza o deniega a un menor a participar un espectáculo público; la impugnación de las resoluciones que dicta la autoridad laboral en relación con las Empresas de Trabajo Temporal; la impugnación de las decisiones administrativas de proceder a la extensión de un convenio colectivo; etc.

3.2.2. La delimitación negativa

21.–La delimitación de competencias anterior se debe completar, ahora en sentido negativo, con las previsiones del **art. 3 LRJS**, donde se recogen una serie de supuestos que se excluyen expresamente de la órbita de conocimiento del orden social.

21.1.–De entrada, la **letra a**) excluye la impugnación directa de las disposiciones generales de rango inferior a la ley y decretos legislativos cuando excedan los límites de la delegación, aun en materias laborales, sindicales y de seguridad social.

21.2.–La **letra b**) alude a ciertas cuestiones litigiosas en materia de prevención de riesgos laborales que quedan fuera del ámbito relevante de la jurisdicción social, en concreto, las que se susciten entre el empresario y los obligados a coordinar con éste las actividades preventivas de riesgos laborales y entre cualquiera de los anteriores y los sujetos o entidades que hayan asumido frente a ellos la responsabilidad de organizar el servicio de prevención y a las que ya se ha hecho referencia; las restantes, ya se ha visto que son competencia del orden social según prevé el art. 2.e) LRJS.

21.3.–La **letra c**) deja fuera del orden social la tutela de los derechos de libertad sindical y del derecho de huelga de los funcionarios públicos, del personal estatutario al servicio de las instituciones sanitarias y del resto del personal a que se refiere el art. 1.3.a) ET, algo que resulta ciertamente criticable.

21.4.–La **letra d**) contiene un par de previsiones muy relevantes en relación con el ejercicio del derecho de huelga en el ámbito de los servicios esenciales, donde se han diferenciado dos cuestiones distintas:

a) La impugnación de "*las disposiciones que establezcan las garantías tendentes a asegurar el mantenimiento de los servicios esenciales de la comunidad en caso de huelga y, en su caso, de los servicios o dependencias y los porcentajes mínimos de personal necesarios a tal fin*" no es competencia del orden social, sino del contencioso.

b) Por el contrario, la impugnación de "*los actos de designación concreta del personal laboral incluido en dichos mínimos, así como para el conocimiento de los restantes actos dictados por la autoridad laboral en situaciones de conflicto laboral conforme al Real Decreto-ley 17/1977, de 4 de marzo, sobre Relaciones de Trabajo*", sí que se integra en el orden social.

21.5.–La **letra e**), se ha visto ya, excluye de la jurisdicción social el control de la negociación colectiva de funcionarios públicos y del personal estatutario, así como el de los acuerdos mixtos, esto es, el de los acuerdos que se apliquen indistintamente tanto a un tipo de personal como a otro; por otra parte, los litigios sobre la composición de las mesas de negociación de condiciones comunes a laborales y al resto del personal también quedan extramuros del orden social.

21.6.– La **letra f**) excluye del conocimiento del orden social la impugnación de los actos administrativos dictados en las fases preparatorias, previas a la contración de personal laboral para el ingreso por acceso libre, que deberán ser impugnados ante el orden jurisdiccional contencioso administrativo. Esta previsión, incorporada por la DF 20ª de la Ley 22/2021, de 28 de diciembre, de Presupuestos Generales del Estado para 2021, trató de solventar un problema interpretativo enraizado desde hace décadas en la delimitación de competencias entre el orden social y el contencioso administrativo, como es el relacionado con las fases previas a la contratación en el ámbito de las AA.PP. y que la aprobación de la LRJS en 2011 había "reactivado".

21.7.- La **letra g**) alude a una serie de actos en materia de seguridad social que no se impugnan ante el orden social de la jurisdicción, sino ante el contencioso-administrativo. La frontera entre el art. 2.o) y s) LRJS –competencia del orden social– y el art. 3.g) LRJS –competencia del orden contencioso–, en línea de máxima, es la siguiente: el orden social conoce de la faceta relacionada con las prestaciones; el orden contencioso de la faceta relativa a la gestión recaudatoria. Además de los actos de gestión recaudatoria, de conformidad con este último precepto, no pertenece al orden social el control de las siguientes materias:

a) De entrada, la impugnación de los actos de encuadramiento, los relacionados con la inscripción de empresas, la tarifación, etc.

b) Por otra parte, la impugnación de ciertas sanciones administrativas como son las actas de liquidación y actas de infracción derivadas de dicha liquidación; las restantes, según se ha visto, son competencia del orden social.

c) En fin, el último inciso menciona los actos administrativos sobre asistencia y protección social públicas en materias que no se encuentren comprendidas en las letras o) y s) del art. 2 LRJS; así, por ejemplo, cabe pensar en determinadas resoluciones en el área de los servicios sociales, que no se impugnarán ante la jurisdicción social.

21.8.–Sin abandonar la materia de seguridad social, las reclamaciones relativas a la responsabilidad patrimonial por asistencia sanitaria defectuosa, cuando ha sido brindada por determinados entes, se dejan al margen del orden social por la **letra h**), precepto que reproduce el texto de lo que en su día dispusiera la DA 12ª LRJAPyPAC.

21.9.–En fin, según señala la **letra i**), quedan fuera del orden social, las cuestiones reservadas al Juez del Concurso. Y es que, cuando una empresa está concursada, ciertas acciones laborales, son competencia de los Juzgados de lo mercantil; para su determinación, hay que acudir a los arts. 53, 136 y ss. y 169 y ss. Ley Concursal.

3.2.3. La competencia funcional por conexión

22.–La competencia del orden social de la jurisdicción se extiende también al conocimiento y decisión prejudicial de cuestiones que no son propias de este orden pero que están relacionadas con las efectivamente atribuidas.

22.1.–Y es que, en ocasiones, para resolver asuntos de su competencia, los órganos de este orden deben contar con una respuesta a cuestiones conexas que no son estrictamente laborales pero que condicionan la solución del litigio perteneciente a la esfera de sus competencias que están tramitando (p.e., determinar si existía matrimonio entre dos personas para decidir si se puede acceder o no a la pensión de viudedad del art. 219 LGSS); si no fuera así, habría que esperar a la respuesta que se diera en el orden naturalmente competente sobre ese asunto conexo para resolver la cuestión principal suscitada en el juicio laboral, lo que retrasaría el desarrollo de este último.

22.2.–Pues bien, para evitar este tipo de retrasos, se reconocen las competencias "prejudiciales", que aparecen reguladas en los arts. 10 LOPJ y 4 LRJS, en la actualidad, bajo la nomenclatura de "competencia funcional por conexión".

23.–El ámbito material de esta competencia prejudicial en el caso del orden social resulta ser muy amplio.

23.1.–En efecto, en principio, alcanza a las materias propias de todos los órdenes restantes –civil, contencioso y penal, si bien, con este último, de manera más limitada, como se verá de inmediato–, y puede producirse tanto en el proceso declarativo como en el ejecutivo.

23.2.–Ahora bien, como se ha apuntado hace un momento, el alcance no es total. El propio art. 4.1 LRJS anuncia la existencia de límites cuando exceptúa lo dispuesto en el apartado tercero y en la Ley Concursal.

a) Dejando a un lado, por el momento, las cuestiones prejudiciales relacionadas con las empresas en concurso, hay que detenerse ahora en la materia penal, donde cabe efectuar unas precisiones a la luz del propio art. 4 LRJS.

b) Y es que, las cuestiones prejudiciales penales atinentes a falsedades documentales tienen un tratamiento particular, tanto en la fase declarativa como en el proceso de ejecución: en algunos casos, y bajo ciertas circunstancias, pueden determinar la suspensión del pleito laboral hasta que se resuelva la cuestión en el orden penal.

24.–La decisión que se adopte por el órgano jurisdiccional social respecto estas cuestiones "aledañas" es una solución a los meros efectos prejudiciales, por lo que, como señala el art. 4.2 LRJS, sólo produce efectos en el proceso en que se dicta, sin condicionar, en consecuencia, la solución que en su día pueda adoptar el órgano naturalmente competente. Ello enlaza con los efectos que pueden producir las sentencias recaídas en procedimientos seguidos ante los otros órdenes jurisdiccionales y relativos a la cuestión que ha resuelto prejudicialmente el juez de lo social.

24.1.–En el caso de las cuestiones prejudiciales civiles y administrativas, la decisión firme adoptada por los órganos correspondientes a tales órdenes que resultase discrepante con la adoptada prejudicialmente por el juez de lo social con anterioridad, no permite modificar el resultado judicial al que este último hubiese llegado.

24.2.–En cambio, tratándose de cuestiones prejudiciales penales –en buena lógica, aquéllas que no han determinado la suspensión del procedimiento porque no están relacionadas con falsedad en documentos esenciales para la solución del pleito–, el art. 86.3 LRJS prevé un régimen diverso. Así, en estos casos, la sentencia penal absolutoria por inexistencia del hecho o por no haber participado el sujeto en el mismo habilita a plantear la revisión de la sentencia dictada en el orden social.

3.3. La competencia objetiva y funcional de los órganos del orden social

25.–Una vez determinados los asuntos cuyo conocimiento está atribuido al orden social, todavía queda plantearse ante qué órgano concreto de la pluralidad que compone el mencionado orden debe acudirse cuando surge un conflicto. Pues bien, a esta cuestión responden las reglas sobre competencia objetiva y funcional.

26.–De entrada, en el caso de los **JUZGADOS DE LO SOCIAL,** sus competencias aparecen fijadas en el art. 93 LOPJ, el cual debe ser completado con lo dispuesto en el art. 6 LRJS.

26.1.–En primer lugar, estos juzgados conocen en primera y única instancia de los pleitos que tengan atribuidos objetivamente. Esos pleitos son los siguientes.

a) En principio, los juzgados de lo social conocerán objetivamente de todas las pretensiones que se promuevan dentro de la rama social del derecho, tanto individuales como colectivas o de seguridad social, concretadas en el art. 2 LRJS.

b) Ahora bien, de esta regla general se exceptúan una serie de supuestos:

– Así, de entrada, los conflictos previstos en las letras f) g), h), j), k) y l) –nótese que se trata siempre de materias relacionadas con el derecho sindical–, cuando extiendan sus efectos a un espacio territorial superior al de la circunscripción de un juzgado de lo social, no serán nunca competencia del juzgado de lo social, sino de las salas de lo social del TSJ o de la AN.

– Algo similar sucede, por otra parte, en el caso de los conflictos recogidos en las letras n) y s) (conflictos en materia de derecho administrativo laboral), donde la competencia será de los juzgados o de las salas de lo social del TSJ, de la AN o del TS en función del órgano que haya dictado la resolución administrativa que se impugna.

– En fin, lo mismo cabe indicar respecto la impugnación colectiva de los despidos colectivos, la impugnación de oficio de los acuerdos alcanzados en período de consultas en el seno de los procedimientos de los arts. 47 y 51 ET o la impugnación de la resolución administrativa que constata la existencia de fuerza mayor a la que alude el art. 51.7 ET, donde la competencia se atribuye siempre a las salas de lo social del TSJ o de la AN.

26.2.–En segundo lugar, también conoce de la ejecución de las sentencias firmes que hayan dictado (art. 237 LRJS).

26.3.–En fin, el juzgado de lo social puede ser competente para conocer de ciertos recursos de audiencia al demandado rebelde (art. 185 LRJS).

27.–Las competencias objetivas y funcionales más relevantes de las **SALAS DE LO SOCIAL DE LOS TRIBUNALES SUPERIORES DE JUSTICIA** aparecen determinadas en los arts. 75 LOPJ y 7 LRJS.

27.1.–En primer lugar, conocen en primera y única instancia de las materias que tengan atribuidas objetivamente (art. 7 LRJS). Tales materias son las siguientes:

a) Por un lado, las comprendidas entre las letras f) y l), a excepción de la i) del art. 2 LRJS, cuando el ámbito del conflicto rebase la circunscripción de un juzgado, pero no la de la Comunidad Autónoma.

b) Por otro lado, las mencionadas en las letras n) y s) cuando el acto administrativo impugnado emane de los órganos mencionados en el art. 7.b) LRJS.

c) Finalmente, la impugnación colectiva de los despidos colectivos, la impugnación de oficio de los acuerdos alcanzados en período de consultas en el seno de los procedimientos de los arts. 47 y 51 ET o la impugnación de la resolución administrativa que constata la existencia de fuerza mayor a la que alude el art. 51.7 ET, cuando los efectos no rebasen el territorio de la Comunidad Autónoma.

27.2.–En segundo lugar, se encargan de la ejecución de las sentencias firmes que hayan conocido en la instancia (237 LRJS).

27.3.–En tercer lugar, conocerán de los recursos que establezcan las leyes contra las resoluciones de los Juzgados de lo Social –es decir, del recurso de suplicación (arts. 7 y 190 LRJS) y, en su caso, del recurso de queja (art. 189 LRJS)–.

27.4.–En cuarto lugar, conocerán de un conjunto de cuestiones variadas como pueden ser las siguientes:

a) Por un lado, las cuestiones de competencia que se susciten entre los juzgados de lo social pertenecientes a su circunscripción (art. 7 LRJS);

b) Por otro, la recusación de sus miembros –excepto la del presidente–, así como de las recusaciones de los jueces pertenecientes a los Juzgados de lo Social de su circunscripción (arts. 224 LOPJ y 15 LRJS);

c) Por último, le corresponde también el conocimiento de algunas solicitudes de audiencia al demandado rebelde (art. 185 LRJS).

28.–Las competencias objetivas y funcionales más relevantes de la **SALA DE LO SOCIAL DE LA AUDIENCIA NACIONAL** aparecen reguladas en los arts. 67 LOPJ y 8 LRJS.

28.1.–En primer lugar, conoce en primera y única instancia de algunas controversias:

a) Por un lado, las relacionadas en las letras f), g) h), j), k), y l) del art. 2 LRJS siempre y cuando el ámbito del conflicto rebase el espacio de una Comunidad Autónoma.

b) Por otro lado, las mencionadas en las letras n) y s) cuando el acto administrativo impugnado haya sido por los órganos mencionados en el art. 8.2 LRJS.

c) Asimismo, le corresponde el conocimiento de la impugnación colectiva de los despidos colectivos, el de la impugnación de oficio de los acuerdos alcanzados en período de consultas en el seno de los procedimientos de los arts. 47 y 51 ET o el de la impugnación de la resolución administrativa que constata la existencia de fuerza mayor a la que alude el art. 51.7 ET, siempre que los efectos se extiendan a un ámbito territorial superior al de la Comunidad Autónoma.

28.2.–En segundo lugar, se encarga de la ejecución de las sentencias firmes que haya dictado (art. 237 LRJS).

28.3.–En tercer lugar, la sala de lo social de la Audiencia Nacional conocerá de un conjunto de cuestiones variadas como pueden ser las siguientes:

a) Por un lado, las recusaciones planteadas contra sus miembros, a excepción de que se trate del presidente o afecte a más de dos magistrados (arts. 224 LOPJ y 15 LRJS).

b) Por otro, la tramitación de algunas solicitudes de audiencia al demandado rebelde (art. 185 LRJS).

28.4.–Finalmente, debe destacarse que no resuelve recursos frente a resoluciones de otros jueces o tribunales, ni cuestiones de competencia, pues no ostenta un nivel jerárquico superior a otros órganos.

29.–Las competencias objetivas y funcionales más relevantes de la **SALA DE LO SOCIAL DEL TRIBUNAL SUPREMO** aparecen reguladas en los arts. 59 LOPJ y 9 LRJS y son las siguientes.

29.1– En primer lugar, la sala de lo social del Tribunal Supremo es competente para resolver en primera y única instancia de los procesos previstos en las letras n) y s), cuando el acto administrativo impugnado haya emanado del Consejo de Ministros.

29.2.–En segundo lugar, se encarga de la ejecución de las sentencias firmes que haya dictado (art. 237 LRJS).

29.3.–En tercer lugar, le corresponde resolver una pluralidad de recursos:

a) Por un lado, de los recursos de casación que se puedan interponer contra las sentencias dictadas en primera y única instancia por las salas de lo social de los TSJ o de la AN (arts. 9 y 205 LRJS).

b) Igualmente le corresponde conocer del recurso de casación para la unificación de la doctrina que se pueda interponer contra las sentencias dictadas por los TSJ en suplicación (arts. 9 y 219 LRJS).

c) Asimismo, tiene atribuida la solución del recurso de revisión que eventualmente se pueda interponer contra las sentencias firmes que haya dictado cualquier órgano jurisdiccional de lo social o contra los laudos arbitrales firmes sobre materias objeto de conocimiento del orden social (art. 9 LRJS).

d) En fin, también le corresponde resolver, en su caso, el recurso de queja por inadmisión del recurso de casación (art. 189 LRJS)

29.4.–Finalmente, tiene atribuido el conocimiento de una pluralidad de cuestiones como, por ejemplo, las siguientes:

a) Las cuestiones de competencia que se susciten entre juzgados y tribunales pertenecientes al orden social que no tengan otro superior común (art. 9 LRJS).

b) La recusación de sus magistrados, excepto la del presidente o cuando afecte a dos o más magistrados, en cuyo caso conoce una sala especial (arts. 224 LOPJ y 15 LRJS).

c) Algunas solicitudes de audiencia al demandado rebelde (art. 185 LRJS).

CUADRO DISTRIBUCIÓN COMPETENCIAS OBJETIVAS

Conflictos/ Órganos	Juzgado Social	Sala Social TSJ	Sala Social AN	Sala Social TS
Aspectos "individua-les" – A/B/C/D/E – Ñ/P	Siempre, salvo: – despidos colectivos impugnados por los representantes de los trabajadores, ya que son competencia del TSJ o de la AN. – impugnación acuerdos consultas ex art. 148.b) ya que son competencia del TSJ o de la AN	Nunca, salvo: – despidos colectivos impugnados por los representantes de los trabajadores cuando sus efectos no rebasan la CA – impugnación de los acuerdos consultas ex art. 148.b) cuando sus efectos no rebasan la CA	Nunca, salvo: – despidos colectivos impugnados por los representantes de los trabajadores cuando sus efectos rebasan la CA. – impugnación de los acuerdos consultas ex art. 148.b) cuando sus efectos rebasan la CA	Nunca
Aspectos "colectivos" F/G/H/I/J/K/ L/M	– I/M: siempre – F/G/H/J/K/L: si la extensión del conflicto no rebasa la circunscripción del JS	– I/M: nunca – F/G/H/J/K/L: si la extensión del conflicto rebasa la circunscripción del JS pero no supera la de la CA	– I/M: nunca – F/G/H/J/K/L: si la extensión del conflicto rebasa la circunscripción de la CA	Nunca
Seguridad Social O/Q/R/S	Siempre	Nunca	Nunca	Nunca
Dº Administrativo laboral – N – S	Impugnación de los actos administrativos dictados por los órganos previstos en el art. 6 LRJS. No conoce de la impugnación de las resoluciones que autorizan la extinción por fuerza mayor (51.7 ET)	Impugnación de los actos administrativos dictados por los órganos previstos en el art. 7 LRJS. Impugnación de las resoluciones que autorizan la extinción por fuerza mayor (51.7 ET) si sus efectos no rebasan la CA	Impugnación de los actos administrativos dictados por los órganos previstos en el art. 8 LRJS. Impugnación de las resoluciones que autorizan la extinción por fuerza mayor (51.7 ET) si sus efectos rebasan la CA	Impugnación de los actos administrativos dictados por los órganos previstos en el art. 9 LRJS. No conoce de la impugnación de las resoluciones que autorizan la extinción por fuerza mayor (51.7 ET)

3.4. La competencia territorial

30.–La competencia territorial permite distribuir las causas entre los órganos jurisdiccionales de un mismo tipo; así pues, únicamente cabe planteársela en relación con aquellos órganos que presenten una pluralidad, es decir, los Juzgados de lo Social y las salas de lo social de los Tribunales Superiores de Justicia.

30.1.–Por lo que respecta a los **juzgados de lo social**, la cuestión aparece resuelta en el art. 10 LRJS.

– La regla general consiste en que la demanda se presentará en el lugar de prestación de servicios o en el domicilio del demandado a elección del demandante (art. 10.1.I LRJS).

– Por otra parte, acto seguido, el mismo art. 10.1 LRJS matiza esta regla para el caso en que se presten servicios en distintas localidades, para cuando haya varios demandados o para los supuestos en los que la demanda se dirija contra una administración pública, proporcionando unas soluciones diversas para cada una de tales situaciones.

– Por último, el art. 10 LRJS, en sus apartados 2, 3 y 4, prevé una serie de reglas distintas (especiales) para cierto tipo de pleitos: en materia de seguridad social, conflicto colectivo, impugnación estatutos sindicales, tutela libertad sindical y demás derechos fundamentales, elecciones, etc.

30.2.–La competencia territorial de los **Tribunales Superiores de Justicia** se recoge en el art. 11 LRJS; cabe destacar que el contenido de este precepto es similar al del art. 10.2 y 4 LRJS, sólo que aplicado a un órgano que presenta un ámbito de actuación diverso.

3.5. El control del cumplimiento de las reglas sobre competencia

31.–El tratamiento de la competencia no se puede dar por cerrado sin hacer referencia a cómo se controla el cumplimiento de estas normas y qué efectos provoca su transgresión.

31.1.–En este punto, debe tenerse en cuenta que el art. 238 LOPJ anuda la nulidad de pleno derecho a los actos judiciales realizados *"con manifiesta falta de jurisdicción o de competencia objetiva o funcional"*.

31.2.–Por otra parte, de los arts. 9.1 y 9.6 LOPJ se deriva el carácter improrrogable de la jurisdicción, así como la obligación de los órganos jurisdiccionales de controlarla de oficio –esto es, por parte del propio órgano jurisdiccional, sin necesidad de que nadie se lo indique–. Unas previsiones que se reiteran en la LRJS, cuyo art. 5.1 LRJS también menciona la existencia de un control de oficio. La existencia de este control no impide que el mismo también pueda producirse a consecuencia de la actuación de las partes, esto es, que sean éstas las que le señalen su falta de jurisdicción o de competencia en el caso en cuestión.

3.5.1. El control de oficio

32.–En efecto, de entrada, el art. 5 LRJS hace referencia a la existencia de un control de oficio sobre la falta de competencia en toda su extensión, es decir, alcanza a la "competencia internacional" (extensión y límites de la jurisdicción española), a la competencia genérica, a la objetiva, a la funcional y a la territorial.

33.–Por lo que respecta a la articulación del control de oficio, cabe destacar lo siguiente.

33.1– En primer lugar, hay que subrayar cómo este control puede producirse en diferentes momentos:

a) Así, de entrada, en función de lo establecido en los arts. 5.1 y 5.2 LRJS, por un lado, podría tener lugar en el momento inicial de la admisión de la demanda, en cuyo caso se resuelve mediante un auto por el cual el órgano se declara incompetente; por otro, en el momento de proceder a dictar sentencia, la cual, entonces, no entrará en el fondo del asunto y se limitará a señalar la falta de competencia del órgano que la dicta. En todos estos casos la resolución judicial deberá indicar ante qué órgano y cómo puede el demandante hacer uso de su derecho.

b) Asimismo, a tenor de lo establecido en los arts. 81 y 85 LRJS, parece que ello resultará posible también efectuarlo en cualquier momento previo al juicio; es más, esta idea se afianza tras la lectura de los arts. 191.4 y 206.2 LRJS. Por lo demás, también en este caso, parece que la resolución judicial deberá indicar ante qué órgano y cómo puede el demandante hacer uso de su derecho.

33.2.–En segundo lugar, también hay que reseñar cómo la decisión debe ir precedida, según el artículo 5.3 LRJS, de una audiencia previa a las partes y al Ministerio Fiscal en plazo común de tres días.

33.3.–Una tercera cuestión a tener en cuenta es la relativa a que la decisión es susceptible de ser recurrida, con independencia de que se trate de un auto o una sentencia: en el primer caso, procederá primero reposición y, posteriormente, contra el auto que resuelva el recurso de reposición cabrá interponer suplicación o casación, según de qué órgano haya emanado la resolución a impugnar; en el segundo, suplicación o casación en función del órgano que haya dictado la sentencia.

33.4.–Por último, en paralelo con lo establecido en el art. 14 LRJS, el art. 5.5 LRJS establece que, en el caso de acciones sujetas a plazo de caducidad, éstas se entenderán suspendidas desde que se presente la demanda hasta que el auto de declaración de incompetencia adquiera firmeza.

3.5.2. El control a instancia de parte

34.–Junto al control de oficio que debe llevar a cabo el órgano jurisdiccional, cabe también que las partes adviertan a éste de la falta de competencia en cualquiera de sus vertientes –extensión de la jurisdicción española; competencia genérica, objetiva, funcional o territorial– (art. 63 LEC). Al respecto, el art. 14 LRJS prevé que "*Las cuestiones de competencia se sustanciarán y decidirán con sujeción a lo dispuesto en la LEC, salvo lo dispuesto en las siguientes reglas*", para, acto seguido, referirse a las declinatorias que "*se propondrán como excepciones*".

34.1.–Así pues, la incompetencia del órgano jurisdiccional se planteará a través de la **declinatoria**. En tal caso, el artículo 14 LRJS establece que se propondrá como excepción y se resolverá como cuestión previa en la sentencia, sin suspender el curso de los autos. Ello quiere decir que el demandado, cuando intervenga en el pleito, le indica al órgano jurisdiccional que, en realidad, no debe resolver el asunto pues carece de competencia para ello; una vez tramitado el pleito, si el órgano jurisdiccional estima que, en efecto, carece de competencia, dicta una sentencia en la que, sin entrar en el fondo del asunto, se limita a señalar su falta de competencia. Obviamente, el demandante podrá deducir su demanda ante el órgano territorialmente competente, y si la acción estuviese sometida a plazo de caducidad, se entenderá suspendida desde la presentación de la demanda hasta que la sentencia que estime la declinatoria quede firme.

34.2.–Por otra parte, el artículo 14 LRJS no prevé que la incompetencia pueda plantearse a través de una **inhibitoria.** La inhibitoria, a diferencia de la declinatoria, opera del modo siguiente: se acude al órgano que se estima realmente competente para que éste, a su vez, requiera al que está conociendo de los autos que se inhiba de su tramitación y le remita las actuaciones. Pues bien, teniendo en cuenta la actual ausencia de referencia alguna a este instrumento en la LRJS, las dudas que sobre su pervivencia en el ámbito del proceso laboral había suscitado su desaparición en el terreno del proceso civil con la aprobación de la LEC del año 2000 deberían quedar zanjadas de forma definitiva; en conclusión, el control a instancia de parte, hoy en día, sólo se puede plantear vía declinatoria.

4. Las posibles situaciones de conflicto relacionados con la competencia

35.–La existencia de diferentes funciones dentro del Estado –administrativas y judiciales–, así como de diversos órdenes jurisdiccionales y de diferentes órganos en el seno de cada uno de dichos órdenes, determina que no sea tarea sencilla fijar el ámbito de actuación de cada uno de estos órganos y surjan situaciones conflictivas. Estos conflictos pueden ser positivos –más de un órgano se considera competente– o negativos –ninguno de los órganos se considera competente–. Por otra parte, en función de los órganos implicados hay que diferenciar entre conflictos de jurisdicción, conflictos de competencia y cuestiones de competencia.

4.1. Conflictos de jurisdicción

36.–Los conflictos de jurisdicción son aquéllos que se suscitan entre los tribunales y las autoridades administrativas. Se trata de determinar si una determinada actuación, en definitiva, corresponde al poder ejecutivo o al judicial.

La solución de los mismos corresponde al Tribunal de Conflictos Jurisdiccionales, compuesto por miembros procedentes de la judicatura y de la administración que se concretan en el art. 38 LOPJ, a través de un procedimiento especial regulado en la Ley Orgánica 2/1987, de 18 de mayo.

4.2. Conflictos de competencia

37.–Los conflictos de competencia son aquéllos que se suscitan entre órganos jurisdiccionales pertenecientes a diferentes órdenes.

El art. 12 LRJS remite en este punto a la LOPJ, cuyos arts. 42 y ss. prevén que se resuelvan por una sala especial de conflictos del Tribunal Supremo, compuesta por el presidente del Tribunal Supremo y un magistrado del Tribunal Supremo de cada uno de los órdenes afectados, así como el procedimiento a seguir.

4.3. Cuestiones de competencia

38.–Las cuestiones de competencia son aquéllas que se suscitan entre órganos jurisdiccionales pertenecientes a un mismo orden jurisdiccional. La solución a estas cuestiones aparece en los arts. 13 y 14 LRJS y 51 y 52 LOPJ.

38.1.–Si se trata de órganos entre los que existe una relación de jerarquía, en realidad, no se puede suscitar una cuestión de competencia, según recuerda el art. 14 LRJS, y el asunto se resuelve por el órgano superior.

38.2.–En cambio, cuando se trata de órganos iguales o de órganos entre los que no existe relación de jerarquía –verdaderas cuestiones de competencia–, la solución se adopta por el órgano superior común.

II. CUESTIONARIO

1. D. Víctor Cifuentes Andrade, natural de Valencia y residente en Benidorm, presta servicios como limpiador en Elche para una empresa de servicios domiciliada en Murcia. A D. Víctor no le han abonado los salarios desde el mes de enero y pretende reclamarlos en vía judicial:

a) D. Víctor puede optar entre interponer la demanda ante el Juzgado de lo Social de Elche o ante el de Murcia.

b) D. Víctor puede optar entre interponer la demanda ante el Juzgado de lo Social de Valencia o ante el de Elche.

c) D. Víctor puede optar entre interponer la demanda ante el Juzgado de lo Social de Elche o ante el de Benidorm.

d) D. Víctor puede optar entre interponer la demanda ante el Juzgado de lo Social de Alicante o ante el de Murcia.

2. El Delegado de Gobierno en Valencia ha dictado un decreto fijando los servicios mínimos a cubrir durante una huelga convocada para el sector transporte en la Comunidad Valenciana. Los sindicatos convocantes lo consideran excesivo y deciden impugnar el decreto que fija tales servicios en el mantenimiento del 75 % de la actividad en horas punta y del 25 % en el resto de franjas horarias.

a) La demanda debe presentarse ante el Juzgado de lo Social de Valencia, pues la resolución administrativa emana del delegado de Gobierno en dicha localidad.

b) El asunto no es competencia del orden social, sino del orden contencioso administrativo ya que se impugna la fijación de los mínimos, no la selección de trabajadores que deben dispensarlos.

c) La demanda debe presentarse ante la sala de lo social del Tribunal Superior de Justicia de la Comunidad Valenciana, pues la huelga se ha convocado en toda la Comunidad Autónoma.

d) La demanda debe presentarse ante la Sala de lo Social de la Audiencia Nacional, pues muchos transportistas proceden de otras Comunidades Autónomas o se dirigen hacia ellas.

3. El orden social de la jurisdicción NO ES COMPETENTE para resolver...

a) La impugnación de una cláusula de los estatutos de una asociación empresarial por la que se impide el acceso a cargos representativos a menores de 30 años.

b) La impugnación de una resolución del FOGASA por la que se deniega a un trabajador el abono de ciertos salarios que su empresa le adeuda estando ésta en situación de insolvencia.

c) La impugnación de una resolución administrativa que deniega el depósito de unos estatutos sindicales por carecer de los requisitos básicos contemplados en la LOLS.

d) La demanda en tutela de la libertad sindical planteada por un funcionario de la administración local contra la administración para la que presta servicios.

4. El orden social de la jurisdicción ES COMPETENTE para resolver…

a) Una reclamación sobre el pago de un artículo planteada por un escritor contra una revista a la que muy ocasionalmente vende materiales de este tipo.

b) Una reclamación de cantidad planteada por una jugadora de baloncesto profesional contra su club por no haberle abonado la retribución mensual.

c) Una reclamación planteada por un recepcionista de hotel contra el titular del negocio por un problema relativo al deslinde de unas fincas que ambos poseen.

d) Una reclamación de cantidad planteada por personal estatutario al servicio de la Seguridad Social contra el SERVASA.

5. El orden social de la jurisdicción ES COMPETENTE para resolver una demanda planteada por un miembro de una sociedad laboral en la que se impugna…

a) … la decisión societaria de modificar la denominación de la sociedad.

b) … la decisión societaria de adquirir unos equipos informáticos nuevos en sustitución de los anteriores.

c) … la decisión societaria de concertar un contrato publicitario con una empresa de marketing.

d) … la decisión societaria de cesarle en los servicios.

6. El orden social de la jurisdicción ES COMPETENTE para resolver …

a) … una demanda presentada por un empresario contra un trabajador a su servicio, reclamando una indemnización por incumplimiento de un pacto de dedicación exclusiva.

b) … una demanda presentada por un funcionario de una entidad local contra el Ayuntamiento en el que presta servicios reclamando un plus de idiomas.

c) … una demanda interpuesta por un fontanero contra un particular por no haberle abonado la reparación de un cuarto de baño del domicilio.

d) … una demanda interpuesta por un taxista contra un usuario que se bajó del taxi y se dio a la fuga sin abonarle el servicio.

7. El orden social de la jurisdicción NO ES COMPETENTE para resolver…

a) La impugnación de una resolución administrativa por la que se sanciona a una empresa que contaba con trabajadores a su servicio con contratos temporales fraudulentos.

b) La impugnación de una resolución administrativa por la que, tras constatarse que una empresa no tenía dados de alta en Seguridad Social a determinados trabajadores, se procede a liquidar la deuda y a sancionarla.

c) La impugnación de una resolución administrativa por la que se sanciona a una empresa que había incumplido sus obligaciones en materia preventiva.

d) La impugnación de una resolución administrativa por la que se sanciona a una empresa que no facilitaba un tablón de anuncios al Comité de Empresa.

8. Dª. Leire Alarcón Torres, natural de Zaragoza y residente en Toledo, trabaja en Ciudad Real como directora de una oficina bancaria que tiene el domicilio social en Guadalajara. Dª Leire quiere demandar a su empresa para que se le reconozca el derecho a disfrutar de sus vacaciones anuales durante el mes de julio. La empresa está en concurso de acreedores:

a) Dª Leire puede optar entre interponer la demanda ante el Juzgado de lo Social de Ciudad Real o ante el de Guadalajara.

b) Dª Leire puede optar entre interponer la demanda ante el Juzgado de lo Social de Toledo o ante el de Ciudad Real.

c) Dª Leire puede optar entre interponer la demanda ante el Juzgado de lo Social de Toledo o ante el de Guadalajara.

d) Dª Leire debe interponer su demanda ante los juzgados de lo mercantil, ya que la empresa está en concurso.

9. Dª Carolina Soriano, natural de Lugo, suscribió un contrato de trabajo con la Diputación Provincial de Pontevedra para prestar servicios en Vigo, localidad en la que además reside. La Diputación no le ha reconocido un plus de idiomas al que Dª Carolina cree tener derecho y pretender reclamarlo.

a) Dª Carolina podrá elegir para interponer su demanda entre el Juzgado de lo Social correspondiente al domicilio del demandado (la Diputación de Pontevedra) o el del lugar de prestación de servicios (Vigo), por tanto, podrá interponer la demanda en Pontevedra o en Vigo.

b) Dª Carolina podrá elegir para interponer su demanda entre el Juzgado de lo Social correspondiente a su domicilio o el del lugar de prestación de servicios, por tanto, la demanda se interpondrá necesariamente en Vigo.

c) Dª Carolina deberá interponer su demanda necesariamente ante el Juzgado de lo Social de Pontevedra, pues, por un lado, allí se encuentra el domicilio del demandado y, por otro lado, en Vigo no hay Juzgado de lo Social.

d) Dª Carolina debería interponer su demanda ante los juzgados de lo contencioso administrativo.

10. D. Isidro Barberá Alarcón, natural de L'Alcúdia y residente en Jerez de la Frontera, ganó unas oposiciones convocadas por la Junta de Andalucía y en la actualidad es funcionario de carrera de la administración autonómica andaluza con destino en Cádiz. La Junta de Andalucía no le ha reconocido un complemento salarial al que D. Isidro estima tener derecho y pretende reclamarlo en sede judicial.

a) D. Isidro puede optar entre interponer su demanda ante el Juzgado de lo Social de Cádiz (lugar de prestación de servicios) o ante el de Sevilla (sede del organismo demandado).

b) La demanda es competencia de la sala de lo social del Tribunal Superior de Justicia de Andalucía, pues se va a demandar a una administración autonómica.

c) D. Isidro puede optar entre interponer su demanda ante el Juzgado de lo Social de Jerez (su domicilio) o ante el Juzgado de lo Social de Cádiz (lugar de prestación de servicios).

d) El asunto no es competencia del orden social, sino del orden contencioso administrativo.

11. Las partes negociadoras del Convenio Colectivo de Aragón para la construcción no se ponen de acuerdo sobre la subida salarial a pactar, ya que un sindicato muy representativo en Zaragoza bloquea las propuestas que efectúan las restantes representaciones.

a) La competencia corresponde a la sala de lo social del Tribunal Superior de Justicia de Aragón porque el convenio colectivo que se quiere negociar es de ámbito autonómico.

b) Este tipo de asuntos no son competencia del orden social, sino del orden contencioso-administrativo.

c) Este tipo de conflictos no pueden resolverse en sede jurisdiccional porque no se trata de un conflicto colectivo jurídico.

d) La competencia corresponde al Juzgado de lo Social de Zaragoza pues allí se encuentra el sindicato disidente y, por tanto, es allí donde surge el conflicto

12. Las universidades públicas andaluzas suscribieron en Sevilla un pacto colectivo con los representantes de los trabajadores, aplicable tanto a funcionarios como al personal laboral, sobre conciliación de la vida laboral y familiar. El pacto incluye un par de cláusulas cuya legalidad es dudosa por lo que ha sido impugnado.

a) El asunto es competencia del Juzgado de lo Social de Sevilla, ya que allí se firmó el pacto.

b) El asunto es competencia de la sala de lo social del Tribunal Superior de Justicia de Andalucía, pues el pacto se aplica en todas las universidades públicas andaluzas.

c) El asunto no es competencia del orden social, sino del orden contencioso-administrativo.

d) El asunto es competencia de cualquier Juzgado de lo Social de Andalucía, ya que se aplica a todas las universidades públicas de dicha Comunidad Autónoma.

13. Las universidades públicas valencianas suscribieron en Castellón un pacto colectivo con los sindicatos más representativos de la Comunidad Autónoma sobre retribuciones del personal laboral que presta servicios en dichas universidades. El pacto incluye un par de cláusulas cuyo ajuste a la legalidad vigente resulta dudoso, por lo que ha sido impugnado.

a) El asunto es competencia de la sala de lo social del Tribunal Superior de Justicia de la Comunidad Valenciana.

b) El asunto no es competencia del orden social, sino del orden contencioso-administrativo.

c) El asunto es competencia del Juzgado de lo Social de Castellón ya que allí ha sido firmado el convenio.

d) El asunto es competencia de cualquier Juzgado de lo Social de la Comunidad Valenciana donde haya universidades públicas, ya que se aplica a todas las universidades públicas de dicha Comunidad Autónoma.

14. D. Nicolás Cogollos Villar, natural de Santander y residente en Bilbao, presta servicios para una empresa de Logroño. Hace unas semanas volviendo del trabajo tuvo un ataque de apendicitis y fue ingresado por urgencias en un hospital de Vitoria. La intervención presentó complicaciones que derivaron en daños graves. D. Nicolás pretende demandar al Servicio Vasco de Salud por lo que él considera una asistencia sanitaria defectuosa.

a) D. Nicolás puede interponer su demanda tanto ante el Juzgado de lo Social de Vitoria como ante el Juzgado de lo Social de Logroño.

b) D. Nicolás puede interponer su demanda tanto ante el Juzgado de lo Social de Vitoria como ante el Juzgado de lo Social de Bilbao.

c) El asunto no es competencia del orden social de la jurisdicción, sino del orden contencioso administrativo.

d) D. Nicolás puede interponer su demanda tanto ante el Juzgado de lo Social de Bilbao como ante el Juzgado de lo Social de Logroño.

15.- Dª. Antonia Marín Bermúdez, natural de Ibiza y domiciliada en Elche, prestaba servicios en Benidorm para una empresa domiciliada en Madrid. El mes pasado perdió su empleo y solicitó la prestación de desempleo que fue denegada por Resolución del SEPE de Alicante. Ahora pretende impugnar dicha resolución.

a) Dª Antonia puede elegir entre interponer su demanda ante el Juzgado de lo Social de Benidorm (lugar donde prestaba servicios) o de Alicante (lugar donde se ha dictado la Resolución).

b) Dª Antonia puede elegir entre interponer su demanda ante el Juzgado de lo Social de Alicante (lugar donde se dictó la Resolución) o de Valencia (sede de la Consellería competente por razón de la materia).

c) Dª Antonia puede elegir entre interponer su demanda ante el Juzgado de lo Social de Elche (su domicilio) o de Alicante (lugar donde se ha dictado la Resolución).

d) Dª Antonia puede elegir entre interponer su demanda ante el Juzgado de lo Social de Madrid (domicilio de la última empresa para la que trabajó) o de Alicante (lugar donde se ha dictado la Resolución).

16. El Convenio Colectivo Nacional de Estaciones de Servicio fue firmado en Guadalajara y contiene un complejo sistema sobre retribuciones. En una empresa que cuenta con solo dos centros de trabajo (uno en Valencia y otro en Castellón) ha surgido un conflicto colectivo sobre los conceptos que, a la luz del convenio, deben ser integrados en el pago de las vacaciones y se ha acudido a la vía judicial.

a) La demanda debe presentarse ante la Sala de lo Social de la Audiencia Nacional.

b) La demanda debe presentarse ante la Sala de lo Social del Tribunal Superior de Justicia de la Comunidad Valenciana.

c) La demanda debe presentarse ante el Juzgado de lo Social de Valencia, ante el de Castellón o ante el de Guadalajara.

d) El asunto no puede resolverse en sede judicial pues se trata de un conflicto de intereses.

17. La empresa Textiles Gondomar, S.L., domiciliada en Toledo, recabó los servicios de una ETT (Servicios Integrales, ETT) cuyo domicilio social radica en Madrid, a efectos de que ésta le enviase mano de obra a un centro de trabajo que la primera acababa de abrir en Guadalajara. Tras dos meses de actividades, la ETT no ha recibido la contraprestación económica pactada y ha decidido demandar a Textiles Gondomar S.L. por incumplimiento de contrato.

a) La demanda deberá ser presentada ante el Juzgado de lo Social de Guadalajara (lugar de ejecución del contrato).

b) La demanda deberá ser presentada ante el Juzgado de lo Social de Toledo (domicilio de la empresa demandada) o ante el de Guadalajara (lugar de prestación de servicios) a opción del demandante.

c) La demanda deberá ser presentada ante el Juzgado de lo Social de Madrid (domicilio del demandante) o ante el de Guadalajara (lugar de prestación de servicios) a opción del demandante.

d) El asunto no es competencia del orden social.

18. Un conjunto de academias de enseñanza privada, radicadas todas ellas en Valencia y Alicante, pretenden constituirse en asociación empresarial de enseñanza privada para la Comunidad Valenciana; la autoridad laboral no ha admitido los estatutos presentados a depósito y los promotores pretenden impugnar esta resolución administrativa en sede judicial.

a) El asunto no es competencia del orden social, sino del orden contencioso administrativo.

b) El asunto no es competencia del orden social, sino del orden civil de la jurisdicción.

c) La competencia corresponde al Juzgado de lo Social, pudiéndose optar entre el de Valencia o el de Alicante.

d) La competencia corresponde a la Sala de lo Social del TSJ de la Comunidad Valenciana.

19. La empresa Guardeig, S.L., domiciliada en Alicante, tiene centros de trabajo por toda la Comunidad Autónoma Valenciana; la situación económica le ha llevado a cerrar el centro de trabajo radicado en Castellón, despidiendo a los trabajadores de dicho centro y manteniendo la actividad de los restantes centros. Los representantes de los trabajadores pretenden llevar a cabo la impugnación colectiva de este despido colectivo.

a) La competencia corresponde a la sala de lo social del Tribunal Superior de Justicia de la Comunidad Valenciana.

b) Los representantes de los trabajadores pueden optar entre presentar la demanda ante los Juzgados de lo Social de Castellón (lugar de prestación de servicios) o los de Alicante (domicilio de la empresa).

c) Los representantes de los trabajadores pueden optar por presentar la demanda ante cualquier Juzgado de lo Social de la Comunidad Valenciana pues todos con competentes.

d) El asunto no está atribuido al orden social de la jurisdicción.

20. La empresa repostera "Dulces Pérez, S.A., domiciliada en Castellón, recabó los servicios de una ETT cuyo domicilio social radica en Valencia, a efectos de que la mencionada ETT le proporcionara un trabajador para cubrir temporalmente un puesto de maestro hornero en el centro de trabajo de Elche.

El trabajador seleccionado (D. Pedro, domiciliado en Alicante) no ha percibido el salario del último mes y decide reclamárselo a la ETT y a Dulces Pérez S.A.

a) La competencia corresponde exclusivamente al Juzgado de lo social de Elche o al de Alicante a opción del trabajador.

b) La competencia corresponde al Juzgado de lo social de Castellón, al de Valencia o al de Elche a opción del trabajador.

c) La competencia corresponde a la sala de lo social del Tribunal Superior de Justicia de la Comunidad Valenciana.

d) La competencia corresponde exclusivamente al Juzgado de lo Social de Castellón, Valencia o Alicante a opción del trabajador.

21. D. Antonio Vázquez, domiciliado en Alicante, firmó un contrato de trabajo con una empresa juguetera cuyo domicilio social se encuentra en Murcia para prestar servicios como ingeniero industrial en un centro de trabajo radicado en Elche. El contrato incluye una cláusula de dedicación exclusiva que ha sido incumplida por D. Antonio. La empresa reclama una indemnización por dicho motivo.

a) La empresa debe interponer la demanda ante el Juzgado de lo Social de Alicante o ante el de Elche.

b) La empresa debe interponer la demanda ante el Juzgado de lo Social de Murcia o ante el de Elche.

c) La empresa debe interponer la demanda ante el Juzgado de lo Social de Alicante o ante el de Murcia.

d) Este asunto no es competencia del orden social de la jurisdicción.

22. Una cuestión de competencia suscitada entre el Juzgado de lo Social de Pontevedra y el Juzgado de lo Social de Lugo se debe solucionar por:

a) La Sala de lo Social del Tribunal Superior de Justicia de Galicia

b) La Sala de lo Social de la Audiencia Nacional

c) El Tribunal de Conflictos de Competencia

d) La Sala de lo Social del Tribunal Supremo

23. Una cuestión de competencia suscitada entre el Juzgado de lo Social de Castellón y la sala de lo Social del Tribunal Superior de Justicia de Cataluña se debe solucionar por:

a) La Sala de lo Social de la Audiencia Nacional

b) El Juzgado de lo Social de Castellón

c) La Sala de lo Social del Tribunal Superior de Justicia de Cataluña

d) La Sala de lo Social del Tribunal Supremo

24. Una cuestión de competencia suscitada entre el Juzgado de lo Social de Vigo y la sala de lo Social de la Audiencia Nacional se debe solucionar por:

a) La Sala de lo Social de la Audiencia Nacional

b) El Juzgado de lo Social de Vigo

c) La Sala de lo Social del Tribunal Superior de Justicia de Galicia

d) La Sala de lo Social del Tribunal Supremo

25. Una cuestión de competencia suscitada entre el Juzgado de lo Social de Barcelona y el Juzgado de lo Social de Almería se debe solucionar por:

a) La Sala de lo Social del Tribunal Supremo

b) La Sala de lo Social de la Audiencia Nacional

c) La Sala de lo Social del Tribunal Superior de Justicia de Andalucía

d) La Sala de lo Social del Tribunal Superior de Justicia de Cataluña

26. Una cuestión de competencia suscitada entre el Juzgado de lo Social de Sevilla y el Juzgado de lo social de Granada se debe solucionar por:

a) La Sala de lo Social del Tribunal Superior de Justicia de Andalucía

b) La Sala de lo Social del Tribunal Supremo

c) La Sala de lo Social de la Audiencia Nacional

d) El Tribunal de Conflictos de Competencia

27. Una cuestión de competencia suscitada entre el Juzgado de lo Social de Sevilla y la sala de lo social del Tribunal Superior de Justicia de Andalucía se debe solucionar por:

a) La Sala de lo Social del Tribunal Supremo

b) La Sala de lo Social de la Audiencia Nacional

c) La Sala de lo Social del Tribunal Superior de Justicia de Andalucía

d) El Tribunal de Conflictos de Competencia

28. Una cuestión de competencia suscitada entre la sala de lo social del Tribunal Superior de Justicia de Murcia y la sala de lo social de la Audiencia Nacional se debe solucionar por:

a) La Sala de lo Social de la Audiencia Nacional

b) La Sala de lo Social de la Tribunal Superior de Justicia de Murcia

c) La Sala de lo Social del Tribunal Supremo

d) El Tribunal de Conflictos de Competencia

29. D. Pedro Jiménez agredió a un compañero de trabajo, motivo por el cual fue despedido. D. Pedro niega los hechos e interpone demanda por despi-

do. Una vez presentada la demanda, el trabajador presuntamente agredido ha ejercitado acciones penales contra D. Pedro.

a) El proceso laboral se suspenderá necesariamente si se interpone una querella en sede penal con base en las agresiones.

b) El proceso laboral no se suspende por el ejercicio de estas acciones penales, si bien, en el futuro, el proceso penal puede tener cierta repercusión en la sentencia dictada por el juez de lo social.

c) El proceso laboral se suspenderá necesariamente, aunque no se interponga la querella, trasladando el juez de lo social de oficio los autos al juez de lo penal.

d) El proceso laboral no se suspende por el ejercicio de estas acciones penales y además, en el futuro, el proceso penal no tendrá nunca ninguna repercusión en la sentencia dictada por el juez de lo social.

30. D. Antonio Vázquez Montalbán, residente en Elche, interpuso una demanda por despido ante el Juzgado de lo social de Benidorm, el cual considera que no es competente.

a) El juzgado, tras los trámites oportunos, debería dictar un auto declarándose incompetente, siendo dicha resolución irrecurrible.

b) El juzgado, tras los trámites oportunos, debería dictar un auto declarándose incompetente, siendo dicha resolución recurrible en reposición.

c) El juzgado debería admitir la demanda en todo caso y, tras el juicio, resolverá está cuestión en la propia sentencia siempre que alguna de las partes se lo plantee.

d) El juzgado, tras los trámites oportunos, debería dictar un decreto declarándose incompetente, siendo dicha resolución recurrible en reposición.

III. SOLUCIONES AL CUESTIONARIO

1: A	2: B	3: D	4: B	5: D	6: A	7: B	8: A	9: B	10: D
11: C	12: C	13: A	14: C	15: C	16: B	17: D	18: D	19: A	20: B
21: A	22: A	23: D	24: D	25: A	26: A	27: C	28: C	29: B	30: B

IV. ACTIVIDADES PROPUESTAS

Caso práctico

Uno de los objetivos más importantes de esta lección es conocer los órganos que componen el orden social de la jurisdicción y los conflictos que se encargan de resolver. Pues bien, esta primera actividad persigue incidir en estas cuestiones:

– En la primera parte, se plantean una serie de situaciones conflictivas y se trata simplemente de determinar si corresponde solucionarlos al orden social o no, algo que dependerá de que los podamos reconducir a alguno de los apartados del art. 2 LRJS.

– En la segunda parte, se describen seis conflictos más; en este caso, además de determinar si serán resueltos o no por el orden social de la jurisdicción, hay que concretar dos cuestiones más: por un lado, la competencia objetiva y funcional; por otro, la competencia territorial.

Por lo que respecta a la competencia objetiva y funcional, mediante el recurso a los arts. 6 y ss. LRJS deberían especificar qué órgano del orden social –Juzgado Social, TSJ, AN o TS– se encargará de resolver el asunto propuesto.

En fin, cuando la solución sea el juzgado de lo social o el TSJ, todavía quedará especificar qué concreto juzgado –el JS de Valencia, de Madrid, de Barcelona, etc.–o TSJ –Baleares, Canarias, etc.–, conocerá del litigio, esto es, cuál tiene la competencia territorial. Esta cuestión se resuelve acudiendo a los arts. 10 y 11 LRJS, y al anexo IX de la LPDJ.

Supuesto primero

Determine cuáles de los siguientes conflictos son competencia del orden social. Razone la respuesta con referencia a los preceptos aplicados.

1. Juana García, que desde hace unos cuantos años se encarga de acondicionar, al iniciarse la temporada de verano, con sus propios materiales los vestuarios de unas piscinas municipales, reclama del ayuntamiento el pago de las actividades de pintura realizadas el mes de junio pasado.

2. Alberto López, quien presta servicios habitualmente desde hace cinco años en las mencionadas piscinas como recepcionista, ajustándose a las órdenes e instrucciones que la dirección le da, acudiendo a diario a las instalaciones deportivas en cuestión, pretende reclamar contra la decisión de prescindir de sus servicios.

3. Sonia Barro, odontóloga de una clínica privada, reclama contra la empresa para la que trabaja por no haberle concedido las vacaciones retribuidas a las que cree tener derecho.

4. Imagine que Sonia plantea esa misma reclamación encontrándose la empresa para la que trabaja en situación concursal.

5. Sonia Barro plantea contra el propietario de la clínica mencionada una acción de deslinde de fincas.

6. Manuel Domínguez, empleado de hogar, impugna la decisión de la familia para la que trabaja por la que se decide modificarle el horario de trabajo habitualmente realizado

7. Lucía Roncero, jugadora de waterpolo profesional, es demandada por la entidad para la que trabaja por apropiación indebida de ciertos efectos personales que había en el club deportivo.

8. Mª del Pilar Bermúdez, funcionaria la Administración Local y que presta servicios en el Ayuntamiento de Valencia, reclama contra la negativa municipal a concederle una determinada excedencia que había solicitado.

9. Iván Ferrer, contratado laboralmente por el Ayuntamiento de Almussafes reclama del mencionado consistorio, por un lado, el reconocimiento a disfrutar de las vacaciones en el mes de julio y, por otro, una multa impuesta por un aparcamiento indebido.

10. Un comercio de electrodomésticos reclama contra uno de sus trabajadores la devolución de unas cantidades indebidamente abonadas.

11. Baldomero Albiñana se presentó a un concurso convocado por la Generalitat Valenciana para cubrir unas plazas de personal laboral en la administración autonómica. Una vez realizadas las pruebas oportunas pasó a integrar una bolsa de trabajo, ocupando el segundo puesto de la misma. La Generalitat ha procedido a efectuar nuevas contrataciones sin tener en cuenta el orden de la bolsa de trabajo, por lo que D. Baldomero no ha sido contratado y, en consecuencia, decide impugnar la decisión de la entidad pública.

12. Una determinada entidad bancaria recabó los servicios de una Empresa de Trabajo Temporal a efectos de que la mencionada ETT le proporcionara un trabajador para cubrir temporalmente un puesto de administrativo. El trabajador en cuestión no ha percibido el salario del mes pasado y decide reclamarlo. Por otra parte, la empresa usuaria no ha abonado a la ETT el pago de los servicios prestados, por lo que la ETT inicia las acciones judiciales correspondientes.

13. Dª. Inés Fernández es miembro de una sociedad laboral. La trabajadora en cuestión, por un lado, pretende impugnar una decisión adoptada por los órganos de gestión relativa al alquiler de unos locales; por otro lado, pretende también atacar el cese en su condición de socia trabajadora decretado por el mismo órgano.

14. El FOGASA ha dictado una resolución por la que se niega a responder del pago de unas obligaciones salariales adeudadas a un trabajador pues a su juicio no concurren los presupuestos necesarios para ello.

15. El Ministerio de Empleo ha sancionado a dos representantes de los trabajadores, uno funcionario y otro personal laboral, por repartir en la entrada del centro de trabajo donde prestaban servicios unos folletos en los que se narraba la precaria situación en la que los trabajadores prestaban sus servicios. Los mencionados sujetos deciden promover un pleito en tutela de su libertad sindical.

16. Las partes negociadoras del Convenio Colectivo de Grandes Almacenes no se ponen de acuerdo a la hora de pactar el régimen de vacaciones, lo que origina un conflicto colectivo entre ellas.

17. El Convenio Colectivo de Oficinas y Despachos reconoce un plus de idiomas cuya cuantía es de 60 euros mensuales. Los sindicatos han planteado un conflicto colectivo relativo a si la cláusula en cuestión se refiere exclusivamente a los idiomas extranjeros, como interpretan las empresas del sector, o, por el contrario, incluye también las diferentes lenguas vernáculas de ciertas Comunidades Autónomas.

18. Durante la negociación del Convenio Colectivo de entidades de crédito las partes no se ponen de acuerdo a la hora de pactar la revisión salarial, lo que ha originado un conflicto colectivo entre las mismas.

19. El Sindicato CHP ha decidido impugnar la tabla salarial del convenio colectivo nacional de telemarketing que excluye de su ámbito de aplicación a los trabajadores temporales al considerarlo discriminatorio.

20. El sindicato UTB pretende impugnar el acuerdo colectivo alcanzado en el seno de la Universidad de Las Palmas sobre conciliación de la vida laboral y familiar, aplicable al personal laboral y al funcionario que presta servicios en dicha entidad.

21. La autoridad laboral ha dictado una resolución administrativa que deniega el depósito de los estatutos de un sindicato por carecer de los requisitos básicos contemplados en la legislación vigente.

22. Un grupo de empresarios pretende impugnar una cláusula de los estatutos de una determinada asociación empresarial por la que se impide el acceso a cargos representativos a los menores de 30 años.

23. Dª Elisa Flores impugna de la decisión adoptada por el Sindicato JKH mediante la cual se le priva de un cargo representativo que hasta entonces ostentaba.

24. Una empresa constructora reclama a un sindicato del sector una indemnización por los daños ocasionados en el centro de trabajo por la actuación de un piquete violento.

25. D. Pedro Aguilar reclama contra una resolución del INSS por la que se le reconoce una pensión de viudedad en cuantía inferior a la que él estima que tiene derecho.

26. La autoridad laboral ha denegado a un menor de seis años autorización para participar en un espectáculo circense.

27. La empresa "Arcobaleno, S.A.", con 350 trabajadores de plantilla decidió proceder a un despido colectivo, dada la deficiente situación económica en que se encontraba. D. Jorge Gijón reclama la indemnización de 20 días por año de servicio que no le ha sido entregada.

28. Tras una visita efectuada por la Inspección de Trabajo el pasado mes de julio a la empresa "Fenollosa, S. A." se han levantado unas actas de infracción y liquidación por los motivos siguientes: de un lado, la empresa no facilita a los representantes de los trabajadores un tablón de anuncios en lugar visible, tal y como exige la normativa laboral; de otro, la empresa estaba empleando los servicios de D. Augusto Aribau, al cual no había dado de alta en la Seguridad Social y por quien no había efectuado cotización alguna desde la suscripción del contrato de trabajo. La empresa pretende impugnar las sanciones impuestas a resultas de las actas anteriores.

29. D. Ángel Gordillo fue objeto de una intervención quirúrgica en un hospital público sevillano a resultas de la cual le han quedado determinadas secuelas. Por ello pretende reclamar la responsabilidad patrimonial del Servicio Andaluz de la Salud y del personal sanitario a su servicio por lo que él considera una asistencia sanitaria defectuosa.

30. Impugnación de un decreto emanado del delegado de Gobierno en Madrid que fija los servicios mínimos a cubrir durante una huelga en el metro.

Supuesto segundo

Determine cuáles de los siguientes conflictos son competencia del orden social. Cuando así sea especifique la competencia objetiva-funcional y territorial. Razone la respuesta con referencia a los preceptos aplicados.

1. D. Virgilio Sánchez, natural de Murcia y domiciliado en Benidorm, presta servicios en Alicante para la empresa Suministros Levantinos, S. L., cuyo domicilio social radica en Elche. El trabajador ha recibido una notificación de la dirección de la empresa por la que se le comunica que, atendiendo a las necesidades del mercado, a partir del mes que viene su horario de trabajo va a ser modificado. D. Virgilio pretende impugnar la decisión empresarial.

2. D. Joaquín Junquera, domiciliado en Tarragona, firmó un contrato de trabajo con el Ayuntamiento de Reus para prestar servicios en el mencionado consistorio como auxiliar administrativo. El Ayuntamiento en cues-

tión ha despedido al trabajador y éste pretende impugnar dicha decisión ante los órganos competentes.

3. Dª. Isabel Dopico, domiciliada en Toledo, suscribió un contrato de trabajo en Guadalajara como técnico de primera con la empresa "Soluciones Informáticas, S.A.", cuyo domicilio social radica en Madrid. La trabajadora se encarga de la instalación y actualización de programas informáticos en las distintas delegaciones que la empresa citada tiene abiertas en algunas localidades de la Comunidad Autónoma de Castilla La Mancha, en concreto, en Guadalajara, Ciudad Real, Cuenca y Albacete, ciudad esta última en la que se encuentra desde hace tres meses. La trabajadora no ha recibido el salario del mes pasado y quiere reclamarlo.

4. D. Ramón Moscoso, domiciliado en Algeciras, presta servicios como peón albañil para la empresa constructora "Inmobisa, S.A", domiciliada en Cádiz. Durante el año pasado ha participado en la construcción de unos bloques de apartamentos en Huelva que habían sido encargados por otra empresa constructora, Inmoibérica, domiciliada en Algeciras. El trabajador pretende reclamar los salarios correspondientes al último trimestre del año pasado.

5. El convenio colectivo de Galicia para empresas conserveras establece en su cláusula 35ª que la extinción del contrato de trabajo dará derecho a una indemnización de 25 días de salario por año de servicio con un máximo de doce mensualidades.

a) En la empresa "Sardinitas" de Vigo ha surgido un conflicto sobre el significado de dicha cláusula.

b) Por otra parte, el sindicato TEC pretende impugnar el mencionado convenio al considerarlo manifiestamente ilegal en este punto.

6. D. Ángel Guarda, domiciliado en Plasencia, fue declarado en situación de incapacidad permanente total para su profesión habitual derivada de enfermedad común por resolución del INSS de Cáceres. El sujeto en cuestión pretende reclamar el reconocimiento de su situación en incapacidad permanente absoluta.

V. GLOSARIO

– *Abstención*: Procedimiento que deben seguir los jueces y magistrados respecto aquellos asuntos que se les planteen a efectos de no encargarse de su solución cuando estimen que concurren ciertas causas que puedan hacer peligrar su imparcialidad en el litigio.

– *Casación ordinaria*: Recurso que permite impugnar ciertas resoluciones dictadas por las salas de lo social de los TTSSJJ o de la Audiencia Nacional y que se encarga de resolver la sala de lo social del Tribunal Supremo.

– *Casación para la unificación de la doctrina*: Recurso que permite impugnar ciertas resoluciones dictadas en suplicación por las salas de lo social de los TTSSJJ, cuando concurren ciertas circunstancias, y que resuelve el Tribunal Supremo.

– *Competencia*: Delimitación de los asuntos que puede resolver un determinado órgano jurisdiccional

– *Control a instancia de parte*: Se trata de control que sobre la concurrencia de ciertos requisitos procesales o sustantivos efectúa el órgano jurisdiccional pero sólo en el caso de que las partes le señalen la existencia del defecto en cuestión.

– *Control de oficio*: Se trata del control que sobre la concurrencia de ciertos requisitos procesales o sustantivos efectúa el propio órgano jurisdiccional, sin necesidad de que las partes le indiquen nada.

– *Declinatoria*: Mecanismo que permite a las partes denunciar la falta de competencia de un órgano jurisdiccional para resolver un asunto acudiendo al propio órgano que está conociendo del mismo.

– *Excepción*: Mecanismo empleado en el pleito para oponerse a que las reivindicaciones de la parte contraria prosperen.

– *Inhibitoria*: Mecanismo que permite a las partes denunciar la falta de competencia de un órgano jurisdiccional para resolver un asunto, acudiendo al órgano que estiman competente.

– *Orden jurisdiccional*: Rama de la jurisdicción.

– *Potestad Jurisdiccional*: Potestad de juzgar y hacer juzgar lo juzgado

– *Recusación*: Procedimiento que pueden abrir las partes para evitar que un determinado juez o magistrado pueda resolver el asunto que plantean cuando estimen que concurren ciertas causas que puedan hacer peligrar la imparcialidad de dichos sujetos.

– *Reposición*: Remedio contra determinadas resoluciones dictadas por órganos judiciales unipersonales que resuelve el propio órgano que dictó la resolución.

– *Suplicación*: Recurso que permite impugnar ciertas resoluciones dictadas por los juzgados de lo social y que se encarga de resolver la sala de lo social del TSJ.

– *Tutela judicial efectiva*: Derecho fundamental reconocido a todas las personas en el art. 24 CE de contenido complejo en el que se integra el derecho a acceder a los tribunales y obtener de los mismos una solución fundada en derecho al problema planteado.

LOS SUJETOS PROCESALES

CONTENIDO GENERAL

Una vez delimitado en la lección primera qué es el orden social de la jurisdicción, qué órganos lo componen y qué conflictos se encarga de resolver, el objeto de esta segunda lección se encamina a delimitar los elementos personales, tanto por lo que respecta a los sujetos que prestan servicios en tales órganos, como en lo concerniente a las personas que acuden y actúan ante los mismos.

En efecto, la lección parte de la exposición de los sujetos que prestan servicios en los órganos jurisdiccionales y las funciones que desarrollan; en otras palabras, se trata de dar cuenta del elemento personal que permite el funcionamiento de los juzgados y tribunales: por un lado, aquellos sujetos que tienen encomendada la función de juzgar y hacer ejecutar lo juzgado, es decir, que son titulares de la potestad jurisdiccional y que, en consecuencia, se les conoce como personal jurisdiccional; por otro, una serie de personas que también desarrollan servicios en dichos órganos, si bien carecen de la potestad indicada, recibiendo el nombre de personal no jurisdiccional.

Asimismo, esta lección presenta a los sujetos que contienden en el proceso, es decir, las partes. En primer lugar, se trata de saber quiénes son y cuáles son las condiciones que les permiten actuar válidamente en el proceso. En este terreno, una mención especial merecen los casos en que son varios los sujetos que, en razón de los intereses que ostentan, acceden a la participación en el proceso: la delicada cuestión de la pluralidad de partes y su tipología son objeto de un tratamiento específico en esta lección. Igualmente, por su conexión con lo anterior, debe reflexionarse sobre la intervención del FOGASA en el proceso social, pues puede presentar diversas modalidades. Por último, la lección se cierra con una reflexión adicional sobre el papel de los profesionales que asisten o representan a las partes.

OBJETIVOS PERSEGUIDOS

- Conocer el concepto de parte, así como los de capacidad y legitimación que habilitan para la intervención en el proceso.
- Ser capaz de determinar los casos en los que un sujeto debe ser llamado al proceso y también las condiciones en que debe hacerse, en especial, en los casos de intervenciones plurales.

– Conocer las reglas sobre intervención de profesionales en el proceso laboral y los sistemas para hacer efectivo el derecho de justicia gratuita.

SUMARIO: I. DESARROLLO. 1. El personal al servicio del orden social de la jurisdicción. 1.1. El personal jurisdiccional. 1.1.1. Composición y funciones. 1.1.2. Garantías y obligaciones. 1.2. El personal no jurisdiccional y su organización. 1.2.1. El personal no jurisdiccional: cuerpos generales y especiales. A) Letrados de la Administración de Justicia. B) Cuerpos generales. C) Cuerpos Especiales. 1.2.2. La organización: oficina judicial y unidad administrativa. A) Oficina Judicial. B) Unidad administrativa. 2. Las partes procesales. 2.1. Concepto de parte. 2.2. Capacidad de las partes. 2.2.1. Capacidad material o capacidad para ser parte. 2.2.2. Capacidad procesal. A) Capacidad procesal de los trabajadores. B) Capacidad procesal de los empresarios. C) Capacidad procesal de los comités de empresa y de las secciones sindicales. D) Tratamiento procesal. 2.3. Legitimación. 2.4. Los procesos con pluralidad de partes. 2.5. El Fondo de Garantía Salaria en el proceso laboral. 2.6. Postulación. 2.6.1. Concepto. 2.6.2. Vertientes: representación y defensa técnica. A) La representación. B) La defensa técnica. C) Aspectos comunes a la representación y a la defensa técnica. D) La actuación de los sindicatos en nombre de los afiliados. II. CUESTIONARIO. III. SOLUCIONES AL CUESTIONARIO. IV. ACTIVIDADES PROPUESTAS. V. GLOSARIO.

I. DESARROLLO

1. El personal al servicio del orden social de la jurisdicción

1.–El conjunto de personas que prestan servicios en el orden jurisdiccional social, al igual que en los restantes órdenes jurisdiccionales, es variado. Dentro del mismo cabe diferenciar entre el personal jurisdiccional y el personal no jurisdiccional.

1.1. El personal jurisdiccional

1.1.1. Composición y funciones

2.–El personal jurisdiccional, compuesto por jueces y magistrados, es el que se encarga de ejercer la potestad jurisdiccional, esto es, la potestad de juzgar y hacer juzgar lo juzgado (art.117.3 CE). Esa función se debe desarrollar de un modo imparcial, y para ello, es decir, a fin de un adecuado desempeño de la función jurisdiccional imparcialmente, el mismo precepto reconoce a tales sujetos ciertas garantías y obligaciones.

1.1.2. Garantías y obligaciones

3.–En este sentido, el art. 117.1 CE prevé que los jueces son independientes, inamovibles, responsables y que actúan sometidos únicamente al imperio de la Ley. Estas previsiones encuentran su traducción en la LOPJ.

3.1.–Así, en relación con la **independencia**, piénsese en el sistema de acceso a la carrera judicial (arts. 301 y ss. LOPJ) y el riguroso sistema de incompatibilidades y prohibiciones que pesan sobre jueces y magistrados (arts. 389 y ss. LOPJ: p.e., no estar afiliados, no desarrollar ciertas actividades, etc.).

3.2.–Las previsiones relacionadas con la **inamovilidad** aparecen detalladas en los arts. 378 y ss. A grandes rasgos, consiste en el derecho de jueces y magistrados a no ser separados, suspendidos, trasladados o jubilados sino por alguna de las causas y con las garantías establecidas en la ley.

3.3.–En fin, los arts. 405 y ss. LOPJ regulan las **responsabilidades** exigibles a los jueces y magistrados a título individual como consecuencia de sus actuaciones, al margen de las que deba asumir el Estado por funcionamiento anormal de la justicia.

4.–Las previsiones anteriores garantizarían una imparcialidad de carácter general; además, para evitar la parcialidad en un proceso concreto, la legislación procesal prevé las llamadas causas de **abstención y recusación** (Alfonso Mellado, 2012, 78). Con estas instituciones, reguladas en los arts. 217 y ss. LOPJ, se persigue evitar que cuando el juez o magistrado tenga un interés personal en el asunto conozca del mismo.

4.1.–Las **causas** de abstención y recusación son comunes y aparecen en el artículo 219 LOPJ. Entre las mismas se encuentran, la existencia de vínculo matrimonial o relación de hecho con alguna de las partes, parentesco, amistad o enemistad manifiesta, interés en el asunto, etc.

4.2.–La **diferencia** entre ambas instituciones estriba en lo siguiente: en la abstención, es el propio juez el que propone su separación del asunto; en la recusación, es alguna de las partes la que insta la separación. Los procedimientos para su desarrollo están regulados en los arts. 221 y ss. LOPJ.

1.2. El personal no jurisdiccional y su organización

5.–El desarrollo de las tareas jurisdiccionales requiere una actividad de apoyo y soporte, que compete al llamado personal no jurisdiccional. Este personal se integra en determinadas unidades organizativas que asumen las indicadas funciones.

1.2.1. El personal no jurisdiccional: cuerpos generales y especiales

6.–El personal no jurisdiccional aparece en la LOPJ bajo la denominación "personal al servicio de la administración de justicia". Este texto normativo actualmente diferencia dentro de esta categoría, además del cuerpo de letrados de la Administración de Justicia, entre los cuerpos generales y especiales enumerados en el art. 475 LOPJ.

A) Letrados de la Administración de Justicia

7.–El estatuto personal de los **Letrados de la Administración de Justicia**, tradicionalmente conocidos como Secretarios, se encuentra regulado en los arts. 440 y ss. LOPJ. Las funciones que les competen, conforme a los arts 452 y ss. LOPJ, son, entre otras, las de ejercer la fe pública judicial, asistir a jueces y tribunales en el ejercicio de sus funciones, el archivo y depósito de la documentación, etc.

B) Cuerpos generales

8.–Los cuerpos generales son los siguientes:

8.1.–En primer lugar, el **Cuerpo de gestión procesal y administrativa** –antiguos **oficiales**. Sus funciones aparecen detalladas en el art. 476 LOPJ: entre otras, realizan las labores de tramitación de los asuntos y otras que se les encomienden de la misma naturaleza, efectúan los actos de comunicación que les atribuye la ley y pueden sustituir a los letrados de la administración de justicia.

8.2.–El **Cuerpo de tramitación procesal y administrativa**. Se trata de los antiguos **auxiliares**. Estos realizan las funciones previstas por el art. 477 LOPJ: así, tareas de colaboración en el desarrollo general de la tramitación procesal, de registro, tareas ejecutivas no resolutorias, actos de comunicación que les atribuya la ley.

8.3.–Finalmente, está el **Cuerpo de Auxilio Judicial**, a cuyas funciones se refiere el art. 478 LOPJ. Equivale a los anteriores **agentes judiciales**. Se encargan de guardar y hacen guardar Sala, son ejecutores de los embargos, lanzamientos y demás actos cuya naturaleza lo requiera, realizan los actos de comunicación no encomendados a otros funcionarios, actúan como policía judicial, etc.

C) Cuerpos Especiales

9.–Los cuerpos especiales están compuestos, por un lado, del cuerpo de médicos forenses –art. 479 LOPJ–; por otro, el de Facultativos –art. 480.3 LOPJ–, Técnicos especialistas –art. 480.4 LOPJ– y Ayudantes de Laboratorio

–art. 480.5 LOPJ, todos ellos del Instituto Nacional de Toxicología y Ciencias Forenses.

1.2.2. La organización: oficina judicial y unidad administrativa

10. Desde la perspectiva organizativa, hay que considerar distintas entidades contempladas en la LOPJ.

A) Oficina Judicial

11.–La **OFICINA JUDICIAL** aparece descrita en el artículo 435 LOPJ como una organización de carácter instrumental que sirve de apoyo y soporte a la actividad de jueces y magistrados. Tiene un carácter flexible y puede contar con diferentes ámbitos territoriales. El art. 436 LOPJ distingue en su seno la unidad procesal de apoyo directo y los servicios procesales comunes.

11.1.–La UNIDAD PROCESAL DE APOYO DIRECTO aparece regulada en el artículo 437 LOPJ, donde se señala que asiste directamente a jueces y magistrados en el ejercicio de sus funciones, realizando las actuaciones necesarias para el exacto y eficaz cumplimiento de cuantas resoluciones dicten.

11.2.–Los SERVICIOS PROCESALES COMUNES, a los que se refiere el artículo 438 LOPJ, no están ligados a un órgano concreto, llevando a cabo labores centralizadas de gestión y apoyo, registro y reparto, actos de comunicación, auxilio judicial, ejecución de resoluciones judiciales, jurisdicción voluntaria, etc.

B) Unidad administrativa

12.–La **UNIDAD ADMINISTRATIVA** aparece en el artículo 439 LOPJ, donde se especifica que no se integra en la Oficina Judicial, sino que es autónoma de la misma. Las funciones de esta unidad son las de jefatura, ordenación y gestión de los recursos humanos, así como de los medios materiales de la oficina.

2. Las partes procesales

2.1. Concepto de parte

13.–La noción de parte se asocia, desde una perspectiva **material**, con los titulares de derechos y obligaciones derivados de una determinada relación jurídica. Pues bien, desde el punto de vista **procesal**, partes son los que contienden en el conflicto, a propósito de la existencia o alcance de los indicados derechos y obligaciones: tanto quien ejercita una pretensión (**demandante**) como aquél frente a quien se ejercita o que opone resistencia frente a ella (**demandado**).

La noción de parte se contrapone a la de **tercero**. La noción procesal de tercero es puramente negativa pues lo es quien no tiene la condición de parte, sin perjuicio de que, en ciertos casos, pueda llegar a sufrir los efectos del proceso, aunque no sea titular de los derechos, cargas y obligaciones propios del mismo.

14.–La adquisición de la condición de parte en un determinado proceso queda sujeta al cumplimiento de ciertas condiciones: de un lado, en abstracto, el sujeto debe tener la **capacidad** requerida para ello; de otro, en concreto, debe guardar una cierta relación con el objeto litigioso que conocemos como **legitimación.**

2.2. Capacidad de las partes

15.–La capacidad alude a los sujetos que, en abstracto o de manera genérica, sin conexión con un conflicto determinado, pueden ser parte en un proceso. Al respecto, suelen distinguirse dos facetas: la capacidad material y la capacidad procesal.

15.1.–La **capacidad material** se refiere a la aptitud para ser titular de los derechos, cargas y obligaciones que se derivan del proceso. Constituye el correlato a lo que en las relaciones sustantivas se conoce como capacidad jurídica.

15.2.–La **capacidad procesal** se refiere a la aptitud para realizar válidamente actos procesales –comparecer en juicio y realizar con eficacia todos los actos procesales que derivan de dicha comparecencia. Constituye el equivalente de lo que en las relaciones sustantivas se denomina capacidad de obrar.

2.2.1. Capacidad material o capacidad para ser parte

16.–Al no existir reglas específicas sobre la capacidad material en el procedimiento, hay que estar a las que se contienen en la LEC, cuyo art. 6 parte de que corresponde a las personas físicas (art. 6.1.1ª LEC), a las personas jurídicas (art. 6.1.3ª LEC) e, incluso, a los entes sin personalidad (art. 6.1.5ª LEC).

16.1.–Por lo que respecta a **las personas físicas,** dado que cualquier persona puede ser titular de derechos y obligaciones, también cualquier sujeto podrá ser parte en un proceso que se dirija a la tutela de los mismos. En definitiva, toda persona física cuenta con capacidad material (**art. 6.1.1ª LEC**). Y ello entre su nacimiento, con los requisitos civiles (cfr. arts. 29 y 30 CC) –e incluso, a ciertos efectos que aquí no interesan como los de carácter hereditario (cfr. art. 627 CC), desde la concepción (art. 6.1.2ª LEC)– y su muerte.

16.2.–Por lo que respecta a las **personas jurídicas**, el Código Civil reconoce que éstas pueden ser titulares de derechos y obligaciones (art. 38 CC), desde el momento en que queden válidamente constituidas con arreglo a derecho (art. 35 CC). En la medida en que tienen esta capacidad jurídica, ostentan también capacidad material (**art. 6.1.3ª LEC**).

16.3.–Finalmente, hay que hacer referencia a los **entes sin personalidad**. Ciertamente, como indica su nombre, estas agrupaciones de personas o titularidades carecen de personalidad jurídica; en consecuencia, deberían carecer de capacidad jurídica y de capacidad para ser parte. Sin embargo, en ocasiones, el ordenamiento les reconoce la posible titularidad de ciertos derechos u obligaciones. Y por ello, en este terreno, se les reconoce igualmente capacidad para ser parte (**art. 6.1.5ª LEC**).

17.–Todas estas posibilidades están presentes en el proceso laboral

17.1.–De entrada, por lo que respecta al trabajador, éste será, casi siempre, una persona física y tendrá capacidad como tal; con todo, la doctrina (Baylos, Cruz y Fernández, 1995, 51) ha destacado algún ejemplo donde la capacidad corresponde a un ente sin personalidad (cfr. art. 10.2 ET, donde se regula el contrato de grupo).

17.2.–Por lo que respecta al empresario, será a veces persona física, otras veces persona jurídica y, en ciertos casos, ente sin personalidad, según reconoce el art. 1.2 ET. Esto último ocurre en las comunidades de bienes (arts. 392 ss. CC) –entre las que suelen incluirse las uniones temporales de empresa (arts. 7 ss. Ley 18/1982)– y las comunidades de propietarios sujetas a legislación de propiedad horizontal (Ley 49/1960, cuyo art. 13.3, tras su reforma por Ley 8/1999, lo reconoce expresamente). La doctrina ha añadido algún otro ejemplo, como el de los grupos cuando se exige su responsabilidad solidaria por su carácter fraudulento (Baylos, Cruz y Fernández, 1995, 51).

17.3.–Por último, entre los sujetos que operan en el terreno de las relaciones laborales colectivas encontramos otros ejemplos de interés. Así, sindicatos y organizaciones empresariales son personas jurídicas, con arreglo a sus respectivas legislaciones. Ahora bien, también existen supuestos de uniones sin personalidad a las que se les reconoce capacidad material. Así sucede, por ejemplo, con las secciones sindicales (que no siempre tienen personalidad jurídica); o con el comité de empresa, a quien el propio legislador le reconoce capacidad para ser parte sin tener personalidad jurídica (artículo 65 ET).

2.2.2. Capacidad procesal

18.–El hecho de que un sujeto pueda ser titular de derechos y obligaciones procesales, no quiere decir que pueda comparecer en juicio y realizar válidamente actos procesales; en otras palabras, no todos los sujetos que tienen capacidad para ser parte ostentan capacidad procesal. Así, por ejemplo, piénsese en un menor de cinco años que tuviera derecho a percibir una pensión de orfandad: al ser titular del derecho, tendrá capacidad material; ahora bien, obviamente, no puede comparecer en un juicio y realizar las actuaciones propias por sí mismo, por lo que no tiene capacidad procesal.

Pues bien, a esta cuestión se refiere básicamente el art. 16.1 LRJS, que, reproduciendo las previsiones del art. 7.1 LEC, menciona a aquéllos que se encuentren en el pleno ejercicio de sus derechos civiles (mayores de edad, y menores emancipados, no incursos en causa de incapacidad). Los sujetos que no se encuentran en esta situación deben comparecer en juicio a través de las personas que los representan. Por su parte, las personas jurídicas y entes sin personalidad actúan a través de los órganos o personas que los representan (arts. 16.5 LRJS y 7.4 LEC).

Un análisis más detallado de estas ideas en el terreno del proceso laboral arroja el balance que a continuación se expone.

A) Capacidad procesal de los trabajadores

19.–En relación con la capacidad procesal de los trabajadores, deben tenerse en cuenta las siguientes reglas:

19.1.–De entrada, los **trabajadores mayores de 18 años** tienen plena capacidad para contratar su trabajo y, en consecuencia, tienen plena capacidad procesal. Así lo reconocen los arts. 16.1 LRJS y 7.1 LEC. Ello no obstante, puede suceder que hayan sido declarados incapaces judicialmente por concurrir alguna de las causas legales para ello (enfermedad y prodigalidad: art. 200 CC); en tales casos, habrá que estar a la resolución judicial que así los declare (arts. 210, 268 y 289 CC), ya que ésta puede reconocerles capacidad procesal o, por el contrario, exigir que actúen por medio de representante. Así se deriva de los arts. 16.4 LRJS y 7.2 LEC.

19.2.–Por otra parte, **entre los 16 años y la mayoría de edad a los 18 años,** pueden darse distintas situaciones:

– Si se trata de emancipados o de menores que viven independientemente con el consentimiento de sus padres o tutores o de la persona o institución a cuyo cargo se encuentran (emancipado de hecho), tienen capacidad para contratar la prestación de servicios (art. 7.b) ET) y, por tanto, plena capacidad procesal (arts. 16.2 y 16.3 LRJS).

– Si se trata de un menor no emancipado, en principio necesita de una autorización de su representante legal para poder trabajar: contando con tal autorización, pueden contratar (art. 7.b) ET) y, por tanto, cuentan con capacidad procesal (art. 16.2 LRJS); en ausencia de tal autorización, no pueden contratar (art. 7.b) ET, *a contrario*) y, por tanto, carecen de capacidad procesal (art. 16.2 LRJS, a contrario), por lo que los eventuales derechos pendientes se ejercitarán por su representante (arts. 16.4 LRJS y 7.2 LEC).

19.3.–Por último, los trabajadores **menores de 16 años** no pueden contratar ni trabajar (art. 6 ET), por lo que carecen de capacidad procesal (16.1 LRJS). Ciertamente, de manera excepcional, se les admite al trabajo previa obtención de una autorización (art. 6.4 ET); pues bien, incluso en este caso, carecen de capacidad procesal, debiendo actuar por ellos su representante (arts. 16.4 LRJS y 7.2 LEC).

19.4.–Las reglas referidas a los trabajadores han sido extendidas a los **trabajadores autónomos económicamente dependientes** (cfr. art. 16.2 *in fine* LRJS); asimismo, son aplicables a los **beneficiarios de la Seguridad Social**.

B) Capacidad procesal de los empresarios

20.–El análisis de la capacidad procesal por la parte empresarial también exige distinguir en función de que estemos ante personas físicas o jurídicas.

20.1.–En primer lugar, si se trata de **personas físicas**, como sucede con los trabajadores, la mayor edad (18 años) o la emancipación a partir de la edad correspondiente (16 años) determina que cuenten con plena capacidad de obrar en el derecho material (art. 315 CC) y, por ello, cuenten con capacidad procesal plena (art. 7.1 LEC). Si no alcanzan la mayor edad o no han sido emancipados, actuarán válidamente en el proceso quienes ostenten la patria potestad o similar. Igualmente, en caso de que haber sido objeto de incapacitación judicial, habrá que estar a los términos de la resolución judicial (arts. 16.4 LRJS y 7.2 LEC).

20.2.–En segundo lugar, si se trata de **personas jurídicas**, de acuerdo con los arts. 16.5 LRJS y el 7.4 LEC, por las mismas comparecerán las personas que legalmente las representen. Si se trata de personas jurídicas públicas, actuarán procesalmente representadas en la forma que determinen sus normas reguladoras propias (art. 37 CC).

20.3.–Por último, para los casos de entidades que no hayan sido formalmente personificadas, la normativa procesal (arts. 16.5 LRJS y 7.5, 7.6 y 7.7 LEC) establece un listado extenso dirigido a concretar quienes ostentan la capacidad procesal.

C) Capacidad procesal de los comités de empresa y de las secciones sindicales

21.–El Comité de Empresa tiene capacidad procesal en el ámbito de sus competencias. Así se desprende del art. 65 ET. En cuanto a las Secciones Sindicales, no existe una norma específica que se la reconozca. Sin embargo, de ciertas normas concretas se deduce que cuentan con capacidad (v gr., art. 154.c] LRJS, sobre conflictos colectivos; art. 163.2 LRJS en relación con la impugnación de convenios colectivos).

D) Tratamiento procesal

22.–Los eventuales defectos de la capacidad procesal del compareciente deben ser objeto de control por el órgano judicial, actuando de oficio o a instancia de parte (art. 9 LEC). Es posible que este control sea preliminar, en el momento de estudiar la admisión de la demanda –abriendo en su caso el órgano judicial la posibilidad de subsanar el defecto *ex* art. 81.1 LRJS–. Si el defecto no se apreciara en este momento, habría que llegar a la sentencia, apreciándolo en ella y, por tanto, sin dictar pronunciamiento de fondo.

2.3. Legitimación

23.–Así como la capacidad hacía referencia a los sujetos que podían ser parte en un proceso entendido de manera abstracta, la legitimación se refiere a los sujetos que, dado un conflicto en concreto, pueden intervenir y ser parte en el específico proceso que se pueda instar para solucionarlo: p.e., quien puede demandar y ser demandado en un conflicto derivado de una decisión empresarial extintiva. La legitimación, de este modo, establece una concreta conexión entre los sujetos y el objeto procesal, mediante el reconocimiento de un interés suficiente de aquéllos en éste.

24.–La legitimación admite distintas clasificaciones.

24.1.–De un lado, en función de la posición que conduce a ocupar en el proceso, se distingue entre **legitimación activa** (para intervenir como demandante) y **legitimación pasiva** (para intervenir como demandado).

24.2.–Asimismo, normalmente, también se diferencia entre legitimación ordinaria y legitimación extraordinaria.

a) La **legitimación ordinaria** es la que se basa o funda en la titularidad del derecho u obligación ejercitada (art. 10.I LEC).

b) La **legitimación extraordinaria** es aquélla que permite ejercitar derechos u obligaciones pero sin tener la titularidad de los mismos. También se conoce como sustitución procesal (art. 10.II LEC), puesto que permite a un cierto sujeto ejercitar los derechos de otro, algo que resulta excepcional y que, por tanto, requiere expresa habilitación legal.

25.–El art. 17 LRJS regula la **legitimación ordinaria en el proceso laboral**. Su apartado 1 enuncia la regla general en cuya virtud *"todos los titulares de un derecho subjetivo o un interés legítimo podrán ejercitar acciones"* ante la jurisdicción social. Los apartados 2 y 3 concretan esa regla en el ámbito colectivo.

25.1.–En el caso de los sindicatos de trabajadores y asociaciones empresariales, de una forma amplia, *"para la defensa de los intereses económicos y sociales que les son propios"*. El precepto concreta además cuáles son los intereses de los sindicatos que les abren el proceso –permitiendo que lo inicien o que se personen en él–: aparte de los "propios", la LRJS prevé que los sindicatos con implantación en el ámbito del conflicto están legitimados para accionar en cualquier proceso en el que se diluciden "los intereses colectivos de los trabajadores", siempre que exista un vínculo entre el sindicato y el objeto del pleito; asimismo, podrán intervenir en defensa de los intereses de una "pluralidad de trabajadores indeterminados o de difícil determinación" o del derecho a la igualdad efectiva de hombres y mujeres en todas las materias atribuidas al orden social.

25.2.–Por su parte, el art. 17.3 LRJS se refiere a las asociaciones de trabajadores autónomos, bien que reconociendo posibilidades de actuación mucho más limitadas –en este caso, únicamente *"para la defensa de los acuerdos de interés profesional"* que hayan firmado–.

26.–En todos estos casos, estamos ante supuestos de legitimación ordinaria puesto que se basan en la defensa de un interés individual o colectivo de los sujetos individuales o colectivos que actúan en el marco de las relaciones laborales. Ello no implica desconocer la existencia de supuestos de **legitimación extraordinaria en el orden social** que se encuentran recogidos a ciertos efectos y en ciertos asuntos concretos (entre otras, intervención del Ministerio Fiscal en ciertas modalidades procesales –cfr. arts. 164.6 y 177.3 LRJS–, de algunas entidades gestoras o de la TGSS en procesos sobre seguridad social –art. 141 LRJS– o algunas de las facultades procesales del FOGASA). En estos casos, la propia legislación procesal se encarga de especificar las facultades que pueden ejercitar estos legitimados extraordinarios.

2.4. Los procesos con pluralidad de partes

27.–Una cuestión litigiosa puede suscitar el interés de más de dos sujetos. En estos casos aparecen los procesos con pluralidad de partes. En ellos, son varias las personas que actúan sea activa (en la posición de demandantes) sea pasivamente (esto es, en la de los demandados) o incluso en ambos polos subjetivos de la relación procesal (varias personas en la posición de demandante y varias personas en la posición de demandado).

27.1.–Existen distintos criterios para clasificar estos supuestos en atención a que esta intervención plural tenga un carácter necesario o eventual (opcional); a su vez, en los casos en que es eventual, la intervención puede ser con carácter ordinario o extraordinario; finalmente, dentro de los casos ordinarios, cabe que sea originaria o sobrevenida.

27.2.–Una clasificación de las diferentes posibilidades es la siguiente en la que se recoge, además, el nombre técnico que un sector de la doctrina procesal asigna a cada una de ellas (Montero, 2000).

Pluralidad partes	Necesaria	... ...	... ...	Litisconsorcio necesario
	Eventual	Ordinaria	Originaria...	Litisconsorcio cuasinecesario
			Sobrevenida...	Intervención litisconsorcial
		Extraordinaria	... ...	Intervención adhesiva simple

28.–El **litisconsorcio necesario** se fundamenta en la naturaleza de ciertas relaciones jurídicas que son inescindibles de modo que la eventual sentencia afectará a todas las personas que son titulares, activos o pasivos, de ellas. Por ello, se les exige procesalmente que actúen de manera conjunta desde el principio, puesto que la sentencia será única y su pronunciamiento afectará a todos los implicados. En teoría el litisconsorcio necesario puede ser tanto activo como pasivo, si bien es este último el más frecuente como demuestra que el artículo 12.2 LEC se refiera solo a él.

28.1.–El hecho de que el litisconsorcio sea necesario no implica que todos los sujetos deban adoptar la misma o idéntica postura ante el proceso (p.e., en la defensa). Cada parte puede acudir con procurador y letrado propio. Ahora bien, en los actos de disposición (allanamiento, renuncia o desistimiento), se exige la actuación conjunta.

La omisión o inclusión indebida de los sujetos determinará que la relación jurídico procesal esté mal constituida y, por tanto, tenga las oportunas consecuencias que en su momento veremos (normalmente, 81.1 LRJS).

28.2.–Las relaciones laborales ofrecen distintos ejemplos de situaciones que determinan la obligación de constituir un litisconsorcio necesario en el proceso, algo que puede suceder en las distintas áreas del Derecho del Trabajo.

– Así, en el terreno de las **relaciones individuales**, cabe mencionar los pleitos que versen sobre la **adjudicación de plazas o puestos de trabajo**, donde se debe demandar no sólo a quien ha decidido la contratación, sino también a los eventuales seleccionados frente a los cuales se afirma tener un mejor derecho para ser contratado; algo similar sucede con los pleitos sobre impugnación de **decisiones de traslado, modificaciones sustanciales, suspensión del contrato y reducción de jornada por "causas empresariales"**, cuando hayan sido adoptadas por acuerdo con los representantes de los trabajadores o saltándose las preferencias, pues en tales casos resulta preciso demandar, además de al empresario, a los representantes con los que se pactó la decisión empresarial o a los trabajadores frente a los cuales se alega tener un derecho preferente (art. 138.2 LRJS); algo parecido sucede en las reclamaciones individuales y colectivas contra un despido colectivo (arts. 124.11 y 124.3 LRJS) o en los pleitos sobre **vacaciones**, si la cuestión litigiosa versa sobre el período de disfrute (art. 125.d) LRJS); en fin, siempre en vía de ejemplo, cuando la empresa está inmersa en una **situación concursal**, la LC prevé también ciertas especialidades.

– Los procesos en materias de índole colectiva también brindan ejemplos de litisconsorcios necesarios. Así, en los pleitos sobre **impugnación de convenios colectivos**, según se deduce de los arts. 164.4 y 165.2 LRJS, resulta preciso demandar a todos los integrantes de la comisión negociadora; asimismo, en determinados pleitos que se suscitan en **materia electoral**, sucede algo similar, como, por ejemplo, en los supuestos de impugnación de laudos dictados en esta materia, donde el art. 129.1 LRJS alude a la necesidad de demandar a todas las personas y sindicatos que fueron parte en el proceso arbitral.

– En fin, la situación descrita no resulta ajena a los procesos sobre **Seguridad Social**, por ejemplo, cuando el demandante exige una prestación derivada de Accidente de Trabajo o Enfermedad Profesional, pues la pluralidad de sujetos que pueden asumir responsabilidades –entidades gestoras, mutuas o empresarios– determina la necesidad de que todos ellos participen en el pleito.

29.–El **litisconsorcio cuasinecesario**, regulado en el art. 12.1 LEC, implica la concurrencia de varias personas desde el punto de vista activo o pasivo, pero no con carácter obligatorio sino voluntario. Además, esa intervención conjunta se produce desde el momento inicial. Tampoco se precisa que desarrollen la misma postura en el proceso. Por su parte, el art. 13 LEC recoge a la **intervención litisconsorcial**, que implica la concurrencia de varias personas en el proceso, en el lado activo o pasivo, una vez el mismo ya se ha iniciado. El sujeto que se incorpora, inicialmente tercero en el proceso, se integra en éste como parte, sin que tampoco se requiera aquí que todos sostengan la misma postura.

29.1.–En realidad, ambos supuestos parecen una institución similar, cuya única diferencia se encuentra en el momento en el que la pluralidad de partes se hace efectiva: inicial, en el caso del litisconsorcio cuasinecesario; sobrevenida, en la intervención. De ahí que en algunos análisis teóricos se agrupen ambas bajo la rúbrica litisconsorcio opcional.

29.2.–Las relaciones laborales también ofrecen ejemplos de distintas situaciones en las que la constitución del proceso plural aparece con carácter voluntario.

– Así, en el terreno de las **relaciones individuales**, piénsese en todos los casos en que el ordenamiento prevé responsabilidades laborales de carácter solidario –art. 42 ET, en los casos de contratas y subcontratas de propia actividad; art. 44 ET, transmisión de empresas; Ley 14/1994, en materia de ETT's, cuando la responsabilidad subsidiaria se convierte en solidaria, etc.–, donde por definición cabe dirigirse contra el responsable "directo", pero también contra los deudores solidarios.

– Por lo que respecta a las **materias de índole colectiva**, se puede traer como ejemplo, el art. 155 LRJS, en relación con las facultades de personación como partes que se reconocen a determinados entes colectivos respecto los procesos de conflicto colectivo.

– En fin, en el terreno de la **Seguridad Social**, al margen de las responsabilidades solidarias que pueden existir en virtud de los preceptos antes mencionados en este terreno, cabe mencionar como ejemplo el previsto en el art. 141 LRJS.

30.–Finalmente, la **intervención adhesiva simple** supone la posibilidad de que un tercero hasta entonces ajeno al proceso pueda intervenir en un proceso pendiente entre otras personas para prevenir el perjuicio jurídico que le puede ocasionar la eficacia refleja de la cosa juzgada (Montero, 2000).

30.1.–Este sujeto no es titular de la relación jurídico material que se dilucida en el pleito sino de otra conexa. Así sucede, por ejemplo, con los coadyuvantes, que pueden reconducirse al art. 14 LEC. La intervención del coadyuvante depende de que haya actuado la parte principal en ejercicio de las correspondientes acciones: si no lo ha hecho, el coadyuvante no puede intervenir; de hecho, ni siquiera en el caso de que pueda intervenir asume la condición de parte. Este sujeto, en buena lógica, no puede efectuar actos de disposición, ni continuar el proceso contra la voluntad de las partes, ni resulta condenado ni absuelto en la resolución final.

30.2.–Las normas procesales laborales brindan dos ejemplos muy claros de coadyuvantes:

– En primer lugar, en los procesos de impugnación de la resolución que deniega el depósito de los estatutos o sus modificaciones, el art. 172.2 LRJS prevé que puedan actuar como coadyuvantes los afiliados.

– En segundo lugar, se puede mencionar también como ejemplo el caso de los procesos de tutela de los derechos fundamentales y libertades públicas instados por un trabajador que haya sufrido una lesión de dicho tipo. En tales casos, el art. 177 LRJS permite que actúen como coadyuvantes el sindicato al que se encuentre afiliado el trabajador o cualquier sindicato que ostente la consideración de más representativo; asimismo, en los supuestos de discriminación, las entidades públicas o privadas entre cuyos fines se encuentre la promoción y defensa de los intereses legítimos afectados.

2.5. El Fondo de Garantía Salaria en el proceso laboral

31.–El FOGASA es un organismo autónomo, dotado de personalidad jurídica propia, dependiente del Ministerio de Empleo y Seguridad Social, que en determinadas circunstancias asume responsabilidades en el abono de salarios pendientes de pago y de ciertas indemnizaciones.

31.1.–Esas situaciones, así como los requisitos formales (instrucción de expediente para determinar la procedencia de los pagos) y temporales de la intervención del FOGASA, se recogen en el art. 33 ET.

31.2.–Las funciones que desarrolla el FOGASA hacen que su posición procesal sea compleja: variará en función de la perspectiva que estemos contemplando. De hecho, cabe pensar en tres situaciones distintas.

32.–En primer lugar, las funciones del FOGASA suponen que normalmente existirá un proceso principal en el que se habrá discutido la deuda salarial o la indemnización en el cual el Fondo puede llegar a ser responsable.

Ello hace que se encuentre interesado para intervenir en estos procesos, pues de los mismos se pueden derivar sus responsabilidades. Este interés será más intenso en función de la probabilidad, más o menos segura, de que se produzca su intervención de garantía en el futuro. Por eso en el art. 23 LRJS se distinguen dos situaciones:

32.1.–Por un lado, el apartado primero prevé que, en los procesos de reclamación de cantidades al empleador de los que pudieran derivar ulteriores responsabilidades del FOGASA en el abono de salarios o indemnizaciones, éste puede comparecer como parte en cualquier fase o momento de su tramitación, sin que ello determine retroceder o detener el curso de las actuaciones.

Si se personara, asumirá la posición de parte y estará facultado para ejercitar cuantos actos de ataque o defensa procesal estime oportunos, incluida la impugnación del acto de conciliación, efectuar alegaciones u oponer excepciones, proponer pruebas, formular conclusiones, interponer recursos, etc., pero no actos de disposición sobre derechos de los que no es titular.

El art. 23.5 LRJS concreta las posibilidades de defensa que puede desplegar el FOGASA en caso de comparecencia. Como no es objeto del proceso, no puede discutirse la concurrencia o no de los requisitos para la intervención de garantía del FOGASA. Lo que sí podrá hacer éste es aducir cualesquiera circunstancias relacionadas con la obligación reclamada por el trabajador. Puede hacer alegaciones sobre "existencia de la relación laboral, circunstancias de la prestación, clase o extensión de la deuda o a la falta de cualquier otro requisito procesal o sustantivo". Como regla general, la estimación de cualquiera de dichas alegaciones implicará la exclusión o reducción de la deuda, afectando tanto al empresario demandado como al FOGASA. Existen reglas especiales en los casos en que se aplique caducidad o prescripción. En principio, tanto empresario como Fondo de Garantía habrán de correr la misma suerte; pero existe una regla especial en los casos en los que se aprecia "interrupción de la prescripción por haber existido reclamación extrajudicial frente al empresario o reconocimiento por éste de la deuda", que no afectan al Fondo de Garantía salvo que hayan sido documentados en conciliación administrativa o judicial.

32.2.–Por su parte, el apartado segundo (art. 23.2 LRJS) se refiere a los casos en que la empresa se encuentra efectivamente incursa en un procedimiento concursal o ha sido declarada previamente en situación de insolvencia provisional conforme al art. 276 LRJS. Comoquiera que en estos casos la intervención del FOGASA puede darse por segura, el letrado de la Administración de Justicia debe citar como parte al Fondo, dándole traslado de la demanda y notificándole las restantes actuaciones relevantes.

La llamada al FOGASA resulta obligada, de manera que si no se le invoca, después no se le podrán exigir responsabilidades ni éste podrá asumirlas. En todo caso, aunque se le llame, el Fondo decidirá si interviene o no: si decide intervenir, asumirá la cualidad de parte y, al respecto, se puede reiterar lo que se ha señalado en el supuesto anterior –incluyendo las previsiones del art. 23.5 LRJS– en relación con las facultades del Fondo cuando ostenta dicha condición.

33.–En segundo lugar, una vez se haya dictado sentencia u obtenido el título necesario para instar el pago del FOGASA, se debe instruir un procedimiento administrativo solicitándole que abone las correspondientes cantidades. Este procedimiento puede finalizar en sentido estimatorio, total o parcial, o desestimatorio. El art. 23.6 LRJS regula la vinculación de la resolución administrativa por las cuestiones previamente resueltas en el título:

a) En caso de que el FGS hubiera sido emplazado de forma preceptiva conforme al art. 23.2 LRJS, no puede discutirlo en absoluto.

b) En los demás casos, queda vinculado por título judicial que hubiera determinado la naturaleza y cuantía de la deuda empresarial, si bien podrá ejercitar acciones contra quien considere verdadero empresario o grupo empresarial o cualquier persona interpuesta o contra quienes hubieran podido contribuir a generar prestaciones indebidas de garantía salarial

En ambos casos, al dictar la resolución administrativa, el FOGASA podrá discutir la concurrencia de los presupuestos necesarios para su intervención. La resolución administrativa se podrá impugnar por los interesados cuando no se esté de acuerdo con ella. En esta impugnación, el FOGASA actúa como legitimado pasivo directo, en un procedimiento en el que, según el art. 23.7 LRJS, las afirmaciones de hecho contenidas en el expediente y en las que se haya fundamentado la resolución del mismo hacen fe salvo prueba en contrario. Esta afirmación hay que matizarla a la luz de la jurisprudencia constitucional: si ha habido un procedimiento judicial previo, tales hechos no pueden prevalecer sobre los hechos derivados de la sentencia.

34.–Finalmente, una vez abonadas las cantidades por el FOGASA, dicho organismo se subroga normalmente –en los casos en que se actúa su responsabilidad por insolvencia– en los derechos que tenían los trabajadores frente al empresario (art. 33.4 ET). Por tanto, podrá intervenir en la ejecución que se siga contra el empresario para recuperar lo que ha abonado. A ello se refiere el art. 24 LRJS, así como los arts. 276 y 277 LRJS.

2.6. Postulación

2.6.1. Concepto

35. La capacidad procesal determina, según se ha visto en líneas anteriores, la aptitud para comparecer en juicio y realizar válidamente actos procesales. Ahora bien, el ordenamiento procesal no suele permitir que, con carácter general, las partes en un proceso puedan realizar por sí mismas todos esos actos. Por el contrario, suele exigir que, para su realización, tales sujetos cuenten con la asistencia de unos profesionales especializados en Derecho. Esta exigencia se conoce como **postulación** y conecta con el derecho fundamental a la tutela judicial efectiva reconocido en el art. 24 CE, en su vertiente de derecho de defensa.

2.6.2. Vertientes: representación y defensa técnica

36.–En nuestra legislación procesal tradicional (cfr. arts. 23 y ss. LEC), la postulación normalmente no se atribuye a una única persona, sino a dos distintas entre las cuales existe una división de funciones:

– La representación procesal, que se refiere a la comparecencia en el proceso y a la realización en él de los actos procesales correspondientes (presentación de escritos, recepción de actos de comunicación, etc.) normalmente se confiere a un sujeto conocido como procurador (arts. 23 y ss. LEC), que actúa como apoderado de la parte.

– La defensa técnica, relacionada con la conformación jurídica de pretensión y resistencia, habitualmente se atribuye a otro sujeto llamado abogado (art. 31 ss. LEC).

Sobre ese esquema general, el proceso laboral presenta, como veremos enseguida, ciertas peculiaridades.

– De entrada, como regla general, no existen exigencias específicas de representación y defensa, pudiendo comparecer las partes por sí mismas.

– Y, en segundo lugar, los sujetos que pueden ostentar estas facultades son más amplios que los reconocidos en el derecho procesal común.

A) La representación

37.–Una de las singularidades del proceso laboral consiste precisamente en que las partes pueden decidir libremente la forma de personarse en el proceso que estimen conveniente (arts. 18 LRJS y 545.3 LOPJ). De hecho, pueden optar por comparecer por sí mismas –sea la persona física que ostente la condición de parte o la persona física que representa legalmente a la persona jurídica– o por un representante designado al efecto.

38.–La decisión de comparecer por medio de representante obliga a detenerse en los sujetos que pueden asumir tal condición y la forma de designarlos.

38.1.–Por lo que respecta a la primera cuestión, los **sujetos** que pueden actuar como representantes son más amplios que en el proceso civil. En este sentido, el art. 18 LRJS prevé que pueda asumir esta condición un procurador, un graduado social colegiado o, incluso, cualquier persona que se encuentre en el pleno ejercicio de sus derechos civiles.

38.2.–Por lo que respecta a la segunda, la representación se confiere mediante su **apoderamiento** por la parte. Este apoderamiento puede realizarse por dos vías diversas (art.18.1 LRJS y 24.1 LEC): por un lado, mediante escritura pública –documento notarial–; por otro, mediante comparecencia ante el secretario judicial del juzgado o tribunal que vaya a conocer de los autos (comparecencia *apud acta*). El documento se adjuntará, en su caso, a la demanda.

39.–Excepcionalmente, en algún supuesto la designación de representante resulta obligatoria.

Tal es el caso previsto en el art. 19 LRJS que se refiere a los supuestos en que demanden de forma conjunta más de diez actores, a los que hay que asimilar aquéllos en los que se haya producido una acumulación de autos que afecte a más de diez demandantes, así como, en el lado pasivo, las demandas dirigidas contra más de diez demandados.

Pues bien, dándose esta circunstancia, resulta preciso designar un representante común de acuerdo con los criterios sustantivos y formales previstos en aquel precepto: frente al régimen general, se alteran los sujetos que pueden asumir tal condición –abogado, procurador, graduado social colegiado, uno de los demandantes o un sindicato: en definitiva, ya no es cualquier persona en plenitud de sus derechos– y el modo de conferir la representación –en este caso, además de efectuarse por comparecencia ante secretario judicial o por escritura pública, se añade la comparecencia ante el servicio administrativo encargado de la conciliación–

B) La defensa técnica

40.–Frente al proceso civil, que encomienda obligatoriamente la defensa técnica al abogado, el proceso laboral se singulariza por el carácter voluntario del recurso a la misma. Este criterio se extiende exclusivamente al desarrollo de la instancia. En la fase de recurso, prevalece la necesidad de que las partes sean asistidos por profesionales: defendidos por abogado o representados técnicamente por graduado social –o únicamente por aquél en el caso del recurso de casación u otras actuaciones procesales ante el TS– (art. 21.1). Igualmente es preceptiva su intervención, en el caso de los entes públicos (art. 22 LRJS).

Por otra parte, incluso cuando se recurre al servicio de estos profesionales, debe tenerse en cuenta que el coste puede ser cero. Así sucede cuando se litiga con el beneficio de justicia gratuita o cuando se condena al empresario al pago de los honorarios (art. 97.3 LRJS, condena que no se puede imponer al trabajador).

C) Aspectos comunes a la representación y a la defensa técnica

41.–El recurso a un representante o la utilización de un defensor técnico es una decisión que puede adoptar libremente cualquiera de las partes. Ahora bien, dado que la intervención en el juicio de abogado, como defensor, o graduado o procurador, como representantes, implica probablemente una tecnificación del debate procesal, en aras a garantizar una cierta igualdad entre las mismas, caso de hacer uso de tales posibilidades, la LRJS introduce unas ciertas garantías en su art. 21.2:

41.1.–Si se trata del demandante, éste hará constar esta circunstancia en la propia demanda; caso de no hacerlo, se entenderá que renuncia a dicha posibilidad.

41.2.–Si se trata del demandado, deberá ponerlo en conocimiento del juzgado o tribunal por escrito dentro de los dos días siguientes al de su citación para el juicio, con objeto de que se traslade conocimiento de dicha circunstancia al demandante para que éste pueda hacer lo propio; el incumplimiento genera idénticas consecuencias que en el caso anterior.

D) La actuación de los sindicatos en nombre de los afiliados

42.–Los sindicatos, según previene el art. 20 LRJS, pueden actuar en juicio en nombre e interés de los trabajadores afiliados –o de los funcionarios o personal estatutario, cuando actúen como empleados públicos ante el orden social– que así lo autoricen, defendiendo los intereses de los mismos y recayendo sobre los trabajadores los efectos de tal actuación.

Para ello el sindicato debe acreditar, por un lado, la condición de afiliado del trabajador. Por otro, la comunicación al trabajador de la voluntad de iniciar el procedimiento sin que éste se oponga. Al respecto, debe tenerse en cuenta que la autorización se presume concedida por la mera comunicación. Si después resulta que no existía tal autorización o, incluso, que se había denegado expresamente, el trabajador puede ponerlo de manifiesto ante el juez que, tras la audiencia a las partes, archivará las actuaciones, así como depurar responsabilidades frente al sindicato.

II. CUESTIONARIO

1. Dª Andrea Moll Velarte interpuso una demanda por despido que ha correspondido por turno de reparto a un determinado Juzgado de lo Social. Dª Andrea duda de la imparcialidad del magistrado actuante, pues en el pasado ella participó en una manifestación antitaurina y le consta que su señoría es muy aficionado a los toros.

   a) Dª Andrea podría instar la abstención del magistrado actuante si bien, a la luz de lo relatado, no tiene visos de prosperar.
   b) Dª Andrea debería interponer una queja ante el Consejo General del Poder Judicial y en dicha sede se adoptarán las medidas oportunas.
   c) Dª Andrea podría intentar la recusación del magistrado si bien, a la luz de lo relatado, no tiene visos de prosperar.
   d) Dª Andrea podría instar tanto un procedimiento de abstención como de recusación contra el magistrado actuante.

2. Un niño de 3 años ha participado en la filmación de una serie de anuncios televisivos. En su familia existe cierta inquietud porque la agencia de publicidad no ha satisfecho las cantidades que se habían pactado.

a) tratándose de un menor de edad, no puede formularse reclamación al no tener capacidad para ser parte.

b) es verdad que no tiene capacidad para ser parte y no puede formularse reclamación ahora pero será posible hacerlo cuando cumpla la mayor edad.

c) la pregunta está mal planteada porque no es posible que nadie trabaje por debajo de los 16 años de edad.

d) cabrá formular la correspondiente reclamación puesto que tiene capacidad para ser parte, aunque la capacidad procesal corresponderá normalmente a sus padres.

3. Juan Alberto Barrocal, de catorce años de edad, trabaja en la serie de televisión "La familia Fernández", desarrollando el papel de hijo adolescente. Juan Alberto cuenta para ello con la autorización de sus padres, con quienes convive. La productora no le ha abonado la retribución del último mes y pretende reclamarlos

a) Juan Alberto carece de capacidad procesal y serán sus padres quienes actúen por él.

b) Juan Alberto cuenta con capacidad material y procesal, por tanto, puede interponer demanda por si mismo sin ningún problema.

c) Juan Alberto carece de capacidad procesal y será el juez tutelar de menores, como ocurre en todos estos casos, quien interponga la demanda.

d) Juan Alberto carece de capacidad procesal y será el Ministerio Fiscal, como ocurre en todos estos casos, quien interponga la demanda.

4. D. Juan Martínez quiere interponer una demanda en reclamación de cantidad y pretende conferir su representación en juicio a su hermano, D. Pedro Martínez, quien siguió unos cursos a distancia sobre asesoramiento laboral, si bien no es abogado ni graduado social colegiado.

a) D. Juan no le puede conferir la representación a D. Pedro Martínez, pues éste no es un profesional del Derecho y estaríamos ante un supuesto de intrusismo profesional.

b) D. Juan puede conferir la representación en escritura pública o por comparecencia apud acta y D. Pedro podrá actuar como representante siempre que esté en el pleno ejercicio de sus derechos civiles.

c) D. Juan le puede conferir la representación a D. Pedro, eso sí, sólo si lo hace mediante escritura pública.

d) D. Juan le puede conferir la representación a D. Pedro a través de cualquier fórmula con la que quede constancia de ello (escritura pública, comparecencia apud acta o, incluso, redactando una nota en presencia de dos testigos).

5. D. Jesús Jiménez se ha sentido discriminado por una decisión de la empresa en la que trabaja que le ha impedido un ascenso. D. Jesús, que no está afiliado a ningún sindicato, ha interpuesto una demanda en tutela de los derechos fundamentales y los sindicatos UGT y CC.OO. se han personado como coadyuvantes.

a) Esta participación no es posible puesto que el trabajador no está afiliado a ninguna central sindical.

b) Este tipo de participación de UGT y CCOO está permitida por la LRJS ya que ostentan la condición de sindicatos más representativos.

c) Tales sindicatos podrían, incluso, continuar con el proceso adelante aun en el caso de que D. Jesús desistiese de su demanda.

d) Cualquier sindicato, con independencia de su representatividad, puede siempre intervenir como coadyuvante en los pleitos de tutela de derechos fundamentales, incluso si el trabajador no está afiliado.

6. D. Juan Jiménez ha sido despedido y pretende demandar a su empresa ante el Juzgado de lo social de Valencia.

a) D. Juan puede interponer la demanda por sí mismo porque en el proceso laboral la defensa por abogado o la representación técnica por graduado social colegiado es facultativa en la instancia.

b) D. Juan Jiménez debe contratar necesariamente los servicios de un abogado o de un graduado social colegiado pues en los procesos por despido es obligada la intervención de tales profesionales.

c) D. Juan Jiménez puede interponer la demanda por sí mismo; ahora bien, si la sentencia no le es favorable y la recurriese en suplicación, deberá contratar obligatoriamente los servicios de un abogado.

d) D. Juan Jiménez puede interponer la demanda por sí mismo o contratar los servicios de un abogado o de un graduado social colegiado; ambos sujetos podrán encargarse de su defensa en cualquiera de los eventuales recursos ulteriores, incluida la casación en unificación de doctrina.

7. María León se emancipó hace cuatro meses, apenas cumplidos los diecisiete años. Hace dos meses empezó a trabajar para una empresa informática como programadora de videojuegos, pero la empresa no ha satisfecho sus retribuciones por lo que María se plantea reclamarlas.

a) María no puede realizar válidamente actos procesales, pues es menor de edad y los menores carecen de capacidad procesal.

b) María necesita obligatoriamente los servicios de un abogado o de un graduado social colegiado para presentar la demanda ante el juzgado competente.

c) El contrato es nulo porque María necesitaba de la autorización de sus padres; serán estos quienes ostenten la capacidad procesal para reclamar las retribuciones generadas.

d) María cuenta con capacidad procesal para ello en la medida en que se encuentre en el pleno ejercicio de sus derechos civiles.

8. La empresa Alarcón, SLU, dedicada a la fabricación de componentes del automóvil, cuenta con 12 trabajadores. A causa de las dificultades que atraviesa últimamente, ha dejado de abonar ciertos complementos salariales, lo que ha determinado que los doce empleados interpongan de manera conjunta la correspondiente demanda.

a) Los demandantes deben proceder a designar un representante común con quien se entenderán las sucesivas diligencias y que podrá ser cualquier persona en el pleno ejercicio de sus derechos civiles.

b) Los demandantes deben proceder a designar un representante común con quien se entenderán las sucesivas diligencias y que será, necesariamente, un abogado o un graduado social colegiado.

c) Los demandantes deben proceder a designar un representante común con quien se entenderán las sucesivas diligencias y que podrá ser, entre otras posibilidades, uno de los demandantes.

d) Los demandantes deben proceder a designar un representante común con quien se entenderán las sucesivas diligencias y que será necesariamente un procurador o uno de los demandantes.

9. El Sindicato CGIL pretende actuar en nombre e interés de Dª María Liboria, trabajadora afiliada a dicha central sindical, ejercitando una reclamación de cantidad.

a) Aunque la LRJS no lo prevé, el Sindicato puede hacerlo, bastando para ello con que alegue en la demanda la condición de afiliada de Dª María.

b) El Sindicato puede hacerlo, si bien debe acreditar que Dª María está afiliada, así como que le ha comunicado a ésta su intención de interponer demanda.

c) La LRJS exige que sea Dª María la que ejercite sus derechos, sin que pueda el sindicato actuar en su nombre e interés.

d) El Sindicato podrá hacerlo sólo en la medida que cuente con una autorización expresa por parte de la trabajadora emitida formalmente ante notario.

10. D. Juan Gutiérrez, Licenciado en Ciencias Económicas, se representó a sí mismo en un proceso laboral de reclamación de cantidad. El juzgado de lo social ha dictado sentencia y D. Juan pretende recurrir en suplicación sin contar con los servicios de ningún profesional.

a) D. Juan no puede formalizar por sí mismo dicho recurso, siendo necesarios según la LRJS los servicios de un abogado o de un graduado social colegiado.

b) Según la LRJS, D. Juan puede formalizar por si mismo el recurso, ya que tampoco en la instancia han intervenido profesionales.

c) D. Juan no puede formalizar por sí mismo dicho recurso, siendo necesarios los servicios de un profesional que, según la LRJS, necesariamente será un abogado.

d) D. Juan podrá formalizar por sí mismo el recurso siempre que la cuantía litigiosa no exceda de los 3.000 euros, pues así lo prevé la LRJS.

11. Andreu Romero, apenas cumplidos los dieciséis años, empezó a trabajar para un hotel como animador. La empresa no ha satisfecho sus retribuciones y Andreu pretende reclamarlas. Por cierto, Andreu no está emancipado y sus padres, con quienes conviven, no le han autorizado para trabajar.

a) Andreu cuenta con capacidad procesal para ello, pues todas las personas físicas tienen capacidad procesal, con independencia de la edad.

b) Andreu cuenta con capacidad procesal, pues todos los mayores de 16 años la tienen.

c) El contrato es nulo porque Andreu necesitaba de la autorización de sus padres; serán estos quienes ostenten la capacidad procesal para reclamar las retribuciones generadas.

d) Andreu necesita obligatoriamente los servicios de un abogado o de un graduado social colegiado para presentar la demanda en el juzgado competente.

12. Pedro Gutiérrez trabaja en una empresa dedicada a la colocación de señales viarias ("Señalítica Valenciana SLU") y últimamente ha estado prestando servicios con su empresa en el marco de unas obras de construcción de una autovía ejecutadas por una empresa constructora (URBANISA, SA). D. Pedro no ha percibido el salario de los últimos meses y pretende reclamarlos.

a) El trabajador sólo puede demandar a la empresa constructora, ya que es la que en definitiva se beneficia de sus servicios.

b) El trabajador solo puede demandar a su empresa, pues es la única responsable del pago del salario.

c) El trabajador debe demandar necesariamente a las dos empresas ya que de lo contrario la relación jurídico procesal estará mal constituida.

d) El trabajador puede demandar a las dos empresas al mismo tiempo, tanto a su empresa como a la constructora.

13. **Un sindicato considera que en una determinada empresa no se están cumpliendo correctamente las normas en materia de prevención de riesgos laborales y está pensando emprender acciones judiciales.**

a) Podrá ponerlas en marcha en todo caso.

b) Podrá ponerlas en marcha siempre que acredite implantación en el ámbito de la indicada empresa.

c) No podrá ponerlas en marcha puesto que la legitimación en estos casos corresponde al Comité de Empresa.

d) No podrá ponerlas en marcha porque el cumplimiento de estas normas es competencia exclusiva de la autoridad laboral a través de la Inspección.

14. **D. Pedro Jiménez presentó una demanda en reclamación de cantidad contra su empresa y, al estar ésta en concurso, también ha sido llamado el FOGASA. El FOGASA considera que la deuda está prescrita por lo que pretende en su turno invocar la correspondiente excepción.**

a) Ello resultará posible solo en la medida en que la empresa demandada lo considere oportuno y lo permita.

b) Ello resultará posible, solo en la medida en que el FOGASA lo haya advertido en los actos previos.

c) Ello resulta posible, pues el FOGASA, según prevé la LRJS, puede formular las excepciones que considere pertinentes, incluida la de prescripción de la deuda.

d) EL FOGASA no puede oponerse en juicio a nada de lo que reclame un trabajador.

15. **Dª María Aldeposa, jefa de personal de una empresa textil, no percibe su salario desde hace unos meses. Ha decidido demandar a su empresa, instando la extinción de su contrato, a lo que ha acumulado una reclamación de cantidad. La empresa atraviesa una mala situación económica, pero de momento no ha sido declarado insolvente ni entrado en situación concursal.**

a) El FOGASA, según la LRJS, no podrá comparecer como parte en este proceso, pues la empresa no se encuentra en situación de concurso ni es insolvente.

b) El FOGASA, según la LRJS, podrá comparecer como parte en cualquier fase o momento del proceso, ya que en el futuro podrían derivarse prestaciones de garantía salarial.

c) El FOGASA debe ser citado como parte necesariamente, pues así se prevé para todos los procesos que versen sobre reclamación de cantidad con independencia de cuál sea la situación económica de la empresa.

d) El FOGASA carece de capacidad para intervenir en los procesos declarativos, tan sólo puede hacerlo en los ejecutivos.

16. La intervención del FOGASA en los procesos laborales...

a) es siempre presupuesto para que posteriormente asuma responsabilidades.

b) nunca es presupuesto para que posteriormente asuma responsabilidades.

c) a veces es presupuesto para que posteriormente asuma responsabilidades.

d) nunca puede producirse en el seno de una ejecución.

17. El Fondo de Garantía Salarial ha sido llamado al procedimiento iniciado por un trabajador frente a una empresa declarada insolvente en reclamación de salarios. El FOGASA podrá aducir:

a) que la jurisdicción laboral es incompetente porque el demandante es un trabajador autónomo.

b) que el período de salarios reclamado está fuera del plazo de prescripción establecido por el art. 59 ET.

c) que el trabajador está reclamando más salario del que le corresponde conforme al convenio colectivo aplicable.

d) todas las circunstancias anteriores.

18. Un trabajador demandó a su empresa por despido obteniendo sentencia favorable. Con posterioridad, la empresa fue declara en situación de insolvencia provisional y el trabajador reclama las cantidades adeudadas al FOGASA. Para no abonarlas, este podrá aducir:

a) que la jurisdicción laboral no era competente porque el trabajador era en realidad un autónomo.

b) que la acción de despido estaba caducada cuando el trabajador la interpuso.

c) que el trabajador fijó en su demanda más salario del que le correspondía conforme al convenio colectivo aplicable.

d) ninguna de las circunstancias anteriores.

19. Dª. Juana García, técnico informático, fue contratada por una ETT que la puso a disposición de la empresa Ternasco, S.A. hace un par de meses. Dª Juana no ha percibido la retribución correspondiente al referido período y pretende reclamarla.

a) Dª Juana dirigirá su demanda contra la ETT, pero también podría dirigir su demanda contra la empresa Ternasco, S.A.

b) Dª Juana tan solo puede dirigir su demanda contra la ETT, pues es la que ocupa la posición de empleadora y única responsable del pago.

c) Dª Juana tan sólo puede dirigir su demanda contra la empresa Ternasco, S.A:, ya que es la que en realidad se ha beneficiado de sus servicios.

d) Dª Juana debe dirigir necesariamente su demanda contra la ETT y contra la empresa Ternasco, S.A., pues así se prevé en la LRJS.

20. **Una empresa de alimentación cuenta con 8 centros de trabajo repartidos en las ocho capitales andaluzas de provincia. D. José Jiménez presta servicios en el de Almería, donde se acaba de publicar el calendario de vacaciones aplicable a dicho centro de trabajo, asignándole a D. José el turno de octubre por considerar que es quien menores cargas familiares tiene. D. José considera que en función de dicho criterio le debería corresponder el turno de agosto.**

a) José tan solo debe demandar a la empresa.

b) D. José debería demandar a la empresa y a los trabajadores del centro de trabajo en que presta servicios frente a los cuales considere que ostenta un mejor derecho.

c) D. José debe demandar a la empresa y a todos los trabajadores de la misma, con independencia de donde presten servicios y su condición.

d) D. José carece de acción para impugnar esta decisión empresarial.

21. **D. Luis sufrió un accidente de trabajo, motivado por las insuficientes medidas de seguridad y salud laboral en su empresa; en la actualidad, se plantea el reconocimiento de una invalidez permanente y de las prestaciones y compensaciones económicas vinculadas.**

a) D. Luis debería demandar únicamente a la empresa y al INSS, pues son los únicos sujetos que podrían asumir responsabilidades.

b) D. Luis debe demandar a su empresa, al INSS, al Servicio de Prevención de la empresa y a la Mutua de Accidentes de Trabajo.

c) D. Luis debería demandar únicamente a la empresa y al Servicio de Prevención, pues son los únicos sujetos que pueden asumir responsabilidades.

d) D. Luis debería demandar únicamente a la empresa, pues es la única que puede asumir responsabilidades en estos casos.

22. **D. Juan Luís Segarra figura en el puesto nº 18 de una bolsa de trabajo constituida por una determinada empresa. La empresa ha llamado para la campaña de verano a 20 trabajadores entre los que no figura D. Juan Luís y éste pretende iniciar actuaciones judiciales pues considera que ostenta un derecho preferente a ser llamado al trabajo.**

a) D. Juan Luis debería demandar a la empresa y a todos aquellos traba-jadores frente a los que considera tener un derecho preferente.

b) D. Juan Luís debe demandar a la empresa, a todos los trabajadores de la empresa y al SEPE.

c) D. Juan Luís debe demandar exclusivamente a la empresa.

d) D. Juan Luis carece de legitimación para un pleito de estas caracterís-ticas.

23. La empresa Torregrosa, S.A., ante las dificultades económicas que venía atravesando, decidió adoptar un traslado colectivo. Tras el oportuno período de consultas, alcanzó un acuerdo con los representantes de los trabajadores fijando los criterios a seguir para la selección de afectados. D. Matías, uno de los seleccionados para el traslado, considera que tiene un derecho preferente a permanecer en el centro de trabajo que no ha sido respetado en el acuerdo, por lo que pretende impugnar la decisión.

a) La demanda deberá dirigirla contra la empresa, contra los represen-tantes de los trabajadores y contra los trabajadores frente a los cuales considere tener un derecho preferente de permanencia.

b) La demanda deberá dirigirla exclusivamente contra la empresa, pues es quien ha adoptado la decisión.

c) La demanda deberá dirigirla exclusivamente contra la empresa y con-tra el resto de trabajadores, pero no contra los representantes de los trabajadores ya que estos se limitan a cumplir sus tareas.

d) La demanda deberá dirigirla exclusivamente contra la empresa y con-tra los representantes de los trabajadores, pero no frente a ningún tra-bajador.

24. D. Juan de la Cruz suscribió un contrato de trabajo con la empresa "To-net, S.L.U", empresa de servicios encargada de la limpieza de ciertas depen-dencias municipales. Hace un par de meses, "Tonet, S.L.U." perdió el nuevo concurso convocado por el Ayuntamiento y ahora es la empresa "Giménez, S.A." la encargada de la limpieza, habiéndose subrogado ésta en las relaciones laborales de su predecesora; en ese momento, "Tonet, S.L.U." adeudaba a D. Juan 2.500 euros quien pretende reclamarlos.

a) D. Juan sólo podría demandar a Tonet S.L.U.

b) D. Juan sólo podría demandar a Giménez, S.L.U.

c) D. Juan debe demandar necesariamente a ambas empresas, pues esta-mos ante un litisconsorcio necesario.

d) D. Juan puede dirigir su demanda contra Tonet S.L.U y/o contra Gimé-nez, S.A., pues estamos ante un litisconsorcio voluntario.

25. **Aurora Gutiérrez trabaja en una empresa dedicada a las instalaciones eléctricas ("LUMINIA, SA") y últimamente ha estado prestando servicios con su empresa en el marco de unas obras de construcción ejecutadas por una empresa constructora (INMOBISA, SA). Dª. Aurora no ha percibido el salario de los últimos meses y pretende reclamarlos.**

a) La trabajadora sólo puede demandar a INMOBISA, S.A., ya que es la que en definitiva se beneficia de sus servicios.

b) La trabajadora puede demandar a las dos empresas al mismo tiempo, tanto a LUMINIA, S.A. como a INMOBISA, S.A.

c) La trabajadora solo puede demandar a LUMINIA, S.A., pues es la única responsable del pago del salario.

d) La trabajadora debe demandar necesariamente a LUMINIA, S.A. y a INMOBISA S.A., ya que de lo contrario la relación jurídico procesal estará mal constituida.

26. **Marina Pertegaz suscribió un contrato como jefa de personal con la empresa de telecomunicaciones "RADIONOVA, SA". La empresa hace unos meses que atravesaba dificultades financieras, por lo que no abonaba las nóminas a sus empleados; en ese contexto, "RADIO NOVA SA" fue absorbida por la empresa "RADIO FUTURA, S.A." que se ha subrogado en las relaciones laborales de su antecesora. Dª Marina quiere reclamar los salarios que le adeudan.**

a) D.ª Marina sólo podría demandar a RADIO NOVA S.A.

b) Dª Marina sólo podría demandar a RADIO FUTURA S.A.

c) Dª Marina debe demandar necesariamente a ambas empresas, pues estamos ante un litisconsorcio necesario.

d) Dª Marina puede dirigir su demanda contra RADIONOVA, SA o contra RADIO FUTURA, S.A., pues estamos ante un litisconsorcio voluntario.

27. **Emilia Calesal Pertegaz suscribió un contrato de trabajo como vigilante jurado con la empresa "VIGILANTS, S.A." La empresa , que se encarga de la vigilancia de unos grandes almacenes (LA RENACIENTE), no ha abonado el plus de transporte del último año y la trabajadora pretende reclamarlo.**

a) Dª Emilia puede dirigir su demanda contra VIGILANTS, S.A. o contra LA RENACECIENTE., pues estamos ante un litisconsorcio voluntario.

b) Dª Emilia sólo podría demandar a LA RENACIENTE.

c) D.ª Emilia sólo podría demandar a VIGILANTS, S.A.

d) Dª Emilia debe demandar necesariamente a ambas empresas, pues estamos ante un litisconsorcio necesario.

28. Las partes en el proceso laboral...

a) no pueden personarse por sí mismas.

b) deben conferir su representación a un procurador o graduado social colegiado.

c) como regla general, son libres para personarse por sí mismas o por medio de representante.

d) necesitan siempre de asistencia letrada.

29. En materia de postulación, es una peculiaridad del proceso laboral

a) que está expresamente prohibida la intervención de procurador, cuya figura es sustituida por la del graduado social.

b) que es posible conferir la representación técnica a un graduado social, aunque sólo en la instancia.

c) que es posible conferir la representación técnica a un graduado social, aunque sólo en instancia y en el recurso de suplicación.

d) d)   que es posible conferir la representación técnica a un graduado social tanto en instancia como en cualquier recurso.

30. Recibida una demanda firmada por el trabajador y sin alusión alguna a la participación de ningún profesional, hemos decidido comparecer al juicio asistidos por abogado.

a) podemos hacerlo, aunque si el día del juicio el demandante no cuenta con asistencia técnica, el órgano judicial suspenderá el procedimiento para que la consiga.

b) podemos hacerlo con entera libertad puesto que en el proceso laboral cada uno hace lo que quiere en este punto.

c) no podemos hacerlo en ningún caso puesto que la intervención de profesionales depende del criterio del demandante.

d) debemos ponerlo de inmediato en conocimiento del órgano judicial, a fin de que este pueda advertir al demandante.

III. SOLUCIONES AL CUESTIONARIO

1: C	2: D	3: A	4: B	5: B
6: A	7: D	8: C	9: B	10: A
11: C	12: D	13: B	14: C	15: B
16: C	17: D	18: D	19: A	20: B
21: B	22: A	23: A	24: D	25: B
26: D	27: C	28: C	29: C	30: D

IV. ACTIVIDADES PROPUESTAS

1. La tutela judicial efectiva y los actos de comunicación

La tutela judicial efectiva que como ya se comprobó en el módulo anterior tiene un significado muy amplio. Localice al menos cinco pronunciamientos del Tribunal Constitucional en los que haya resuelto recursos de amparo donde se invocase la vulneración de este derecho fundamental en el orden social al hilo de la legitimación.

2. Casos prácticos

Trate de resolver los siguientes supuestos que se plantean en relación con la legitimación; en todos ellos, proceda a leer atentamente los hechos que se relatan para, a continuación, responder a las cuestiones que se formulan.

2.1. Supuesto primero

Hechos:

Primero: La cadena de lavanderías "Blanquísimo, S.A.", con domicilio social en Mérida, cuenta con cinco centros de trabajo en la mencionada localidad.

Segundo: El 15 de abril del presente año la dirección de la empresa pactó con los representantes de los trabajadores un acuerdo para la programación de las vacaciones. A resultas de dicho acuerdo, se determinó que se realizarían tres turnos diferentes para el disfrute del período vacacional: el primero, en el mes de agosto, se reservaría para el tercio de trabajadores que tuvieran mayor antigüedad en la empresa; el segundo, durante el mes de julio, para el tercio siguiente en antigüedad; finalmente, el tercer turno, para el mes de septiembre, se asignó a los trabajadores restantes, es decir, los de menor antigüedad.

Tercero: A Borja Alcántara, domiciliado en Cáceres y padre de familia numerosa, en principio, le ha correspondido el turno de septiembre. Dicho trabajador se muestra disconforme con el período de disfrute asignado, así como con los criterios tenidos en cuenta para su determinación. A su juicio, de conformidad con lo previsto en el convenio colectivo aplicable a la empresa, se debería haber tomado en consideración un criterio basado en las cargas familiares de los trabajadores.

Cuarto: Así las cosas, el trabajador en cuestión decide iniciar actuaciones judiciales con el objetivo de conseguir que sus vacaciones coincidan con el mes de agosto.

Cuestiones:

1ª. Determine el órgano jurisdiccional competente para conocer de este litigio.

2ª. Determine los legitimados activa y pasivamente en el litigio.

3ª. ¿Qué sucedería si fueran ocho los trabajadores los que pretendieran impugnar la decisión empresarial? ¿Y si fueran doce?

2.2. Supuesto segundo

Hechos:

Primero: El 10 de enero de este año el Ayuntamiento de Talavera de la Reina convocó un concurso público para la provisión de 6 plazas laborales como "socorrista de piscinas municipales". Entre los requisitos de la mencionada convocatoria se hacía referencia a ser menor de 35 años, así como a la necesidad de que los varones midieran más de 1.85 cm y las mujeres rebasaran el 1.75 cm de estatura.

Segundo: Realizadas las pruebas correspondientes, las mismas fueron superadas por 12 candidatos sobre un total de 123.

Tercero: Así las cosas, en relación con aquellos sujetos que superaron las pruebas pero que, dadas las limitaciones de la convocatoria, no pudieron ser contratados –por orden de puntuación: Dª. Isabel de Freire; D. Antonio Sánchez Mejías; D. Antonio Nebrija; D. Antonio Torres Heredia; D. Ramón Sijé y Dª Carmen Martín Gaite, todos vecinos de la localidad– se decidió que pasaran a engrosar una "lista de espera" para eventuales contrataciones futuras. La inclusión en la mencionada lista dependía de la presentación de una determinada documentación por parte del interesado en el término de 10 días a contar desde la publicación de los resultados.

Cuarto: D. Ramón Sijé no presentó toda la documentación requerida en el tiempo indicado y, por tanto, no fue incluido en la lista en cuestión.

Quinto: El 10 de febrero, ante la necesidad de cubrir temporalmente tres plazas de socorrista –una por jubilación de su titular, en tanto se convocaba el oportuno concurso para la provisión definitiva; las restantes para sustituir a dos trabajadores en excedencia para el cuidado de hijos–, el Ayuntamiento de Talavera contrató a Dª. Isabel de Freire, D. Antonio Nebrija y D. Pedro de Arbués.

Cuestiones:

> **1ª. Determine el orden jurisdiccional competente para conocer de los conflictos siguientes.**

> D. Juan Salvador pretende impugnar la convocatoria por entenderla discriminatoria.

> Dª. Emilia Pardo pretende impugnar la lista de admitidos al concurso ya que no fue incluida en la misma por no haber abonado las tasas en concepto de derechos de examen.

> D. Ramón Sijé no está de acuerdo con su no inclusión en la "lista de espera", pues sostiene que presentó la documentación requerida en tiempo y forma.

> D. Antonio Sánchez Mejías no entiende la razón por la cual no ha sido contratado cuando ocupa el segundo lugar en la lista de espera; por ello, también ha decidido emprender las acciones legales oportunas.

> Dª. Isabel de Freire reclama al Ayuntamiento que se le reconozca el derecho a percibir un plus de idiomas al que cree tener derecho en función de lo dispuesto en el convenio colectivo aplicable al personal laboral del mencionado Ayuntamiento.

> **2ª. En relación con los supuestos anteriores que sean competencia del orden social de la jurisdicción, identifique el órgano jurisdiccional competente para conocer del asunto, así como los legitimados activa y pasivamente en el proceso.**

2.3. Supuesto tercero

Hechos:

Primero: El 4 de febrero de 2009 D. David Cebrián, residente en Gijón, suscribió en Oviedo un contrato de trabajo, categoría de limpiador, con la empresa "Limpiezas Integrales, S.A." cuyo domicilio social radica en Orense.

Segundo: Hace unos años dicha empresa ganó un concurso público para hacerse cargo de la limpieza de los quirófanos de un hospital público radicado en Oviedo durante dos años, lugar en el que desde entonces ha prestado servicios el mencionado trabajador.

Tercero: El trabajador no ha percibido los salarios correspondientes a las mensualidades de junio, julio, agosto y setiembre del año pasado.

Cuarto: El 1 de octubre de ese mismo año, convocado un nuevo concurso por el Servicio Asturiano de Salud, resultó vencedora del mismo la empresa "Limpiezas Monteverde.", domiciliada en León, la cual ha adquirido los parcos elementos patrimoniales con los que anteriormente desarrollaba sus actividades la empresa "Limpiezas Integrales, S.A." y ha contratado al 75% de la plantilla antaño vinculada a ésta. Entre los sujetos contratados no se encontraba D. David.

Cuestiones:

1ª. Determine el órgano jurisdiccional competente para conocer de la reclamación salarial que pretende plantear D. David.

2ª. Identifique los legitimados activa y pasivamente en este proceso.

3ª. Imagine que la pretensión de D. David versa sobre la percepción de un plus de transporte y la percepción de una indemnización de traslado. ¿Cambiaría en algo la respuesta anterior?

2.4. Supuesto cuarto

Hechos:

Primero: El 7 de julio de 2000, D. Enrique Tormo, natural de Utiel y domiciliado en Benidorm, fue contratado por tiempo indefinido por AVITRANS, una empresa dedicada al transporte de pavos y pollos vivos, cuyo domicilio social se encuentra en Elche, para prestar servicios como transportista por cuenta ajena. Su labor consistía en trasladar aves desde una granja que se encuentra a las afueras de Alicante hasta el puerto de dicha ciudad.

Segundo: El 22 de septiembre de este año, descargando un pedido en la Terminal Marítima de Alicante para la empresa SPANISH CHICKEN, SA, domiciliada en Cádiz y dedicada a la exportación de pollos, D. Enrique sufrió un accidente de trabajo en el recinto portuario, con resultado muerte, al precipitarse desde lo alto del remolque, cuando procedía a colocar una lona protectora tras la entrega del pedido.

Tercero: La empresa tiene concertados los riesgos con la Mutua REVINASA.

Cuarto: El cónyuge supérstite y los dos hijos de la pareja, de 15 y 19 años, pretenden reclamar las prestaciones de muerte y supervivencia a que puedan tener derecho, así como una indemnización de daños pues entienden que el accidente se produjo por el incumplimiento de las medidas de seguridad vigentes.

Cuestiones:

1ª. Determine el órgano jurisdiccional competente para conocer de los siguientes litigios, razonando su respuesta con referencia a los preceptos aplicados.

2ª. Identifique los legitimados activa y pasivamente en este proceso.

2.5. Supuesto quinto

Hechos:

Primero: El 15 de diciembre de 2014, tras distintas vinculaciones a través de diferentes contratos temporales que se remontan al año 2008, D Julio Torres, natural de Utiel y domiciliado en Benidorm, fue contratado por tiempo indefinido por una empresa dedicada a la comercialización y venta de libros cuyo domicilio social se encuentra en Madrid para prestar servicios como dependiente en un centro comercial que la mencionada firma tiene en Elche.

Segundo: El 22 de febrero de este año, ante los malos resultados que arrastraban los centros de trabajo de Elche y Valencia, la dirección de la empresa decidió cerrarlos. Con todo, ello no determinó la extinción de la totalidad de las relaciones laborales existentes en tales centros.

Tercero: Y es que la empresa, tras desarrollar el oportuno período de consultas con los representantes de los trabajadores, alcanzó un acuerdo con tales sujetos en función del cual un tercio de la plantilla sería destinada al centro de Sevilla; otro tercio, al de Madrid y el tercio restante al de Barcelona. Tales medidas se efectuarían de modo escalonado durante los meses de marzo y abril, de manera que para el mes de junio el proceso reestructurador hubiera concluido. Igualmente, el acuerdo mencionaba que la elección se efectuaría por orden de antigüedad en la empresa.

Cuarto: El acuerdo no añadió nada a las previsiones que el convenio colectivo aplicable a la empresa –el convenio colectivo nacional de artes gráficas– establece en concepto de "compensaciones por traslado".

Cuestiones:

1ª. Determine el órgano jurisdiccional competente para conocer de los siguientes litigios, razonando su respuesta con referencia a los preceptos aplicados:

a) D Julio Torres ha sido destinado a Barcelona. Dicho sujeto se muestra disconforme con el destino que le ha correspondido. A su juicio, no se ha tenido en cuenta que su vinculación con la empresa arranca del año 2008 y no del año 2014, dato que de haberse tomado en consideración hubiera determinado su destino a Sevilla. Así las cosas, decide impugnar la orden de traslado por la que se le envía a Barcelona.

b) Imagine que, además, el sujeto en cuestión se mostrara disconforme con los criterios de selección pactados y entendiese que se deberían aplicar otros distintos, en concreto, unos basados en las cargas familiares, lo que determinaría que, siendo D. Julio padre de catorce hijos, pudiese elegir en el primer turno.

c) El Sindicato CCOO no está conforme con la interpretación hecha del convenio colectivo aplicable para determinar los gastos de traslado que deben de abonarse a los trabajadores. A su juicio, la empresa ha efectuado una interpretación restrictiva de la cláusula décima, ya que, entre otras cosas, ha entregado una cantidad a tanto alzado en concepto de gastos por viaje del afectado y familia, en lugar del precio real del mismo. Por este motivo, ha decidido plantear un conflicto colectivo.

d) Imagine que, en lugar de lo anterior, el sindicato entendiese que la cláusula décima era manifiestamente ilegal y decidiera impugnarla en sede judicial para conseguir que se declare la nulidad de la cláusula en cuestión.

2ª. **En aquellos litigios que sean competencia del orden social de la jurisdicción, especifique el órgano jurisdiccional competente, así como los legitimados activa y pasivamente. Razone su respuesta con referencia a los preceptos aplicados.**

V. GLOSARIO

– *Capacidad material*: Aptitud para ser titular de los derechos, cargas y obligaciones que se derivan del proceso.

– *Capacidad procesal*: Aptitud para realizar válidamente actos procesales – comparecer en juicio y realizar con eficacia todos los actos procesales que derivan de dicha comparecencia.

– *Coadyuvante*: Sujeto que puede intervenir en un proceso en posición subordinada a la parte principal y, por tanto, con menores facultades que ésta.

– *Legitimación*: Cualidad concurrente en un sujeto que le permite ser parte en un proceso concreto, como demandante –legitimación activa– o demandado –legitimación pasiva–.

– *Litisconsorcio*: Proceso con pluralidad de partes en el lado activo, pasivo o en ambos; puede ser necesario o voluntario.

– *Personal jurisdiccional*: Personal que presta servicios en los órganos jurisdiccionales y es titular de la potestad jurisdiccional.

– *Personal no jurisdiccional*: Personal que presta servicios en los órganos jurisdiccionales, pero que carece de la potestad jurisdiccional.

– *Postulación*: Exigencia de que, para la realización de actuaciones procesales, las partes cuenten con la asistencia de determinados profesionales especializados en Derecho.

PRINCIPIOS DEL PROCESO, JUSTICIA GRATUITA Y ACTOS PROCESALES

CONTENIDO GENERAL

Una vez delimitado en la lección primera qué es el orden social de la jurisdicción y en la segunda los sujetos que en el mismo intervienen, ya sea por constituir el elemento personal de los órganos que lo integran, ya sea por actuar ante tales órganos, la lección tercera nos introduce en la temática del proceso. Al respecto, de entrada, esta lección reflexiona sobre los principios que lo ordenan, tanto desde un punto de vista general como desde otro más específico del proceso laboral, así como, por proximidad, sobre el derecho de asistencia jurídica gratuita, no en vano la gratuidad del procedimiento ha sido una aspiración tradicional del movimiento obrero desde los albores de la jurisdicción social. Por otra parte, partiendo de la diferencia entre el proceso y el procedimiento, entendido como secuencia lógica y cronológica de actos procesales, la parte final de la lección se destina al análisis de éstos, indicando su tipología, régimen jurídico y sus requisitos de eficacia.

OBJETIVOS PERSEGUIDOS

– Comprender los principios que ordenan el proceso, su alcance y su trascendencia práctica.

– Conocer y ser capaz de aplicar los sistemas para hacer efectivo el derecho de justicia gratuita.

– Ser capaz de distinguir los diferentes actos procesales desarrollados por quienes intervienen en el proceso a efectos de asignarles el régimen jurídico correspondiente.

SUMARIO: I. DESARROLLO. 1. El procedimiento laboral: los principios. 1.1. Los principios generales del proceso. 1.2. Principios del procedimiento laboral. 1.3. Deberes y obligaciones generales. 2. La (limitada) gratuidad del proceso laboral. 2.1. La asistencia jurídica gratuita: beneficiarios, solicitud y contenido. 2.2. Las tasas. 3. Los actos procesales. 3.1. Los actos procesales: tipología. 3.1.1. Actos de las partes. 3.1.2. Actos y resoluciones del letrado de la administración de justicia. 3.1.3. Actos y resoluciones judiciales. 3.1.4. Actuaciones de terceros. 3.2. Reglas generales de los actos procesales. 3.2.1. Voluntariedad: el error judicial y su tratamiento. 3.2.2. Idioma. 3.2.3. Publicidad. 3.2.4. Lugar. 3.2.5. Tiempo. 3.3. Eficacia y nulidad de las actuaciones. 3.4. Actos de comunicación. II. CUESTIONARIO. III. SOLUCIONES AL CUESTIONARIO. IV. ACTIVIDADES PROPUESTAS. V. GLOSARIO.

I. DESARROLLO

1. *El procedimiento laboral: los principios*

1.–Una vez delimitados en la lección anterior los "protagonistas" del proceso laboral y antes de analizar las actuaciones que tales sujetos desarrollan –esto es, los actos procesales– parece conveniente detenerse en los principios que inspiran la ordenación de tales actuaciones, es decir, en los principios del proceso. Pues bien, al respecto cabe diferenciar entre unos principios comunes a todo proceso y unos principios específicos del proceso laboral (Montero, 2010, 328).

1.1. Los principios generales del proceso

2.–Los principios genéricos o comunes a todo proceso son aquéllos que derivan de su propia naturaleza. Estos principios son, básicamente, tres (Montero, 2003, 328 y ss.): el principio de dualidad de partes; el principio de contradicción o audiencia; y el principio de igualdad.

2.1.–En primer lugar, se encuentra el **principio de dualidad de partes**. Este principio implica que para la existencia de un verdadero proceso resulta necesario, por lo menos, la presencia de dos partes que aparecerán en posiciones contrapuestas.

2.2.–En segundo lugar, se encuentra **el principio de contradicción o audiencia,** directamente derivado del texto constitucional en cuanto prohíbe la indefensión (24 CE). Ello implica que nadie puede ser condenado sin haber sido previamente oído y vencido en juicio, lo que se traduce, básicamente, en la necesidad de brindar a los afectados la oportunidad de alegar y probar sus derechos (arts. 82 y ss. LRJS). Aunque es posible, por supuesto, que los titulares no hagan uso de tal derecho.

Por ello, precisamente, se permite seguir el procedimiento incluso cuando el demandado no comparece (art. 83.3 LRJS) y, por derivación de este mismo principio, cuando tal inasistencia está justificada se reconoce a este sujeto la posibilidad de instar la audiencia al demandado rebelde (art. 185 LRJS), según se analizará en la lección séptima.

Asimismo, el principio también se relaciona con la adecuada realización de los actos de comunicación con las partes y entre las mismas, pues la corrección de dichos actos constituye un presupuesto esencial de todo lo anterior.

2.3.–Finalmente, debe mencionarse el **principio de igualdad,** también derivado directamente del texto constitucional que supone conceder a las partes los mismos derechos, cargas y posibilidades, de manera que no haya privilegios hacia ninguna de ellas.

a) Ahora bien, es preciso tener en cuenta que este principio aparece modulado en el ámbito del proceso laboral. En este sentido, no hay que olvidar la distinta posición en que se encuentran empresario y trabajador, así como que el ordenamiento laboral, desde sus orígenes, ha tratado de ser un instrumento compensador de esa desigualdad de partida. Pues bien, ese intento compensador que existe en el terreno sustantivo se produce también en el plano adjetivo, esto es, en la regulación del proceso laboral. La medida se encuentra justificada, pues la propia CE exige remover todos los obstáculos existentes a la consecución de una igualdad no meramente formal sino real. Así lo ha puesto de manifiesto la doctrina del TC desde sus primeras sentencias (así, por ejemplo, la STC 3/1983, de 25 de enero).

b) Las manifestaciones de este principio son muy variadas y, entre las mismas, cabe mencionar las siguientes:

– De entrada, se encuentra el distinto tratamiento dado a trabajadores y empresarios en materia de asistencia jurídica gratuita (arts. 2 y ss. LAJG), como comprobaremos en esta misma lección.

– En segundo lugar, el régimen diferenciado brindado a empresarios y trabajadores en materia de depósitos y consignaciones (arts. 229 y 230 LRJS).

– En tercer lugar, las previsiones relativas a la posibilidad de condenar al empresario (no así al trabajador) al pago de los honorarios de los abogados o graduados sociales de la otra parte (art. 97.3 LRJS) también responden a esta idea.

– En fin, en la misma línea se inscriben otras previsiones que encontramos a lo largo del articulado de la LRJS como, por ejemplo, la propia existencia de procesos de oficio (arts. 148 y ss.), las limitaciones o restricciones existentes en ciertos casos para acceder a los recursos o medios de impugnación, como sucede en materia de impugnación de sanciones impuestas por el empresario al trabajador, donde sólo se permite que puedan ser recurridas –se entiende que por éste– las confirmatorias de sanciones muy graves (art. 115.3 LRJS), lo que evidencia un trato de favor hacia dicho sujeto, la regulación que ofrece la norma rituaria sobre la ejecución provisional (arts. 289.1, 294.1 y 295 LRJS); etc.

1.2. Principios del procedimiento laboral

3.–Junto a los principios del proceso recién mencionados, que son comunes a todos los órdenes jurisdiccionales, existen otros principios que son propios o específicos del procedimiento laboral: oralidad, inmediación, concentración y celeridad (art. 74 LRJS).

3.1.–El principio básico es el **principio de oralidad**, del cual derivan todos los demás. Este principio implica que la mayor parte de las actuaciones procesales se realicen oralmente, lo que no impide la existencia de algunos actos escritos.

La oralidad simplifica el procedimiento y, con ello, facilita el acceso a la justicia; asimismo, favorece la búsqueda de la verdad material por el Juez; en fin, no cabe duda de que confiere mayor rapidez al procedimiento coadyuvando, por tanto, a la consecución de otro de los principios propios del proceso laboral (la celeridad).

Por lo que respecta a sus manifestaciones más evidentes, la más clara es, sin duda la existencia de un juicio oral (arts. 85 y ss. LRJS), donde todas las alegaciones, pruebas y conclusiones se efectúan oralmente, así como la posibilidad de dictar sentencia oral (art. 50 LRJS); en contraposición, y como excepción, la demanda tiene un carácter escrito (art. 80 LRJS).

3.2.–Un segundo principio es el de **inmediación**, que determina la necesidad de que el juzgador esté presente de manera directa, sin elementos interpuestos, en las actuaciones procesales, de manera especial, en las alegaciones y pruebas. Una de las manifestaciones más evidentes de este principio es la previsión contenida en el art. 98 LRJS, de conformidad con el cual, si el juez que presidió el acto del juicio no pudiese dictar sentencia, deberá celebrarse éste de nuevo.

3.3.–En tercer lugar, **el principio de concentración** aspira a que las distintas actuaciones procesales estén lo más agrupadas posibles, a poder ser, que tengan lugar en unidad de acto.

Entre las manifestaciones más evidentes de este principio se puede mencionar la regulación del juicio oral, que aspira a la celebración de todas las actuaciones (alegaciones, prueba y conclusiones) en unidad de acto (arts. 85 y 87) LRJS; la admisión restringida de la posibilidad de suspender el juicio (art. 83.3 LRJS); la posibilidad de resolver casi todas las cuestiones previas, incidentales y prejudiciales en la sentencia final, sin abrir un procedimiento independiente y sin que su planteamiento determine la suspensión del proceso (art. 86 LRJS).

En todo caso, al igual que sucede con la oralidad, la concentración también presenta excepciones o, mejor dicho, existen determinadas previsiones que no responden a dicho principio. Así sucede con la regulación de la anticipación de la prueba (art. 78 LRJS), la suspensión "excepcional" por existencia de una prejudicialidad penal basada en falsedad documental de documento absolutamente decisivo (art. 4 y 86 LRJS), la posibilidad restringida para suspender el proceso cuando haya que practicar pruebas fuera de la sede del órgano jurisdiccional (art. 88 LRJS) o la admisibilidad de las diligencias finales (art. 88 LRJS). Con todo, nótese que se trata de supuestos todos ellos excepcionales que no eliminan la vigencia del principio general.

3.4.–Finalmente, el **principio de celeridad** aparece como una derivación del derecho fundamental a un proceso sin dilaciones indebidas, es decir, el derecho a que el conflicto se resuelva rápidamente, una necesidad especialmente importante en el caso de los conflictos laborales.

Las manifestaciones de la celeridad son variadas. Así, cabe mencionar el establecimiento de plazos breves para realizar las actuaciones que, en general, tienen un carácter perentorio e improrrogable (art. 43.3 LRJS); la configuración de algunas modalidades procesales como urgentes (p.e., la de despidos colectivos, la de conflicto colectivo o la de tutela de los derechos fundamentales, según los arts. 124.8, 159 y 179 LRJS, respectivamente); o, incluso, la posible limitación en el número de testigos (art. 92 LRJS) admite una lectura en esta clave.

Por lo demás, debe subrayarse el entronque constitucional del principio con el art. 24 CE en su vertiente de derecho a obtener una resolución sin dilaciones indebidas. En este sentido, existen numerosas sentencias del Tribunal Europeo de Derechos Humanos en las que se ha condenado a diversos países por la tardanza en la dispensación de justicia. En tales casos, a la hora de valorar los incumplimientos se toma en consideración además del tiempo transcurrido, la complejidad del asunto, la conducta procesal de las partes y el número de instancias recorridas.

1.3. Deberes y obligaciones generales

4.–El artículo 75 LRJS establece una serie de deberes y obligaciones relativos al modo en que han de conducirse los intervinientes en el proceso. Estas obligaciones afectan a todos los intervinientes, no sólo directos, sino también indirectos y no están restringidos exclusivamente a las partes.

4.1.–En primer lugar, el art. 75.1 LRJS impone a los órganos jurisdiccionales el deber de rechazar de oficio —cabría que fuera a instancia de parte— las peticiones, incidentes y excepciones formulados por las partes del proceso con mera finalidad dilatoria o que entrañen abuso de derecho.

4.2.–Asimismo, según el 75.4 LRJS, las partes deben respetar la buena fe en sus actuaciones: si la vulneran o formulan pretensiones temerarias, el juez o tribunal, tras el oportuno procedimiento, podrá imponer una multa entre 180 y 6.000 euros —sin superar, en ningún caso, la cuantía de la tercera parte del litigio–.

4.3.–Por otra parte, el art. 75.2 LRJS configura un deber general sobre quienes no sean parte en el proceso de cumplir las obligaciones que les impongan los órganos judiciales, es decir, un deber de colaboración cuyo incumplimiento puede ser sancionado. Esto se aprecia, por ejemplo, en los arts. 57.3 LRJS (en relación con los sujetos que deben colaborar en la práctica de las notificaciones) y 241.3 LRJS (en relación con ciertos sujetos que sin ser parte en la ejecución deben colaborar en la misma y sobre quienes se pueden imponer adicionalmente multas coercitivas).

4.4.–En fin, el art. 75.3 LRJS establece un mecanismo resarcitorio de daños evaluables económicamente que deriven del incumplimiento de los deberes antes expresados. El perjudicado se dirigirá contra el sujeto que haya protagonizado las conductas descritas.

2. La (limitada) gratuidad del proceso laboral

5.–Una de las aspiraciones laborales básicas del movimiento obrero, según se indicó en la lección primera, era la de poder contar a su disposición un mecanismo rápido y accesible que facilitase la tramitación de las eventuales reclamaciones que los trabajadores pudiesen entablar contra la empresa y así poder hacer efectivos sus derechos. La consecución del primer objetivo se puede lograr por diferentes vías, entre ellas, por medio de los principios inspiradores del proceso laboral antes referidos, singularmente los de concentración y celeridad, aunque también la oralidad coadyuva a ello. En cuanto a la accesibilidad del procedimiento, no cabe duda que una de las medidas más importantes que facilita alcanzarla consiste en establecer la gratuidad del procedimiento a seguir.

5.1.–Pues bien, como regla general, el proceso laboral es gratuito en el sentido de que las actuaciones judiciales no corren de cuenta de los litigantes, con las excepciones de los trámites ejecutivos y la eventual condena por temeridad y/o en costas, que puede caber tanto en instancia como en fase de recurso.

5.2.–Con todo, cada parte debe afrontar los gastos que eventualmente genere, de manera particular, los relacionados con el apartado de asistencia técnica, esto es, el recurso a letrado o a graduado social colegiado. Así las cosas, a fin de evitar que ello suponga un obstáculo en el acceso a la tutela judicial efectiva de trabajadores o beneficiarios de la Seguridad Social, la normativa aplicable extiende en el terreno del proceso laboral el llamado beneficio de justicia gratuita.

2.1. La asistencia jurídica gratuita: beneficiarios, solicitud y contenido

6.–La **regulación** de este derecho se contiene en la Ley 1/1996, de 10 de enero, sobre asistencia jurídica gratuita (LAJG), que desarrolla las previsiones contenidas en el art. 119 CE, así como en el art. 20 LOPJ. Los aspectos más relevantes de esta norma giran en torno a tres aspectos fundamentales: los beneficiarios, la tramitación de la solicitud y el contenido del derecho.

7.–Por lo que respecta a los **beneficiarios**, de entrada, cabe destacar que algunos sujetos lo tienen reconocido directamente, mientras que otros pueden obtenerlo si acreditan que sus rentas no alcanzan un determinado umbral.

7.1.–En el primer sentido, tienen reconocido el derecho de asistencia jurídica gratuita de forma directa (esto es, sin necesidad de acreditar insuficiencia de rentas) los sujetos siguientes:

a) En primer lugar, según el art. 2.d) LAJG, los trabajadores y los beneficiarios de la Seguridad Social cuando litiguen en el orden social; asimismo, también se les reconoce cuando litiguen sobre esta materia en el orden contencioso.

b) En segundo lugar, de acuerdo con el art. 2.b) LAJG, las Entidades Gestoras de la Seguridad Social, incluido el Servicio Público de Empleo Estatal, en todo caso.

c) En tercer lugar, el art. 21.5 LRJS extiende el beneficio a los funcionarios y al personal estatutario cuando actúen ante el orden social como empleados públicos (art. 21.5 LRJS).

d) En cuarto lugar, de acuerdo con el art. 20.4 LRJS, también se le reconoce a los sindicatos cuando actúen en defensa de los intereses colectivos de los trabajadores.

e) En fin, por lo demás, nótese que los organismos públicos que no tienen la consideración de entidades gestoras carecen del beneficio de justicia gratuita. No obstante, tales sujetos cuentan con una exención a la hora de efectuar depósitos y consignaciones (art. 229.4 LRJS).

7.2.–En el segundo sentido, otros sujetos que intervienen en el proceso laboral no tienen reconocido de manera directa el derecho de asistencia jurídica gratuita, pero pueden obtenerlo. Ahora bien, para ello, deben acreditar que sus rentas no alcanzan un determinado umbral.

a) Así, en el caso de las personas físicas, la frontera se fija entre el doble y el triple del indicador público de rentas de efectos múltiples, teniendo en cuenta las circunstancias personales y familiares y los ingresos del conjunto de la unidad familiar (art. 3 LAJG); ese límite puede alcanzar incluso el quíntuplo del referido indicador en función de determinadas circunstancias especiales (art. 5 LAJG).

b) Por otra parte, también determinadas personas jurídicas podrían acceder al mismo (en concreto, las asociaciones de utilidad pública y fundaciones inscritas en el registro correspondiente), cuando careciendo de patrimonio suficiente el resultado contable de la entidad en cómputo anual fuese inferior a la cantidad equivalente al triple del indicador público de renta de efectos múltiples (art. 3.5 LAJG).

8.–El efectivo disfrute del derecho requiere que se inste la correspondiente **solicitud de reconocimiento**.

8.1.–La solicitud, que debe reunir los requisitos del art. 13 LAJG, ha de realizarse antes de formular la demanda –o de contestarla–. En este sentido, no se admiten solicitudes posteriores (por ejemplo, al terminar la instancia para interponer el recurso), salvo en caso de que quepa acreditar dificultades económicas sobrevenidas (cfr. art. 8 LAJG) o se solicite, por ser preceptiva o por interés de la justicia, la designación de un abogado de oficio, supuesto este último en que el órgano judicial de oficio o a instancia de parte, puede suspender el curso del proceso (art. 16 Ley 1/1996).

8.2.–La presentación se efectúa ante el Colegio de Abogados correspondiente al territorio donde deba tramitarse el pleito principal o en el Juzgado del domicilio del solicitante que daría traslado al primero (art. 12 LAJG).

8.3.–Una vez presentada, en su caso, se produce la suspensión de los plazos de caducidad y la interrupción de los de prescripción (art. 16.2 LAJG). Por su parte, el art. 21.4 LRJS reitera, en relación con la solicitud de designación de abogado de oficio, que la petición suspende automáticamente el plazo de caducidad o interrumpe el de prescripción cuando quien la presente sea un trabajador o beneficiario de la Seguridad Social, reanudándose los plazos cuando se notifique a los interesados la designación.

8.4.–En fin, el reconocimiento se efectúa por las llamadas Comisiones de Asistencia Jurídica Gratuita (art. 9 LAJG), cuya composición y funcionamiento regulan los arts. 10 y 11 LAJG.

9.–El **contenido** de la asistencia jurídica gratuita comprende distintas prestaciones, debiendo concretar el solicitante en su petición cuáles pretende (art. 12 LAJG). En este sentido, de conformidad con lo establecido en el art. 6 LAJG, el beneficio podría incluir, entre otros, cualquiera de los contenidos siguientes:

9.1.–En primer lugar, la defensa y representación gratuitas por abogado y procurador en el procedimiento judicial, cuando la intervención de estos profesionales sea legalmente preceptiva o cuando, no siéndolo, su intervención sea expresamente requerida por el juzgado o tribunal para garantizar la igualdad de las partes.

9.2.–En segundo lugar, la inserción gratuita de anuncios o edictos, en el curso del proceso, que preceptivamente deban publicarse en periódicos oficiales.

9.3.–En tercer lugar, la exención del pago de tasas judiciales, así como de efectuar los depósitos y consignaciones necesarios para la interposición de recursos.

9.4.–En cuarto lugar, la asistencia pericial gratuita en el proceso a cargo del personal técnico adscrito a los órganos jurisdiccionales, o, en su defecto, a cargo de funcionarios, organismos o servicios técnicos dependientes de las Administraciones públicas. Así, por ejemplo, la pericial médica a través del médico forense.

9.5.–Por lo demás, como se verá en la lección séptima, la imposición de costas a la parte vencida en los recursos de suplicación y casación encuentra como excepción, entre otros, a los beneficiarios de la justicia gratuita, según establece el art. 235 LRJS.

2.2. Las tasas

10.–La Ley 10/2012, de 20 de noviembre, introdujo el pago de determinadas tasas judiciales por el ejercicio de la potestad jurisdiccional. Así, en el orden social, se fijó una cuantía de 500 euros para los recursos de suplicación y de 750 euros para los de casación, a la que se añadía una tasa variable del 0'5% de la cuantía reclamada, en el caso de reclamaciones de hasta un millón de euros, y del 0'25%, para las de cuantía superior a dicha cantidad, hasta un tope máximo de diez mil euros.

11.–Sin embargo, esta ley fue objeto de una gran contestación en el ámbito social y judicial y su aplicación, por lo menos en el ámbito de la jurisdicción social, ha sido muy restringida, por mor de ciertas resoluciones dictadas por el Tribunal Supremo y el Tribunal Constitucional.

11.1.–En cuanto al primero, el acuerdo no jurisdiccional del Pleno de la Sala de lo Social de 5 de junio de 2013 dispuso que dichas tasas no eran exigibles a los trabajadores y beneficiarios de la Seguridad Social, personal estatutario y funcionarios y organizaciones sindicales, así como tampoco se aplicaban a ninguna de las partes en los procesos sobre tutela de derechos fundamentales. La Ley 25/2015, de 28 de julio, incorporó esta interpretación declarando la exención de las personas físicas del pago de tasas en el proceso social.

11.2.–Posteriormente, el Tribunal Constitucional declararía inconstitucionales, por desproporcionadas, las mencionadas tasas (STC 140/2016, de 21 de julio). El resultado de todo ello es que dichas tasas ya no estarían vigentes en el orden social.

3. Los actos procesales

12.–El proceso es un conjunto de actuaciones que realizan los distintos sujetos que intervienen en el mismo –el personal jurisdiccional, el personal no jurisdiccional, las partes etc.– desde que lo ponen en marcha hasta que se resuelve. Esas actuaciones tienen una ordenación lógica y cronológica específica que se denomina "procedimiento". Las lecciones siguientes permitirán conocer esa ordenación; en todo caso, con carácter previo, interesa analizar los distintos tipos de actuaciones que tales sujetos realizan en el proceso.

3.1. Los actos procesales: tipología

13.–Los "actos procesales" son susceptibles de ser ordenados atendiendo a diferentes criterios; uno de ellos es en atención al sujeto del que proceden o los realiza (Alfonso, 2015; Barona, 2018). Así, de manera simplificada, cabe distinguir entre actos de las partes, actos y resoluciones del letrado de la administración de justicia o del órgano judicial y otras actuaciones.

3.1.1. Actos de las partes

14.–Las actuaciones de las partes pueden ser de dos tipos: por un lado, están las actuaciones de disposición sobre el proceso; por otro, las actuaciones realizadas en el procedimiento.

14.1.–Por lo que se refiere al primer tipo de actuaciones señaladas, las partes puede llevar a cabo diferentes **actos de disposición** sobre el proceso, tanto sobre los derechos e intereses discutidos en el pleito, como sobre la propia acción. Así sucede con el desistimiento y el allanamiento, figuras que se analizan en la lección quinta: el desistimiento supone que el demandante abandona la pretensión iniciada, circunstancia que, normalmente, pondrá fin al procedimiento en los términos del art. 20 LEC; el allanamiento implica la aceptación por el demandado de las pretensiones ejercitadas por el demandante, conduciendo generalmente a la estimación total o parcial de la demanda (art. 21 LEC).

14.2.–En cuanto a las **actuaciones de las partes dentro del procedimiento**, éstas pueden estar dirigidas a conseguir del juez una solución determinada o a proporcionarle los elementos de juicio necesarios para que dicho sujeto la pueda adoptar. Pueden ser:

– **Solicitudes**, por las que se pide al órgano jurisdiccional que adopte una resolución de contenido determinado, bien de fondo (el resultado final), bien de carácter procesal (p.e., la suspensión del juicio).

– **Alegaciones**, de hecho o de derecho, a través de las cuales las partes fundan su petición.

– **Aportaciones de prueba**, cuyo fin es demostrar la veracidad de lo alegado para así obtener lo pedido.

3.1.2. *Actos y resoluciones del letrado de la administración de justicia*

15.–Las actuaciones encaminadas a ordenar la tramitación del proceso así como a solucionar las incidencias que surjan a lo largo de dicha tramitación y, en último término, a resolver el objeto del litigio, son protagonizadas, según su naturaleza, a veces por el letrado de la administración de justicia y, en otras ocasiones, por el propio titular del órgano judicial. Centrándonos, por ahora, en las primeras, deben tenerse en cuenta las siguientes ideas:

15.1.–Con carácter general, al letrado de la administración de justicia le compete la ordenación de las actuaciones procesales, según establece el art. 42 LRJS. Esta atribución general de competencia sobre el letrado de la administración de justicia se concreta en el desarrollo de diferentes funciones:

a) El letrado de la administración de justicia ostenta la **fe pública judicial** (art. 453 LOPJ). Esta misión implica a su vez una pluralidad de actuaciones relacionadas con la constatación de hechos y actuaciones procesales, tanto del órgano judicial como de las partes.

– Por lo que respecta a las primeras, el letrado de la administración de justicia documenta las actuaciones, bien levantando acta (art. 146 LEC), bien supervisando la documentación mediante sistemas de grabaciones (art. 147 LEC).

– En cuanto a las segundas, recibe y expide recibo de los escritos presentados por las partes.

b) En segundo lugar, el letrado de la administración de justicia también ostenta una función general de **impulso del proceso,** de conformidad con el art. 456.1 LOPJ. Esta función implica la emisión de diferentes resoluciones que ordenan la secuencia procedimental y resuelven incidencias que se suscitan a lo largo de la misma –salvo en los casos en que las mismas estén reservadas al juez o tribunal– (art. 456.2 LOPJ), así como la realización de una amplísima gama de actuaciones relacionadas con la comunicación entre el órgano judicial y las partes u otras entidades que puedan estar implicadas, como, por ejemplo, la expedición de oficios, mandamientos y exhortos, y cualesquiera otros actos de comunicación que se acuerden interesando la práctica de actuaciones, según prevé el art. 62 LRJS.

– Los mandamientos y oficios son actos de comunicación que permiten instrumentar el "auxilio a la justicia" que deben dispensar determinados sujetos: los primeros se emplean para ordenar el libramiento de certificaciones o testimonios y la práctica de cualquier actuación cuya ejecución corresponda a los Registradores de la Propiedad, Mercantiles, de Buques, de ventas a plazos de bienes muebles, notarios, o funcionarios al servicio de la Administración de Justicia; los segundos para ponerse en contacto con las autoridades no judiciales y funcionarios distintos a aquellos para los que se prevé la fórmula del mandamiento (art. 149 LEC).

– Los exhortos son actos de comunicación que permiten instrumentar el "auxilio judicial" (art. 171 LEC), esto es, la colaboración que pueden verse obligados a prestar unos órganos judiciales a otros (p.e., para la práctica de ciertos actos de prueba).

15.2.–Por lo que se refiere a las resoluciones de los letrados de la administración de justicia, el art. 49.2 LRJS alude a las diligencias y a los decretos, señalando el art. 206 LEC en qué casos se emplea cada una de ellas.

a) Las **diligencias** son "resoluciones necesarias para la tramitación del proceso" pudiendo ser "de ordenación", "de constancia", "de comunicación" o "de ejecución" (art. 456.2 LOPJ).

– Las diligencias de ordenación se dictan para dar a los autos el curso establecido por la ley.

– Las restantes diligencias (las de constancia, comunicación y ejecución) permiten reflejar en los autos hechos o actos que tengan trascendencia procesal.

b) Los **decretos,** que serán siempre motivados, por su parte se reservan para decisiones con mayor trascendencia como la admisión a trámite de la demanda, las que pongan término al procedimiento o para las que sea conveniente razonar la decisión (art. 456.4 LOPJ).

3.1.3. Actos y resoluciones judiciales

16.–En cuanto a las actuaciones de los órganos judiciales están encaminadas a resolver el objeto del litigio, a ordenar la tramitación del proceso, así como a resolver las incidencias que surjan en ella, en los casos en los que la competencia no corresponde al letrado de la administración de justicia. Estas actuaciones revisten diferentes formas, en atención a su relevancia (cfr. arts. 244 ss. LOPJ).

16.1.–Existen **resoluciones orales** destinadas a resolver las incidencias que se produzcan durante el juicio oral o en el curso de cualquier actuación con presencia judicial. Pueden ser tanto de orden procedimental como gubernativo o disciplinario durante la celebración del juicio. Tan sólo se requiere dejar constancia de los mismos en el acta con la motivación que proceda (artículos 247 LOPJ y 49.3 LRJS).

16.2.–Las **providencias** son resoluciones que tiene por objeto la ordenación material del proceso, cuando sea precisa para dicha ordenación una decisión judicial (art. 245.1.a] LOPJ y 206.2.1ª LEC).

Las exigencias formales de las providencias son muy sencillas (arts. 248.1 LOPJ y 208.1 LEC): determinan lo ordenado y quien lo manda; van firmadas por el juez o magistrado o presidente y por el letrado de la administración de justicia, sin que sea necesaria motivación.

En la medida que la LRJS ha encargado a los letrados de la administración de justicia el dictar diligencias y decretos para las cuestiones procedimentales, las providencias han perdido gran parte de la importancia que tenían en el pasado.

16.3.–Los **autos**, en general, están destinados a la resolución de cuestiones en las que no es posible utilizar una providencia –en la medida en que aquella no está sujeta a motivación– sin que la ley exija su adopción a través de una sentencia. Su ámbito de funcionamiento es amplísimo: se resuelven incidentes, cuestiones sobre presupuestos procesales o la nulidad del procedimiento, recursos contra providencias, etc. (arts. 245.1.b) LOPJ y 206.2.2ª LEC).

La forma de los autos, dado que tienen mayor incidencia que las providencias, también es más compleja (arts. 248.2 LOPJ y 208.2 LEC). En primer lugar, los autos deben ser fundados. Así, en los mismos constarán, los hechos, los fundamentos de derecho y la parte dispositiva. Además, deberán ir firmados por el juez o magistrado. El art. 51 LRJS permite que se dicten oralmente, sujetos a los mismos requisitos que las sentencias de este tipo.

16.4.–La **sentencia** es la resolución que decide definitivamente el pleito en cualquier instancia o grado de la jurisdicción (arts. 245.1.c) LOPJ y 206.2.3ª LEC) y será objeto de un tratamiento más detallado en la lección quinta, cuando se aborden las distintas vías de finalización del proceso.

La forma de las sentencias laborales puede ser escrita o, en algunos casos, oral.

a) La sentencia escrita debe contener los antecedentes de hecho, los hechos probados, los fundamentos de derecho y el fallo (art. 248.3 LOPJ y 208.3 LEC). Los hechos han de ser suficientes para permitir que, en caso de ser recurrida, la Sala pueda resolver el recurso.

b) La sentencia oral es aquélla que se dicta verbalmente, sea totalmente, sea sólo el fallo.

– La primera posibilidad tan solo se permite cuando no proceda recurso de suplicación por razón de materia o cuantía –o, siendo posible, derive de allanamiento total o exista acuerdo sobre la ejecución entre las partes–, quedando documentada la sentencia en el acta, sin perjuicio del derecho a obtener su transcripción por las partes (art. 50.1 LRJS).

– La segunda posibilidad procede en todo caso, incluyéndose el fallo en el acta y dictándose después por escrito toda la sentencia (art. 50.2 LRJS).

16.5.–Por último, deben mencionarse los **actos de aclaración**, que normalmente se canalizan mediante autos y que permiten aclarar algunos puntos oscuros o solventar errores existentes en las resoluciones judiciales a las que se acaba de aludir. En efecto, aunque, como regla general, las resoluciones judiciales no pueden ser modificadas una vez dictadas, salvo en virtud de recurso legalmente establecido, la normativa procesal posibilita que los jueces y tribunales subsanen errores u oscuridades evidentes que existan en las resoluciones que hayan dictado (arts. 267 LOPJ y 214 LEC).

– De entrada, los "errores materiales manifiestos y aritméticos" pueden ser objeto de corrección en todo momento, de oficio o a instancia de parte, según prevé el art. 214.3 LEC. Así, por ejemplo, un error en el apellido de una de las partes.

– En segundo lugar, los conceptos oscuros y los errores materiales (habrá que entender los no manifiestos ni aritméticos), pueden ser corregidos de oficio o a instancia de parte, siempre que se inste en los dos días siguientes a la resolución. Esta posibilidad se recoge en el art. 214.2 LEC.

– En tercer lugar, es posible que la resolución haya omitido "manifiestamente pronunciamientos relativos a pretensiones oportunamente deducidas y sustanciadas en el proceso". En este caso, previa solicitud de la parte interesada instada en el plazo de cinco días y con audiencia de la otra parte, el órgano podrá completar la resolución inicial. A ello se refiere el art. 215 LEC.

En fin, debe tenerse en cuenta que instado un incidente de aclaración o corrección, quedan en suspenso los plazos para recurrir la resolución aclarada en tanto el órgano lo resuelva. Por lo demás, contra la resolución que decida sobre la aclaración o corrección, no cabe recurso alguno –sin perjuicio, por supuesto, del que proceda contra la resolución a la que se refiera la solicitud o actuación de oficio.

3.1.4. *Actuaciones de terceros*

17.–Por último, deben considerarse las **actuaciones de terceros**. La intervención de estos sujetos se produce, normalmente, en atención al deber de colaborar con los órganos judiciales que con carácter general pesa sobre todo sujeto. Se engloban aquí desde las actuaciones que puedan llevar a cabo los peritos y los testigos hasta las que puedan desarrollar otros sujetos como los registradores o las personas que colaboran en las notificaciones.

3.2. Reglas generales de los actos procesales

3.2.1. *Voluntariedad: el error judicial y su tratamiento*

18.–Todas las actuaciones procesales deben producirse en términos de voluntariedad. Por ello, se declara la nulidad de las actuaciones, sean judiciales o no, que se encuentren viciadas por violencia o intimidación (238.2 y 239 LOPJ). Obsérvese que no se hace referencia al error como causa de nulidad. El **error judicial** tiene un tratamiento diferente, contenido en la LOPJ –a la que reenvía el art. 236.2 LRJS–:

18.1.–En principio, en los supuestos señalados más arriba, podrá ser aclarado; en el resto, sólo cabe que se subsane a través de los eventuales recursos.

18.2.–En caso de que no sea posible utilizar recurso alguno contra la resolución errónea, ésta puede generar derecho al resarcimiento en los términos de los arts. 292 y ss. LOPJ, donde se regula la responsabilidad patrimonial del Estado por el funcionamiento anormal de la Administración de Justicia. Al respecto, debe tenerse en cuenta lo siguiente:

– De entrada, el error judicial es algo distinto y más grave que la equivocación en la aplicación del Derecho –puesto que la mera revocación o anulación de resoluciones judiciales no lo constituye (art. 292.3 LOPJ).

– Por otra parte, el reconocimiento del error judicial ha de constar en sentencia dictada en revisión o instarse ante la Sala del TS que corresponda, en el plazo de 3 meses; una vez reconocido, la solicitud indemnizatoria se dirige al Ministerio de Justicia (art. 293 LOPJ).

– En fin, el procedimiento descrito es compatible con la exigencia de responsabilidad directa al juez (cfr. art. 297 LOPJ; en cuanto a tal exigencia, *vid.* arts. 411 y ss. LOPJ).

3.2.2. *Idioma*

19.–Las actuaciones procesales deben efectuarse en el idioma oficial del Estado, es decir, en castellano. En aquellos territorios en los que exista una lengua cooficial, ésta también podrá ser empleada. Las partes son libres de utilizar indistintamente cualquiera de las lenguas oficiales; por su parte, el órgano jurisdiccional puede emplear la lengua autonómica en la medida en que no provoque indefensión en alguna de las partes (arts. 231 LOPJ y 142-143 LEC).

3.2.3. Publicidad

20.–Las actuaciones procesales son públicas, pues el proceso responde al principio de publicidad. Expresamente lo impone la CE y así aparece en los artículos 232 y ss. LOPJ. Esto se traduce en lo siguiente:

20.1.–En primer lugar, en la obligación de informar a los interesados sobre el desarrollo de las actuaciones mediante los actos de comunicación (arts. 53 LRJS).

20.2.–En segundo lugar, en el derecho de acceso a los libros, archivos y libros judiciales (art. 47 LRJS).

20.3– Finalmente, el establecimiento de un acto de conciliación y juicio con audiencia pública (arts. 80 y ss. LRJS, en particular, el art. 84). En todo caso, debe tenerse en cuenta que existe la posibilidad de restringir el carácter público de estas actuaciones procesales, si bien los motivos que permiten adoptar tal decisión se encuentran tasados. En este sentido, el art. 138.2 LEC alude a razones vinculadas con el orden público, la seguridad nacional, los intereses de un menor, la protección de la vida privada de las partes y de otros derechos fundamentales y libertades públicas o, en definitiva, la concurrencia de circunstancias especiales que así lo aconsejen.

3.2.4. Lugar

21.–Como **regla general**, las **actuaciones judiciales** han de practicarse en la sede del órgano jurisdiccional (art. 268 LOPJ), aunque el juzgador, si fuera preciso, puede realizarlas en cualquier lugar fuera de su sede, pero dentro del territorio en que es competente. La realización de actuaciones más allá de este territorio, exige acudir a la cooperación jurisdiccional (art. 62 LRJS y 273 y ss. LOPJ).

22.–Por otra parte, por lo que respecta a los **escritos y documentos que presentan las partes,** han de ser entregados en los registros de los correspondientes órganos jurisdiccionales (art. 44 LRJS), sin perjuicio de la eventual existencia de registros judiciales comunes en los términos que recoge el art. 272 LOPJ. El letrado de la administración de justicia o quien desempeñe sus funciones hará constar en una diligencia el día y hora de su presentación, expidiendo recibo de la misma. Asimismo, se permite la presentación telemática, siempre que tanto el órgano judicial como los interesados dispongan de los medios necesarios y el sistema garantice la "autenticidad de la comunicación y quede constancia fehaciente de la remisión y recepción íntegras y de la fecha en que se hicieren" (art. 44.2 LRJS).

22.1.–Por otra parte, en esta materia, debe tenerse en cuenta que se ha producido una implantación progresiva del sistema de comunicación electrónica en la Administración de Justicia que se regula por el sistema Lexnet. Dicho sistema obliga a todos los profesionales de la justicia y órganos y oficinas judiciales y fiscales a la presentación de escritos y documentos por estos medios telemáticos (DA 12ª Ley 42/2015). Como regla general, cuando transcurrieran tres días sin que el destinatario acceda a la comunicación judicial, se entenderá que dicha comunicación se ha efectuado legalmente, desplegando plenamente sus efectos, si bien el art. 162.2 LEC admite alguna excepción.

22.2.–Por lo demás, el art. 45 LRJS regula la presentación de escritos sujetos a plazo, admitiendo su presentación hasta las 15:00 del día hábil siguiente al del vencimiento del plazo. Esta presentación debe hacerse en el servicio común creado al efecto o en el registro del propio órgano judicial, estando expresamente prohibida la presentación de escritos en el juzgado de guardia.

3.2.5. Tiempo

23.–De entrada, **las actuaciones judiciales deben realizarse en días y horas hábiles,** en los términos previstos en la legislación procesal (arts. 43.1 LRJS; 179 y ss. LOPJ y 130 y ss. LEC).

23.1.–Para determinar los **días hábiles** debe tenerse en cuenta:

a) En principio, el **año judicial** se extiende desde el 1 de septiembre hasta el 31 de julio (art. 179 LOPJ). Parece, por tanto, que los días del mes de **agosto** son inhábiles (art. 183 LOPJ) si bien debe tenerse en cuenta que el artículo 43.4 LRJS declara expresamente la habilidad de dicho mes para la realización de determinadas actuaciones urgentes. Así sucede en los casos siguientes:

– Por un lado, con las modalidades procesales de despido, extinción del contrato ex arts. 50, 51 y 52 ET; movilidad geográfica, modificación sustancial, suspensión del contrato y reducción de jornada por "causas empresariales"; conciliación de la vida personal, familiar y laboral a que se refiere el art. 139; impugnación de altas médicas; vacaciones; materia electoral; conflictos colectivos; impugnación de convenios; tutela de derechos fundamentales. Igualmente se considera hábil agosto para las acciones vinculadas a la tutela laboral de las mujeres víctimas de violencia de género.

– Por otro lado, con todas aquellas actuaciones que tiendan directamente a asegurar la efectividad de los derechos reclamados (cautelar) –con referencia particular a las medidas cautelares en materia preventiva– o para asegurar la efectividad de una resolución judicial (ejecutivo).

b) El art. 182.1 LOPJ reputa como días inhábiles los **sábados, los domingos y los festivos,** así como el 24 y el 31 de diciembre. Para la determinación de los festivos, rigen los propios de la comunidad y/o localidad donde tenga su sede el órgano judicial.

23.2.–En cuanto a las **horas hábiles**, son aquéllas que median entre las 8 de la mañana y las 8 de la tarde (art. 182.2 LOPJ).

23.3.–El órgano judicial puede **habilitar**, si fuera preciso, **días y horas inhábiles**. Por otra parte, iniciada una actuación en hora hábil, podrá continuarse hasta su finalización, aunque sea en horas inhábiles (art. 43.5 LRJS).

24.–El art. 43.2 LRJS, por otra parte, dispone que **todas las actuaciones se efectúen en el término o dentro del plazo concedido.**

24.1.–Estos plazos tienen un **carácter perentorio e improrrogable**; no pueden suspenderse salvo por las causas legalmente establecidas (art. 43.3 LRJS).

24.2.–Para el **cómputo** debe estarse a las reglas del artículo 5 CC. Ello supone que en los plazos expresados en días a contar desde uno determinado, se empiece a contar desde el día siguiente; si está en meses o años, se computa de fecha a fecha. Ahora bien, de las reglas presentes en el CC, los cálculos procesales se separan en dos casos, según se deriva del art. 185 LOPJ:

– Si el plazo está expresado en días, se excluyen los días inhábiles –en el CC, en principio, se está a días naturales salvo que se diga lo contrario–.

– Si el plazo finaliza en un día inhábil, se entiende prorrogado hasta el día siguiente hábil.

24.3.–Una cuestión polémica ha sido determinar los **días que deben considerarse inhábiles** a los efectos que ahora interesan. El art. 182.1 LOPJ, al que ya nos hemos referido y que regula esta cuestión, planteaba la duda sobre si regía sólo para las actuaciones judiciales o también para el cómputo de los plazos que se imponen sobre las partes para el ejercicio de las acciones. La cuestión había sido muy debatida en la doctrina científica y judicial; finalmente, el TS, en relación con la acción de despido, había abogado por la aplicación de esta previsión en el cómputo de dicho plazo de caducidad; pues bien, la LRJS confirma esta tendencia interpretativa (art. 103 LRJS).

3.3. Eficacia y nulidad de las actuaciones

24.–El incumplimiento de las reglas generales o de las específicas sobre la realización de los actos determina que los mismos sean defectuosos. Ello, sin embargo, no quiere decir que sean ineficaces.

24.1.–De entrada, puede observarse la existencia de un principio tendente a la conservación de las actuaciones, mediante la facilitación de su subsanación. Este principio es muy evidente respecto de las **actuaciones de las partes** para las que se prevé, siempre que ello sea posible y sin afectar los derechos de los otros contendientes, el juego de conservación/subsanación (apartados 3 y 4 del art. 243 LOPJ).

24.2.–Para los **actos judiciales**, también se advierte esta idea. El ordenamiento se ocupa de restringir el ámbito de la nulidad: la admisión de la nulidad parcial –que posibilita el mantenimiento de las partes válidas de actos que solo en parte han sido declarado inhábiles– y la exclusión de la nulidad de los actos sucesivos a los ineficaces pero independientes de él (apartados 1 y 2 del art. 243 LOPJ). Y, sobre todo, limita los supuestos y mecanismos para instar la nulidad de actuaciones.

25.–La **nulidad de actuaciones judiciales** se encuentra, en efecto, detalladamente regulada en los arts. 238 y ss. LOPJ. Su régimen jurídico es el siguiente:

25.1.–Las **causas** de nulidad son tasadas (art. 238 LOPJ). No toda irregularidad de la actuación judicial, en otras palabras, es susceptible de provocarla. De hecho, para algunas, se excluye expresamente este efecto: tal ocurre con las intempestivas, salvo que la nulidad viniera impuesta por la naturaleza del plazo (art. 242 LOPJ).

25.2.–En cuanto al **procedimiento** para hacer valer la nulidad de actuaciones, hay que distinguir las siguientes situaciones:

a) Antes de que recaiga resolución que ponga fin al proceso, el órgano judicial puede acordarla de oficio o a instancia de parte previa audiencia de las partes. Si el asunto se encuentra en fase de recurso, las posibilidades de actuación de oficio son, sin embargo, más limitadas (art. 240.2 LOPJ).

b) Una vez recaída resolución que pone fin al proceso caben dos posibilidades:

– Si cabe interponer un recurso ordinario frente a la resolución de que se trate, la causa de nulidad se ha de hacer valer a través de dicho recurso (art. 240.1 LOPJ).

– En caso contrario, y siempre que se considere que la resolución vulnera alguno de los derechos fundamentales previstos en la CE, sin que haya podido hacerse valer la lesión con anterioridad, es posible, en el plazo de 20 días desde su notificación o desde que se tuvo conocimiento de ella –dentro del límite de cinco años–, promover un incidente de nulidad ante el propio órgano que la dictó (art. 241 LOPJ).

3.4. Actos de comunicación

26.–El órgano jurisdiccional, en muchas ocasiones, necesita ponerse en contacto con las partes y con los terceros. Para ello se emplean los actos de comunicación: **notificaciones, emplazamientos, citaciones y requerimientos** (art. 149 LEC).

26.1– La citación es un escrito para solicitar a una persona que comparezca ante el órgano judicial en un lugar, fecha y hora determinada (art. 149.3 LEC). Se practicará mediante resolución firmada por el letrado de la administración de justicia, que debe cumplir los requisitos del art. 152.2 LEC.

26.2.–El emplazamiento tiene por objeto convocar a las partes o un tercero para que comparezca o se persone ante un órgano judicial dentro de un plazo. El contenido de la resolución de emplazamiento es igual al de la citación, con la única diferencia de que se fija un plazo, y no un término.

26.3.–El requerimiento tiene por objeto compeler a una persona para ordenarle una conducta o una inactividad (art. 149.2 LEC). El requerimiento se realiza mediante la entrega de copia de la resolución que ordena practicarlo. Se admite respuesta del destinatario, a diferencia de los demás actos de comunicación –que no la admiten–. Dicha respuesta, si se da, se consignará sucintamente en la diligencia (art. 152.5 LEC).

26.4.–La notificación es cualquier acto de comunicación que no sea citación, emplazamiento o requerimiento. Con ella se comunica al destinatario cualquier resolución judicial o del letrado de la administración de justicia.

27.–El modo de llevarlas a cabo debe sujetarse a una serie de exigencias que afectan a las condiciones de tiempo, lugar y modo en que debe efectuarse la notificación. Las **reglas generales** sobre estos requisitos son las siguientes:

27.1.–En cuanto al **momento**, las resoluciones judiciales, se notificarán en el día de su publicación o en el siguiente hábil a todos los que sean parte y, cuando se mande, a los afectados, posibles perjudicados o a quien tengan un interés legítimo (art. 54 LRJS). Extraordinariamente cuando la notificación inmediata puede afectar a una medida cautelar el órgano judicial podrá acordar motivadamente una demora para garantizar la efectividad de la actuación procesal.

27.2.–Por lo que se refiere al **lugar,** a efectos de las notificaciones, la LRJS exige que en el primer escrito que se presente ante el órgano judicial se señale un domicilio al que se remitirán las mismas (art. 53.2 LRJS). Salvo designación expresa de otro o comunicación de su cambio, el indicado se considerará válido a los efectos de practicar en él los actos de comunicación.

27.3.–En lo relativo a la **forma de efectuar las comunicaciones**, en principio, el art. 55 LRJS establece que si ambas partes o sus representantes acuden a la oficina judicial, en dicho lugar se efectuarán las notificaciones, citaciones, emplazamientos y requerimientos. Ahora bien, puede suceder que ciertas comunicaciones deban efectuarse fuera de la sede del órgano jurisdiccional. Para llevarlas a cabo, la LRJS prevé tres mecanismos diferentes, subsidiarios unos de otros.

a) El primero de estos sistemas es el **correo certificado con acuse de recibo**, dirigido al domicilio antes indicado o al del interesado. El artículo 56 LRJS deja la puerta abierta para se sustituya el correo certificado por cualquier otro sistema de transmisión de textos que permita constatar la recepción. En este caso, la comunicación conforme a lo previsto en el art. 162 LEC.

b) El segundo sistema, subordinado a la imposibilidad de utilizar el anterior, es la **entrega de cédula** al destinatario (art. 57 LRJS).

– Si el interesado no se encontrase en su domicilio, se puede entregar la cédula al pariente más cercano, vecino, portero, etc., siempre mayores de 14 años, que por su relación con el destinatario pueda garantizar la entrega. Estas personas se encuentran obligadas a prestar su colaboración, pues, caso contrario, podrían ser multadas.

– Si el destinatario rechaza el acto de comunicación, por el funcionario se le indicará que queda a su disposición, entendiéndose producida ésta (art. 161.2 LEC).

c) El último de los sistemas, al que se refiere el art. 59 LRJS, es la **publicación por edictos** en el boletín oficial correspondiente. Sólo cabe recurrir a este método si han fallado los anteriores y en la medida en que el órgano judicial haya agotado las posibilidades de averiguar el domicilio del interesado. Una vez se recurre a este método, las notificaciones posteriores se realizan en el tablón de anuncios, salvo que la resolución tenga forma de auto o sentencia.

28.–La infracción de las reglas anteriores lleva pareja la nulidad de los actos, siempre que concurran dos circunstancias o condiciones:

– Por un lado, que haya producido indefensión en la parte afectada.

– Por otro, que no derive de su conducta negligente.

En todo caso, dado el carácter instrumental de estas normas, la LRJS privilegia el aspecto material sobre el formal. Así, serán válidas las comunicaciones defectuosas siempre que el afectado se haya dado por enterado.

II. CUESTIONARIO

1. Los principios específicos del proceso laboral son

a) La oralidad, la inmediación, la concentración y la celeridad.

b) La oralidad, la mediación, la concentración y la celeridad.

c) La oralidad, la inmediación, la dispersión y la celeridad.

d) La escritura, la inmediación, la concentración y la celeridad.

2. Los autos son resoluciones judiciales

a) que deciden definitivamente el pleito en cualquier instancia o grado.

b) que resuelven cuestiones que se suscitan durante el pleito, como incidentes, cuestiones sobre presupuestos procesales, recursos contra providencias...

c) que tienen siempre carácter escrito.

d) que sirven para realizar la ordenación material del proceso.

3. Las sentencias que se dictan en el proceso laboral...

a) son siempre orales.

b) son siempre escritas.

c) pueden ser orales o escritas, a libre criterio del juez.

d) pueden ser orales o escritas, pero en algunas materias son necesariamente escritas.

4. Los escritos que las partes dirigen al órgano jurisdiccional

a) Según la LRJS se pueden presentar siempre en el juzgado de guardia.

b) Según la LEC se pueden presentar siempre en el juzgado de guardia.

c) Según la LRJS, en determinadas circunstancias, se pueden presentar en el juzgado de guardia, pero este sistema es subsidiario del mecanismo previsto en la LEC.

d) Ninguna de las respuestas anteriores es correcta.

5. A efectos de realizar las actuaciones procesales en días y horas hábiles debe tenerse en cuenta...

a) que el mes de agosto se considera siempre inhábil.

b) que las horas hábiles son las que median entre las 09:00 y las 21:00 horas.

c) que los sábados, domingos y festivos son inhábiles.

d) que sólo los sábados, domingos y festivos son inhábiles.

6.   La forma de llevar a cabo los actos de comunicación

a) se puede decidir libremente por el órgano jurisdiccional entre los distintos sistemas previstos en la ley.

b) se realiza siempre en la sede del órgano jurisdiccional.

c) está regulada en las normas procesales y su incumplimiento no determina nunca la nulidad del acto.

d) está regulada en las normas procesales y su incumplimiento puede determinar la nulidad del acto.

7. La ley sobre asistencia jurídica gratuita de 1996 reconoce como beneficiarios de la misma

a) los trabajadores y beneficiarios de la Seguridad Social, con independencia de su nivel de rentas.

b) sólo a los trabajadores y beneficiarios de la Seguridad Social, siempre que demuestren que sus rentas no rebasan un umbral determinado.

c) a cualquier trabajador, beneficiario de la Seguridad Social o empresario, con independencia de su nivel de rentas.

d) a las Administraciones públicas

8. La resolución por la que se resuelve definitivamente un pleito en cualquier instancia o grado de la jurisdicción es...

a) un auto.

b) una sentencia.

c) una providencia.

d) un decreto.

9. Un emplazamiento es un acto de comunicación judicial

a) Que se emplea para ordenar personarse y actuar dentro de un plazo.

b) Se emplea para ordenar personarse y actuar dentro de un término, es decir, en una fecha concreta.

c) Se emplea para ordenar cualquier actuación distinta de comparecer.

d) Es un tipo de resolución que realizan los letrados de la Administración de justicia.

10. La realización de comunicaciones fuera de la sede del órgano judicial:

a) deberá realizarse en primer lugar, mediante entrega de cédula domiciliaria al destinatario; en segundo lugar, mediante la publicación de edictos; y subsidiariamente, mediante correo certificado con acuse de recibos

b) deberá realizarse únicamente mediante edictos.

c) deberá realizarse únicamente mediante correo certificado con acuse de recibo.

d) deberá realizarse en primer lugar, por correo certificado con acuse de recibo; en segundo lugar, mediante la entrega de cédula domiciliaria; y subsidiariamente, mediante la publicación de edictos.

11. Dª. María Torregrosa, titular de un Juzgado de lo Social, ha fallecido repentinamente, dejando una serie de juicios ya celebrados sin su correspondiente sentencia.

a) Habrá que repetir los juicios ante un nuevo juez quien se encargará de dictar las sentencias correspondientes.

b) El Letrado de la Administración de Justicia que haya celebrado la vista junto a Dª María se encargará de dictar la sentencia, pues conoce el asunto.

c) El decanato correspondiente decretará una nulidad de todo lo actuado y el demandante deberá de interponer una nueva demanda.

d) Se nombrará un juez sustituto a quien se le entregarán todos los autos ya tramitados y se encargará solo de dictar sentencia.

12. D. Juan Jiménez, juez titular de un Juzgado de lo Social, ha sido separado de su juzgado por motivos disciplinarios. Una vez firme la sanción, hay una serie de juicios ya celebrados respecto los que aun no ha recaído sentencia.

a) D. Juan dictará en todo caso las sentencias en cuestión, a pesar de estar inhabilitado.

b) Habrá que repetir los juicios ante un nuevo juez quien se encargará de dictar sentencia.

c) D. Juan suspenderá los procesos y cuando se alce la sanción procederá a dictar las sentencias pendientes.

d) Se nombrará un juez sustituto a quien se le entregarán todos los autos ya tramitados y se encargará solo de dictar sentencia.

13. D. Pablo Tabacco, futbolista profesional de primera división con una ficha más que sustanciosa, pretende interponer una demanda contra su club reclamando unas primas no abonadas. De conformidad con la Ley de Asistencia Jurídica Gratuita:

a) D. Pablo no obtendrá el reconocimiento del beneficio de justicia gratuita porque tiene medios más que suficientes.

b) D. Pablo obtendrá el reconocimiento del beneficio de justicia gratuita solo en la medida en que acredite la insuficiencia de recursos.

c) D. Pablo es titular del beneficio de justicia gratuita que podrá incluir una pluralidad de contenidos a concretar en su petición (por ejemplo, asistencia letrada y representación, gratuidad de anuncios o edictos, exención de tasas, pericial gratuita, etc.)

d) D. Pablo obtendrá el reconocimiento del beneficio de justicia gratuita, pero con un alcance limitado a gastos inferiores a la cuarta parte de sus ingresos.

14. Dª Pilar Miranda era titular de pequeño negocio y cuenta con cuatro empleados. Las dificultades financieras han determinado el cierre del negocio y

uno de los trabajadores ha demandado a Dª Pilar por despido, quien se plantea si tendrá derecho al beneficio de justicia gratuita.

a) Dª Pilar no puede obtener dicho beneficio porque en el orden social la justicia gratuita sólo se reconoce a los trabajadores y beneficiarios del sistema de Seguridad Social.

b) Dª Pilar podrá obtener dicho beneficio solo en el caso de que acredite la condición de empresaria emprendedora.

c) Dª Pilar podrá obtener dicho beneficio solo en el caso de que haya cotizado en el RETA durante los últimos cinco años.

d) Dª Pilar podrá obtener dicho beneficio en la medida en que acredite la insuficiencia de recursos.

15. D. Pedro Jiménez presentó una demanda en reclamación de cantidad y, ante los riesgos de que la empresa se colocase en situación de insolvencia, solicitó poco después embargo preventivo, el cual ha sido denegado por el órgano jurisdiccional. Para ello el juez competente habrá dictado:

a) Un decreto

b) Una sentencia

c) Un auto

d) Una providencia

16. Dª Inés de Freire interpuso una demanda en reclamación de cantidad. El Letrado de la Administración de Justicia, tras comprobar que no concurre defecto alguno, ha procedido a admitirla a trámite, dictando para ello:

a) Un decreto

b) Una diligencia de constancia

c) Una diligencia de ordenación

d) Un auto

17. Dª María Abagnara interpuso demanda por despido ante el Juzgado de lo Social de Córdoba, el cual se ha considerado incompetente, dictándose para ello:

a) Una providencia

b) Un auto

c) Un decreto

d) Una diligencia de ordenación

18. D. Pedro Jiménez interpuso demanda por despido. La empresa y el mencionado trabajador fueron debidamente citados para los actos de conciliación y juicio. Una vez llegada la fecha, D. Pedro no ha comparecido al acto de

conciliación judicial a celebrar ante el Letrado de la Administración de Justicia (LAJ). Así las cosas, en principio, el LAJ le tendrá por desistido dictando para ello:

a) Un decreto

b) Un auto

c) Una diligencia de ordenación

d) Una diligencia de constancia

19. **Hoy se cumplía el plazo previsto en el ET para que D. Jesús presentase su demanda por despido; se le ha pasado el día volando y se ha percatado de que son las 22:00.**

a) D. Jesús todavía puede presentar hoy su demanda, pues los Juzgados no cierran hasta las 24:00.

b) D. Jesús debe presentar su demanda ante el juzgado de guardia, pues esa es su función.

c) D. Jesús todavía puede presentar su demanda, ya que de conformidad con la LRJS cuenta con un plazo de gracia hasta las 15:00 del primer día hábil siguiente.

d) D. Jesús ya no puede presentar su demanda pues aunque hoy es el día del vencimiento, los juzgados cierran a las 20:00.

20. **El juzgado de lo social de Elche debe realizar una comunicación a una de las partes fuera de la sede del órgano judicial:**

a) deberá realizarse en primer lugar, por correo certificado con acuse de recibo; en segundo lugar, mediante la entrega de cédula domiciliaria; y subsidiariamente, mediante la publicación de edictos.

b) deberá realizarse únicamente mediante edictos.

c) deberá realizarse únicamente mediante correo certificado con acuse de recibo.

d) deberá realizarse en primer lugar, mediante entrega de cédula domiciliaria al destinatario; en segundo lugar, mediante la publicación de edictos; y subsidiariamente, mediante correo certificado con acuse de recibo.

III. SOLUCIONES AL CUESTIONARIO

1: A	2: B	3: D	4: D	5: C	6: D	7: A	8: B	9: A	10: D
11: A	12: B	13: C	14: D	15: C	16: A	17: B	18: A	19: C	20: A

IV. ACTIVIDADES PROPUESTAS

1. La tutela judicial efectiva y los actos de comunicación

La tutela judicial efectiva que como ya se comprobó en la lección primera tiene un significado muy amplio. Localice al menos cinco pronunciamientos del Tribunal Constitucional en los que haya resuelto recursos de amparo donde se invocase la vulneración de este derecho fundamental en el orden social al hilo de los actos de comunicación defectuosamente realizados.

2. Caso práctico

2.1. Supuesto primero

Señale en los siguientes supuestos si el sujeto indicado tiene derecho de asistencia jurídica gratuita o a otra exención en el proceso laboral (p.e., a efectos de consignación, depósitos en recursos o condenas en costas).

– Trabajador de 32 años en una renta inferior a SMI

– Trabajador con una renta de 70.000€ anuales

– Hospital público

– INSS

– Consejería de Sanidad y Bienestar Social

2.2. Supuesto segundo

Hechos:

Primero: En el mes de septiembre de hace dos años, la Universidad de Valencia contrató con la empresa de servicios "Recursos Integrales, S.L.", domiciliada en Valencia, el suministro de personal para atender determinadas dependencias de conserjería y box en el término municipal de Valencia.

Segundo: El tamaño del encargo determinó que la empresa "Recursos Integrales, S.L." contratara en diciembre del mismo año con la empresa "Personal de Servicios, S.A." domiciliada en Castelló, Avda. Jaime I, 16, el suministro de parte del personal. Para realizar el encargo recibo suscribió un contrato de trabajo por obra o servicio determinado con Doña Teresa Campoamor.

Tercero: El contrato entre la Universidad de Valencia y la empresa de servicios "Recursos Integrales, S.L." finalizó el 11 de abril de este año, fecha en la que el contrato de trabajo se extinguió. La trabajadora pretende impugnar su cese pues considera que el mismo fue injustificado por considerar que la actividad era permanente y que la universidad incurrió en cesión ilegal.

Cuestiones:

1ª. Indique el órgano competente objetiva, funcional y territorialmente para conocer de la demanda.

2ª. Especifique quién/es podrían ser los legitimados pasivos en este proceso. Imagine que en fase de demanda la trabajadora decide ampliar la demanda contra otras empresas diferentes de su ocupadora. ¿Debe realizar un acto previo contra las mismas? ¿Si decidiere plantear la demanda únicamente contra su ocupadora existiría falta de litisconsorcio pasivo necesario?

3ª. Imagine que se ha presentado la demanda y ha sido admitida la demanda a trámite, ¿cómo se podría citar a las partes? ¿Qué consecuencias tendría que la empresa "Personal de Servicios, S.A." fuera citada directamente por medio de edictos?

V. GLOSARIO

– *Auto*: Resolución judicial por medio de la cual se resuelven incidentes, cuestiones sobre presupuestos procesales o la nulidad del procedimiento, recursos contra providencias.

– *Citación*: Acto de comunicación que determina lugar, fecha y hora para comparecer y actuar.

– *Decretos*: Resolución del letrado de la administración de justicia que se reserva para decisiones de mayor trascendencia que pongan término al procedimiento o para las que sea conveniente razonar la decisión.

– *Diligencias:* Resolución del letrado de la administración de justicia que resulta necesaria para la tramitación del proceso, pudiendo ser "de ordenación", "de constancia", "de comunicación" o "de ejecución".

– *Desistimiento*: Acto procesal del demandante por el que el mismo hace dejación del proceso, pero no de la acción.

– *Emplazamiento*: Acto de comunicación que se emplea para ordenar personarse y actuar dentro de un plazo.

– *Exhorto*: Acto de comunicación que permite instrumentar el "auxilio judicial", esto es, la colaboración que pueden verse obligados a prestar unos órganos judiciales a otros.

– *Mandamientos*: Acto de comunicación para ordenar el libramiento de certificaciones o testimonios y la práctica de cualquier actuación cuya ejecución corresponda a los Registradores de la Propiedad, Mercantiles, de Buques, de ventas a plazos de bienes muebles, notarios, o funcionarios al servicio de la Administración de Justicia.

– *Notificación*: Acto de comunicación que tiene por objeto dar noticia de una resolución, diligencia o actuación.

– *Oficio*: Acto de comunicación empleado para ponerse en contacto con autoridades no judiciales y funcionarios públicos distintos a aquellos con los que se emplea la fórmula del mandamiento.

– *Providencia*: Resolución judicial que tiene por objeto la ordenación material del proceso.

– *Requerimiento*: Acto de comunicación que permite ordenar conforme a ley una conducta o inactividad.

– *Sentencia*: Resolución judicial que resuelve definitivamente el pleito en cualquier instancia o grado de la jurisdicción.

LOS ACTOS PREVIOS, LOS ACTOS PREPARATORIOS Y EL PROCESO CAUTELAR

CONTENIDO GENERAL

Las lecciones anteriores han servido para conocer las cuestiones generales sobre la solución judicial de conflictos laborales: la jurisdicción social y su organización; el personal que presta servicios en ella; los sujetos que pueden recurrir ante sus órganos ejercitando los derechos que estiman han sido vulnerados; las actuaciones que se realizan ante ellos por los propios órganos o por las partes; etc.

Pues bien, una vez sentadas estas cuestiones de corte general, estamos ya en condiciones de afrontar el análisis de otros aspectos más concretos, esto es, el desarrollo del proceso laboral, algo a lo que se destinan las lecciones siguientes. Así, a partir de ahora, el objeto de nuestra atención pasará a ser las distintas actuaciones que se realizan para hacer realmente efectiva la tutela judicial en el ámbito laboral: el desarrollo del proceso en el que se estime o desestime la pretensión del actor; las vías para impugnar las resoluciones judiciales cuando se esté en desacuerdo con las mismas; los procedimientos a seguir cuando la pretensión del demandante haya sido reconocida y, a pesar de ello, no se haya dado cumplimiento a su derecho.

Con carácter previo a que se inicien todas estas acciones, es decir, antes de que se ponga en marcha el proceso laboral, puede suceder que se realicen una serie de actuaciones de finalidad y naturaleza diversa: por un lado, en ocasiones, se trata de actuaciones que tienen un carácter obligatorio y que se encaminan a evitar la puesta en marcha del proceso mediante la obtención de una solución pacífica al conflicto que separaba a las partes; por otro lado, existen otras actuaciones de carácter voluntario cuyo objetivo es sustancialmente diverso, pues se encaminan a preparar el proceso ulterior o a garantizar su desarrollo en algún punto. Ambos tipos de actuaciones son objeto de atención en esta lección; es lo que se conoce como actos previos y preparatorios del proceso, respectivamente.

Al margen de lo anterior, y teniendo en cuenta que la tarea de impartir justicia requiere de un cierto período de tiempo durante el cual podrían tener lugar determinados acontecimientos que frustraran la efectividad de la tutela judicial, también se analizan en esta lección una serie de actuaciones que se dirigen a conjurar precisamente tales riesgos y que se conocen como medidas cautelares.

OBJETIVOS PERSEGUIDOS

– Aproximación a los diferentes tipos de tutela que se pueden obtener en sede judicial: declarativa, ejecutiva y cautelar.

– Aproximación a la diferencia entre proceso ordinario y modalidades procesales.

– Fijar la diferencia entre los actos previos y los preparatorios.

– Conocer las actuaciones previas que deben desarrollarse antes de poner en marcha el proceso laboral.

– Entender el funcionamiento de la conciliación preprocesal y de la reclamación administrativa previa, así como su finalidad.

– Adquirir destrezas en la redacción de los escritos de tales actos.

– Conocer la utilidad de los actos preparatorios.

– Conocer la existencia del proceso cautelar, su finalidad, así como las medidas cautelares existentes en el proceso laboral.

I. DESARROLLO

1. Introducción

1.1. Los diferentes tipos de tutela judicial y de pretensiones

1.–La tramitación de un proceso implica la realización de una pluralidad de actuaciones que se van siguiendo desde que surge un conflicto y se recurre a los tribunales para obtener una solución de los mismos hasta que efectivamente se alcanza esa solución. Se trata del cauce habilitado para ejercitar la función jurisdiccional y dar cumplimiento al derecho a la tutela judicial efectiva.

2.–Esa tutela judicial que se requiere de los juzgados y tribunales puede ser de diferente tipo, como diverso puede ser también el "alcance" de la potestad jurisdiccional que tales órganos desarrollan. En este sentido, recuérdese que el art. 117.3 CE, al mencionar la potestad jurisdiccional, alude tanto a la función de juzgar como a la de hacer ejecutar lo juzgado; por otra parte, la tutela requerida puede afectar a una pluralidad de materias –una deuda, un despido, etc.–. En definitiva, las pretensiones que cabe ejercitar ante la jurisdicción pueden tener un alcance y un objeto muy distinto.

2.1.–Por un lado, desde una **perspectiva general**, la actuación solicitada puede consistir en que, simplemente, se juzgue un determinado asunto, declarando la existencia o inexistencia de un derecho concreto; asimismo, la solicitud puede estar encaminada a hacer ejecutar, hacer cumplir, lo juzgado. Así surge la diferencia entre el proceso declarativo y el ejecutivo; junto a éstos, hay que aludir también al cautelar.

– El **PROCESO DECLARATIVO** es aquél en el que la tutela requerida del órgano jurisdiccional se limita a la obtención de la declaración de un derecho, es decir, la potestad que los órganos judiciales desarrollan en estos casos es la de *juzgar*, en la terminología del art. 117.3 CE. Esa declaración, a su vez, puede tener diverso alcance: puede ser una *declaración simple* (p.e., que se declare la existencia de una relación laboral entre dos sujetos); una *declaración que constituya, modifique o extinga* relaciones, derechos u obligaciones (p.e., cuando el trabajador solicita que se extinga el contrato de trabajo por la existencia de un incumplimiento empresarial); una *declaración de condena* (p.e., que se reconozca el derecho del trabajador a obtener un determinado plus y se condene a la empresa a su pago; que se reconozca que un despido es improcedente y se condene al empresario a la readmisión o al pago de una indemnización, así como, en su caso, al abono de los salarios de tramitación).

– El **PROCESO EJECUTIVO** es aquél en el que la tutela requerida del órgano jurisdiccional consiste en que haga cumplir un derecho que ya se encuentra claramente reconocido, bien porque un órgano jurisdiccional declaró su existencia –a través, precisamente, de un proceso declarativo previo–, bien porque se reconoció a través de otro instrumento al que la ley le otorga el mismo valor que a una sentencia judicial. Pues bien, en estos casos, cuando el obligado al cumplimiento persiste en una conducta contraria al mismo, cabe acudir a los órganos jurisdiccionales a efectos de que éstos le fuercen a cumplir lo que debe, adoptando para ello las medidas que se estimen oportunas. P.e., una vez el trabajador ha logrado el reconocimiento del derecho a obtener un determinado plus, y se ha condenado a la empresa a su abono, en el caso de que ésta persistiera en no pagarlo, se podría acceder a la tutela ejecutiva y ésta se encaminaría a obtener del patrimonio empresarial las cantidades necesarias para hacer efectivo el pago de la deuda, v. gr., mediante el embargo de determinados bienes y su venta en subasta. La potestad que los órganos jurisdiccionales desarrollan en estos casos es la de *hacer ejecutar lo juzgado*, en la terminología del art. 117.3 CE.

– El **PROCESO CAUTELAR** es aquél que se dirige a garantizar la efectividad de otro proceso. Y es que la actividad judicial requiere de un tiempo más o menos dilatado para su completo desarrollo. Pues bien, durante ese tiempo pueden tener lugar una serie de sucesos que determinen que, caso de obtener la tutela requerida, ésta llegue demasiado tarde. Así, imaginemos un empleado que pretendiera presentarse como candidato a representante de los trabajadores en su centro de trabajo y que fuera trasladado de dicho lugar en fechas próximas a la puesta en marcha del proceso electoral, precisamente para evitar su participación en el mismo. La eventual respuesta que proporcionen los tribunales sobre la procedencia de la decisión empresarial, caso de que el trabajador reclame y el órgano judicial estime su pretensión, presumiblemente llegará demasiado tarde y no le permitirá la participación en las elecciones. Así las cosas, la tutela cautelar lo que persigue es conjurar esos riesgos a los que puede verse sometido el que impetra la actuación de los órganos jurisdiccionales y que derivan de la imposibilidad de obtener una respuesta inmediata en el tiempo; en otras palabras, se trata de garantizar la efectividad de la resolución judicial futura. El art. 117.3 CE no menciona expresamente esta faceta de la tutela judicial, aunque se puede deducir sin grandes dificultades del propio art. 24 CE, donde se reconoce el derecho a la tutela judicial *efectiva*; de hecho, así lo ha señalado de manera expresa el Tribunal Constitucional en alguna ocasión.

2.2.–Por otro lado, desde una perspectiva más específica, el objeto de la intervención judicial puede ser muy variado, pues variados son también los conflictos que pueden suscitarse en el ámbito de las relaciones laborales: una reclamación salarial; un despido; el reconocimiento de una prestación de la seguridad social; etc. En todo caso, los trámites a seguir ante los órganos judiciales para obtener una solución a los conflictos laborales suelen ser comunes, con independencia del objeto de la pretensión ejercitada–. Ahora bien, en ocasiones, las singularidades que presentan determinadas reclamaciones aconsejan que su tramitación siga unos cauces específicos, pues los generales podrían, por diferentes razones, resultar inapropiados en estos casos. Así surge la diferencia entre el **proceso ordinario** –el que sirve para cualquier conflicto que no tenga previsto una tramitación específica– y las **modalidades procesales** –las que se prevén para la tramitación de cierto tipo de conflictos–, sobre la que se ahondará en las lecciones sucesivas.

1.2. La puesta en marcha del proceso declarativo: actos previos y preparatorios

3.–El acceso a la tutela judicial normalmente tiene lugar a través de un proceso declarativo, sea éste de carácter ordinario o una modalidad procesal. El proceso ejecutivo –que también puede ser ordinario o especial–, normalmente será posterior al declarativo –aunque, como se verá en la lección octava, la tutela ejecutiva a veces se puede lograr sin proceso declarativo previo–. Por su parte, en relación con el proceso cautelar, ya se ha apuntado el carácter accesorio o auxiliar que presenta respecto un proceso principal.

4.–La puesta en marcha de un proceso para obtener una solución judicial a un determinado conflicto puede –o debe, según los casos– ir precedida de una serie de actos previos al propio proceso de declaración y/o preparatorios del mismo.

4.1.–Los **actos previos** al proceso declarativo tienen por objeto alcanzar una solución al conflicto entre las partes al margen de los órganos jurisdiccionales, de manera que el recurso a tales órganos para reconocer la existencia de un determinado derecho resulte innecesario.

4.2.–Los **actos preparatorios** parten de la decisión de iniciar un proceso y tienen por objeto adoptar una serie de medidas, con intervención del propio órgano judicial, que pueden ayudar a la preparación del pleito o, según los casos, a su aseguramiento.

2. Los actos previos

5.–La expresión **actos previos al proceso** alude a una serie de actuaciones de carácter obligatorio que tienen lugar antes de que éste se inicie y que, en realidad, no pertenecen al mismo; de hecho, se desarrollan al margen del órgano jurisdiccional y su finalidad se dirige a alcanzar una solución al litigio extrajudicialmente, evitando, de este modo, la necesidad de acudir a juicio. Así pues, **tres notas** caracterizan a estos actos.

5.1.–En primer lugar, como indica su denominación, el hecho de que tengan lugar **con anterioridad** al inicio del proceso.

5.2.–En segundo lugar, su carácter **obligatorio**, salvo excepciones; de hecho, la falta de cumplimiento podrá determinar la imposibilidad de iniciar el proceso.

5.3.–En tercer lugar, el carácter **extrajudicial**, esto es, el desarrollo de los mismos al margen del proceso, sin intervención del órgano jurisdiccional; de hecho, como ya se ha indicado, su finalidad consiste en hacer innecesario aquél por haberse alcanzado una solución a la controversia al margen del proceso.

6.–Los actos previos a realizar son distintos en función de la naturaleza que tenga el sujeto que vaya a ser demandado.

6.1.–Así, por un lado, cuando vaya a ser demandado un sujeto privado resulta necesario tratar de alcanzar un acuerdo con dicho sujeto que ponga fin al conflicto que separa a las partes. El intento de alcanzar una solución pactada antes del proceso puede consistir en una **conciliación o una mediación previa**, que se conoce como conciliación o mediación **preprocesal**, administrativa o extrajudicial.

6.2.–Por otro lado, cuando vaya a ser demandada una Administración Pública, el intento de alcanzar una solución pactada históricamente ha estado desplazado por la posibilidad de que la propia administración dictase una resolución reconociendo el derecho reclamado por el demandante de forma que fuese innecesario acudir a la vía judicial. Esa resolución se dictaba bien al resolver la eventual reclamación administrativa previa que se hubiese interpuesto, bien en el seno del procedimiento que agotase la vía administrativa. Ahora bien, la reforma de la normativa de procedimiento administrativo producida en 2015 alteró de manera significativa el panorama de los actos previos para demandar a las AA.PP. en el orden social. Y es que, la D. F. 3ª Ley 39/2015, de 1 de octubre, de procedimiento administrativo común (LPAC) suprimió de la LRJS la referencia relativa a que antes de demandar a cualquiera de las administraciones públicas o a alguno de sus organismos dependientes será requisito necesario *"haber interpuesto reclamación previa a la vía judicial social"*, manteniendo solamente la referencia a la necesidad de *"haber agotado la vía administrativa previa, cuando así proceda"*, así como la regulación de la reclamación administrativa previa en materia de Seguridad Social. Así las cosas, el panorama resultante tras la reordenación sería el siguiente:

a) De entrada, los conflictos que se susciten entre los empleados públicos "laborales" y su administración empleadora no requieren de ningún acto previo, sino que cabe interponer **demanda judicial de una manera directa**, pues al haberse suprimido con carácter general la reclamación administrativa previa en el orden social por la D.F. 3ª LPAC, ésta sería ahora innecesaria.

b) Ahora bien, en segundo lugar, la LPAC mantiene la necesidad de interponer **reclamación administrativa previa** en determinados terrenos. Así sucede, por ejemplo, en materia de Seguridad Social, donde subsiste la regulación específica que se contiene en el art. 71 LRJS.

c) En fin, la impugnación de los actos administrativos en materia laboral, sindical y de seguridad social, singularmente, en lo relativo al control de la potestad sancionadora de la administración, requiere "**agotar la vía administrativa previa**", lo que habitualmente pasa por la interposición del recurso de alzada.

2.1. La conciliación o mediación previa

7.–La conciliación previa es un trámite obligatorio que precede al proceso consistente en que las partes acuden a un órgano de naturaleza no jurisdiccional con el objeto de alcanzar una solución pactada al conflicto que las separa, tratando el órgano en cuestión de ayudar en la consecución de dicho pacto. La regulación de este acto se encuentra en los arts. 63 y ss. LRJS, así como en el RD 2756/1979, de 23 de noviembre.

2.1.1. El órgano competente

8.–El art. 63 LRJS permite que el intento de conciliación o, en su caso, de mediación, se efectúe ante el servicio administrativo correspondiente o ante el órgano creado a través de ciertos instrumentos "negociales" que asuma tales funciones. Esos instrumentos "negociales" pueden ser, por un lado, los acuerdos profesionales o los convenios colectivos previstos en el art. 83 ET; por otro, los acuerdos de interés profesional a que se refieren los art. 13 y 18.1 LETA.

8.1.–El servicio administrativo competente originariamente fue el Instituto de Mediación, Arbitraje y Conciliación (IMAC), organismo dependiente del Ministerio de Trabajo que se creó por el RDL 5/1979, de 26 de enero, y cuyas funciones en esta materia detallaba el RD 2756/1979. Este marco competencial originario experimentó unas profundas alteraciones como resultado de dos tipos de acontecimientos.

– Por un lado, las sucesivas transformaciones en la organización de la administración laboral llevaron a la desaparición del IMAC y a que sus funciones fueran asumidas por la Dirección General de Trabajo, a través de la Subdirección General de Mediación, Arbitraje y Conciliación. Este tipo de funciones corresponden, en la organización administrativa actual, a la Subdirección General de Relaciones Laborales, dependiente a su vez de la Secretaría General de Empleo; eso sí, siempre en la medida en que no se encuentren transferidas a las Comunidades Autónomas.

– Y es que, por otro lado, la existencia de un estado autonómico y de una administración laboral de idéntico ámbito han determinado también un proceso de transferencias que ha afectado a este tipo de funciones, de manera que las CC.AA. han procedido a crear sus propios servicios con competencias conciliadoras y mediadoras.

8.2.–El organismo competente no ha de tener obligatoriamente una naturaleza administrativa, pues el art. 63 LRJS permite recurrir a otros órganos creados por ciertos productos de la autonomía colectiva –los acuerdos y convenios del art. 83 ET o los acuerdos de interés profesional de los arts. 13 y 18.1 LETA–. Estos procedimientos creados por la autonomía colectiva tuvieron un importante impulso en el año 1994; de hecho, en los años sucesivos experimentaron un notable desarrollo. En este sentido, piénsese en el Acuerdo sobre Solución Extrajudicial de Conflictos (ASEC), aprobado en 1996 y renovado en distintas ocasiones hasta la actualidad, y que, desde la renovación de 2012, se denomina Acuerdo sobre Solución Autónoma de Conflictos (ASAC). Existen asimismo acuerdos similares de ámbito autonómico.

2.1.2. Obligatoriedad y excepciones

9.–La realización de este intento conciliatorio, se ha destacado ya, tiene un carácter **obligatorio**. Así se desprende claramente del artículo 63 LRJS cuando dispone que "*será requisito previo para la tramitación del proceso el intento de conciliación ante el servicio administrativo correspondiente o ante el órgano que asuma estas funciones…*".

10.–Con todo, la propia LRJS recoge una serie de supuestos en los que este acto previo al proceso no resulta necesario. En efecto, el artículo 64 LRJS establece unas **excepciones** al carácter obligatorio de la conciliación o mediación previas:

10.1.–De entrada, en todos aquellos supuestos que **exijan del agotamiento de la vía administrativa**. La referencia alude a los casos en que se quiere impugnar un acto de las administraciones públicas sujeto al derecho administrativo en materia laboral, sindical o de seguridad social (singularmente los dictados en ejercicio de la potestad sancionadora y los que se dictan en el seno de los procedimientos previstos en los arts. 47.3 y 51.7 ET). Pues bien, la necesidad de agotar la vía administrativa en estos supuestos excluye el intento de conciliación.

10.2.–Por otra parte, una serie de litigios que se tramitan a través de determinadas **modalidades procesales** también quedan exceptuados y ello por razones diversas en cada caso –la naturaleza del proceso en cuestión; el tipo de cuestión controvertida; etc.–. El listado que proporciona el art. 64 LRJS no afecta a cualquier modalidad procesal, sino solamente a unas cuantas:

– En primer lugar, el precepto alude a los pleitos que versen sobre **seguridad social**. Y es que, en general, tales pleitos habitualmente se dirigen contra las entidades gestoras persiguiendo el reconocimiento de una prestación. Pues bien, en tales casos, el acto previo a seguir es la reclamación administrativa previa en materia de seguridad social que recoge el art. 71 LRJS, lo que hace innecesaria la conciliación. En todo caso, la exclusión es más amplia, pues se aplica con independencia de que la entidad gestora aparezca como demandante o como demandada. Así, como ejemplos se podría mencionar el caso en que la entidad gestora demanda a los beneficiarios; o los supuestos en que los conflictos atañen a las Mutuas o al empresario y trabajadores (Montoya Melgar).

– En segundo lugar, los relativos al disfrute de **vacaciones**, eso sí, no cualquier pleito relacionado con las vacaciones, sino únicamente en la medida que se trate del proceso regulado en el artículo 125 LRJS que versa sobre la fijación de la fecha de disfrute (Alfonso Mellado, 2015). La razón de la exclusión se justifica en el carácter urgente que tiene este proceso –lo que casaría mal con el intento de conciliación–, así como en el origen del propio conflicto (Baylos Grau, Cruz Villalón y Fernández López, 1995; Montoya Melgar, 2016).

– En tercer lugar, los pleitos relativos a la **impugnación del despido colectivo por los representantes de los trabajadores**, así como los que versen sobre **movilidad geográfica, modificación sustancial de condiciones de trabajo, suspensiones y reducciones de jornada por causas empresariales** o por fuerza mayor y los relacionados con el ejercicio de los de **derechos de conciliación** de la vida personal, familiar y laboral a los que se refiere el artículo 139 LRJS; seguramente, en estos casos, pesen razones relacionadas con el carácter urgente de tales procesos.

– En cuarto lugar, los de **materia electoral**, que quedan excluidos por razones similares: el carácter urgente del proceso y el propio origen del conflicto (Baylos Grau, Cruz Villalón y Fernández López, 1995; Montoya Melgar, 2016).

– En quinto lugar, los **procesos iniciados de oficio**, probablemente por razón de su incoación por la autoridad laboral (Montoya Melgar, 2016) y su vinculación a un interés público (Baylos Grau, Cruz Villalón y Fernández López, 1995).

– En sexto lugar, los de **impugnación de convenios colectivos**, debido a razones de orden público, pues se basan en la ilegalidad de las cláusulas convencionales y, sobre ello, no procede negociar (Montoya Melgar, 2016).

– En séptimo lugar, los de **impugnación de estatutos sindicales** o su modificación; el motivo, en este caso, es idéntico al supuesto anterior, esto es, la existencia de razones de orden público (Montoya Melgar, 2016).

– En octavo lugar, los de **tutela de los derechos fundamentales y libertades públicas**; y ello por razones derivadas no sólo del carácter urgente del proceso, sino también por el carácter indisponible de los derechos discutidos (Montoya Melgar, 2016).

– En noveno lugar, los procesos de **anulación de los laudos arbitrales**, así como los relativos a la **impugnación de los acuerdos de conciliación, de mediación y de transacción**, seguramente por causas vinculadas al origen de la propia causa.

– En fin, tampoco requiere de intento previo de conciliación el ejercicio de las acciones laborales de protección contra la **violencia de género**; en este caso, las razones se relacionan, por un lado, con el propio conflicto subyacente y, por otro, con la necesidad de dar una respuesta rápida al mismo.

10.3.–Asimismo, el artículo **64.2 LRJS** se refiere a **dos supuestos más** que también quedan excluidos de la necesidad de realizar un intento de conciliación preprocesal:

– Por un lado, los procesos en los que siendo parte demandada el Estado u otro ente público también lo fueran personas privadas, siempre que la pretensión hubiera de someterse al agotamiento de la vía administrativa y en tal sede pudiera decidirse el asunto litigioso.

– Por otro, en los casos en los que, en cualquier momento del proceso, después de haber dirigido la papeleta o la demanda contra personas determinadas, resultara preciso dirigir o ampliar la misma hacia personas distintas de las inicialmente demandadas (p.e., un litisconsorcio no constituido adecuadamente que se subsana; el supuesto previsto en el 103.2 LRJS).

10.4.–Finalmente, según lo establecido en el art. 64.3 LRJS debe tenerse en cuenta que en aquellos supuestos en los que la conciliación no resulta obligatoria, las partes pueden instar la misma de común acuerdo, eso sí, para ello deben concurrir dos requisitos: por un lado, que el objeto litigioso sea susceptible de ser resuelto mediante acuerdo; por otro, que las partes insten el procedimiento en "tiempo oportuno", esto es, antes de que la acción haya prescrito o caducado.

2.1.3. El desarrollo de la conciliación

11.–La LRJS no contiene unas previsiones específicas acerca de cómo se desarrolla el intento de conciliación o mediación previa. Ahora bien, tales previsiones sí que aparecen en el RD 2756/1979, al cual cabe acudir para conocer la tramitación de este acto previo; por otra parte, no debe olvidarse la posibilidad de que los agentes sociales, según se ha indicado, a través de determinados tipos de convenios colectivos, puedan crear unos procedimientos de conciliación propios y, en tales casos, habrá que estar a las concretas previsiones que en tales acuerdos se hayan fijado para el desarrollo de la conciliación.

A) El inicio del procedimiento: la presentación de la papeleta de conciliación

12.–El procedimiento de conciliación o mediación principia mediante la presentación de un escrito ante el organismo correspondiente, dentro de un plazo, lo cual produce unos efectos determinados.

12.1.–La elección del órgano competente se efectúa aplicando la regla de competencia contenida en el artículo 5 RD 2756/1979, el cual permite optar entre el órgano correspondiente al lugar de prestación de los servicios o el del domicilio de los interesados a decisión del solicitante. La regla es sencilla, si bien presenta dudas interpretativas la expresión "interesados".

– Una primera interpretación sería la de entender el término "interesados" como futuros demandados, y ello con apoyo en razones de analogía con el art. 10.1.I LRJS.

– La segunda interpretación sería la de otorgar al término un carácter más amplio; así, interesados serían tanto la persona que insta la conciliación o mediación, como los sujetos frente a los cuales se insta. Ello se puede justificar en diferentes pasajes del RD 2756/1979, como por ejemplo los arts. 9 y el 10, donde se emplea la expresión con dicho alcance; por lo demás, esta interpretación ha sido acogida en sede jurisprudencial.

12.2.–El escrito que se presenta se llama **papeleta o demanda de conciliación**, cuyo contenido especifica el art. 6 RD 2756/1979:

– En primer lugar, los datos personales de la persona que solicita la conciliación, así como de los restantes interesados, incluyendo los domicilios respectivos.

– En segundo lugar, los datos profesionales del trabajador/es solicitante/s (lugar y clase de trabajo, categoría profesional u oficio, antigüedad, salario y demás remuneraciones, etc.).

– En tercer lugar, una enumeración clara y concisa de los hechos sobre los que verse la reclamación, así como la cuantía económica, si fuera de dicha naturaleza; si se tratara de un despido, la fecha del mismo y los motivos alegados por la empresa.

– En cuarto lugar, la fecha y firma.

– En fin, aunque el RD 2756/1979 no lo exija, la práctica lleva a que se incluyan en este escrito una serie de peticiones: por un lado, las que se dirigen al organismo competente, relativas a que admita la presentación del escrito, fije una fecha, dé traslado a la otra parte y extienda copia del resultado; por otro, la petición que se efectúa a la otra parte –p.e., que reconozca la improcedencia del despido y proceda a la readmisión; o que reconozca la existencia de una deuda y proceda a su pago, etc.–.

12.3.–El solicitante debe aportar tantas **copias** de este escrito como partes interesadas haya y dos más, según el art. 6.5.II RD 2756/1979. Y es que, por un lado, habrá que dar traslado del escrito a todos los interesados para que puedan intervenir; por otra parte, el sujeto que la presenta necesitará una copia, sellada y fechada, pues la precisará después en sede judicial para acreditar el cumplimiento de este trámite; en fin, la otra copia es la que se presenta en el organismo para que permanezca allí registrada.

12.4.–La LRJS no somete el cumplimiento de este trámite a un **plazo** específico. En efecto, lo único que exige es el carácter previo al proceso judicial. Así pues, habrá que estar al plazo existente para ejercitar las acciones judiciales y, antes de que éste venza, deberá plantearse el correspondiente intento de conciliación o mediación.

B) Los efectos de la presentación de la papeleta de conciliación

13.–La presentación de la papeleta de conciliación o mediación produce dos efectos fundamentales relacionados con el ejercicio ulterior de las acciones judiciales.

13.1.–El primer efecto de importancia que se anuda a la presentación de la papeleta de conciliación es el relativo a que en ese momento se produce la **suspensión** de los plazos de **caducidad** –es decir, se paraliza su transcurso– y la **interrupción** de los plazos de **prescripción** –es decir, éstos vuelven a cero–. Así se recoge en el art. 65 LRJS, precepto que además proporciona unas previsiones adicionales:

– Por un lado, señala que los plazos de caducidad se reanudan al día siguiente de la celebración del acto o transcurridos quince días hábiles desde la presentación de la papeleta sin que el acto se haya celebrado, excluyéndose del cómputo los sábados.

– Por otro lado, añade que transcurridos treinta días, computados de la misma forma que los quince anteriores, sin celebrarse el acto de conciliación o sin iniciarse la mediación o alcanzarse un acuerdo en la misma, se dará por finalizado el procedimiento y cumplido el trámite.

13.2.–El segundo efecto al que hay que aludir es el relativo a que la papeleta de conciliación **fija la posición de las partes** en el ulterior proceso judicial. Así, en función de lo establecido en el art. 80 LRJS, los hechos que no se hayan alegado en esta sede, no podrán ser alegados más adelante en la demanda judicial, salvo que hubieran acontecido con posterioridad; del mismo modo, no cabrá introducir alteraciones sustanciales entre lo planteado en conciliación y lo reclamado en el proceso (Alfonso, 2015, 136); en fin, para poder plantear reconvención –es decir, para que el demandado pueda dirigirse contra el demandante, reclamándole el cumplimiento de alguna obligación en el seno del mismo juicio–, será preciso haberlo anunciado en esta sede.

C) La citación y la comparecencia

14.–Una vez presentada y admitida la papeleta de conciliación o mediación, según el art. 8 RD 2756/1979, se **fijará el lugar, día y hora para la celebración** del acto de conciliación o mediación, algo que se hará saber a las partes, las cuales podrán comparecer por sí mismas o por medio de representante. La representación se puede otorgar mediante poder notarial o mediante comparecencia, ya sea ante los órganos judiciales o ante los propios servicios administrativos; así lo prevé el art. 9 RD 2756/1979.

15.–A partir de ahí, llegado el momento fijado para la celebración del acto, pueden darse **distintas situaciones**, según prevé el art. 66 LRJS.

15.1.–En primer lugar, cabe que el solicitante no comparezca y no alegue justa causa. En estos casos, la papeleta de conciliación se tendrá por no presentada, archivándose todo lo actuado; de manera derivada, ello supone que desaparecen los efectos suspensivos de la caducidad e interruptivos de la prescripción que previamente se habían producido.

15.2.–En segundo lugar, cabe que el solicitante comparezca y que sea la otra parte la ausente. Pues bien, en este supuesto, el acto se tiene por intentado sin efecto y se reanuda el plazo para presentar la demanda; además, cuando la incomparecencia no esté justificada, podrán producirse unas consecuencias adicionales en el momento de dictar sentencia. En este sentido, el art. 66.3 LRJS prevé que el juez le impondrá las costas del proceso, incluidos honorarios, hasta el límite de 600 euros, del letrado o graduado social colegiado de la parte contraria que hubieren intervenido, si la sentencia coincidiese en lo esencial con lo que se había solicitado en conciliación o mediación.

15.3.–En tercer lugar, la LRJS no regula expresamente qué sucede cuando no comparece ninguna de las partes, si bien, parece que en tales casos las consecuencias serán las mismas que se anudan a la ausencia del demandante, esto es, el archivo de lo actuado.

D) La celebración

16.–En fin, si las partes comparecen, el acto de conciliación se celebrará ante el órgano competente, bajo la dirección del letrado conciliador. Las partes pueden ir acompañadas de un *hombre bueno*. El **desarrollo del acto** aparece regulado en el art. 10 del RD 2756/1979, precepto que atribuye al letrado diversas funciones.

– Comprobar la identidad, capacidad y representación.

– Conceder la palabra y dirigir las discusiones.

– Levantar acta de lo celebrado.

– Expedir el certificado del acta.

E) El resultado

17.–El acto de conciliación o mediación previa puede finalizar con la consecución de un acuerdo o sin alcanzarlo; en otras palabras, el resultado de este acto puede ser "con avenencia" o "sin avenencia".

18.–En primer lugar, puede finalizar **CON AVENENCIA**; ello significa que las partes en conflicto han logrado una solución pactada al conflicto.

18.1.–El acuerdo al que lleguen las partes goza de **fuerza ejecutiva**, según indica el art. 68 LRJS. Así pues, el juez no tiene que ratificar nada y, en caso de incumplimiento de lo acordado, sería posible iniciar un procedimiento ejecutivo por los mismos cauces que existen para la ejecución de sentencias. El reconocimiento de tal eficacia sirve para potenciar la utilización de este tipo de soluciones extrajudiciales; con todo, existen ciertos **desincentivos**: en este sentido, las indemnizaciones pactadas en conciliación extrajudicial no cuentan con la protección del FOGASA.

18.2.–Por otra parte, según el art. 67 LRJS, el acuerdo alcanzado en conciliación **podrá ser impugnado** tanto por las partes como por cualquier sujeto que pudiera perjudicarle.

– Las causas de impugnación son las mismas que existen para invalidar un contrato –p.e., por vicios del consentimiento– y se planteará ante el órgano judicial que habría sido competente para conocer de la demanda.

– El plazo de impugnación es de treinta días hábiles, excluidos los sábados, domingos y festivos, con dos *dies a quo* distintos: para las partes, se empieza a contar desde la adopción del acuerdo; para los terceros perjudicados, desde que tales sujetos pudieron haber tenido conocimiento de su existencia.

19.–Por otra parte, cabe que la conciliación finalice **SIN AVENENCIA**, es decir, sin alcanzar ningún acuerdo. En este caso queda abierta la vía judicial, pudiéndose presentar la correspondiente demanda ante el órgano jurisdiccional competente –que, como veremos, deberá ir acompañada de la acreditación del intento de conciliación.

2.1.4. El control sobre el cumplimiento de la obligación de conciliación

20.–El trámite de conciliación prejudicial tiene un carácter obligatorio; así pues, cabe plantearse qué sucedería en el caso de que se incumpliera el mismo y cómo se controla dicho cumplimiento.

20.1.–De entrada, en función de lo establecido en el art. 81.3 LRJS, el requisito está sujeto a un **control de oficio** por el propio órgano judicial en el momento de proceder a la admisión de la demanda:

– Así, por un lado, si el requisito se hubiera cumplido, la norma no prevé ninguna consecuencia específica; simplemente, en la medida en que se cumplan los restantes requisitos exigidos legalmente, el letrado de la administración de justicia admitirá la demanda, dictando, para ello, un decreto según se infiere del art. 206 LEC, y dará curso al proceso.

– Ahora bien, por otro lado, si el requisito no hubiera sido satisfecho, el letrado de la administración de justicia otorgará al demandante un plazo de quince días, contados a partir de la recepción de la notificación, para subsanar: si se subsana, lo que hará es admitir la demanda y seguirán las actuaciones adelante; si no se subsana, dará cuenta al Tribunal para que por el mismo se resuelva sobre su admisión.

20.2.–Por otra parte, **si se detectase con posterioridad**, se debería declarar la nulidad de lo actuado, retrotraer las actuaciones al momento de la admisión de la demanda y proceder de conformidad con lo establecido en el artículo 81.3 LRJS.

2.2. El agotamiento de la vía administrativa y la reclamación administrativa previa

21.–La conciliación o mediación previa resulta disfuncional cuando se pretende demandar al Estado o a cualquier otra administración pública. Y es que, si la finalidad de aquéllas es evitar el proceso mediante la consecución de un acuerdo transaccional, ello resulta difícil en el caso de las administraciones, pues carecen de facultades de transigir (Alfonso, 2015, 140). Por ello, tal y como hemos indicado anteriormente, el intento de conciliación en estos casos tradicionalmente ha estado sustituido por la posibilidad de que la administración pudiese reconsiderar su postura y emitir una resolución durante la tramitación de un "procedimiento administrativo" previo a la vía judicial.

22.–El acto o procedimiento administrativo previo en cuestión reviste diversos ropajes en función de cuál sea la decisión administrativa que se pretende impugnar:

22.1.–En primer lugar, la reclamación administrativa previa resulta necesaria en los siguientes casos:

a) Por un lado, aunque la impugnación de las decisiones adoptadas por las administraciones públicas como empleadoras no requiere actualmente de la realización de ningún acto previo, siguen estando vigentes algunas reclamaciones administrativas particulares que cuentan con un régimen singular. Así sucede, por ejemplo, en el caso de las reclamaciones del personal civil no funcionario al servicio de establecimientos militares (art. 72 RD 2205/1980 de 13 de junio).

b) Por otro lado, para impugnar las decisiones de las administraciones públicas en materia de prestaciones de la Seguridad Social, existe una reclamación administrativa previa específica regulada en el art. 71 LRJS. A esta lógica responde también la vía específica para reclamar al Estado los salarios de tramitación cuando resulta responsable de los mismos (RD 418/2014, de 6 de junio).

22.2.–En segundo lugar, para impugnar los actos de las Administraciones Públicas sujetos al derecho administrativo en el ejercicio de sus potestades y funciones en materia laboral, sindical y de seguridad social (singularmente, los dictados en el ejercicio de la potestad sancionadora o en los procedimientos de los arts. 47.3 y 51.7 ET), resulta necesario agotar la vía administrativa, algo que se hace equiparar con la interposición del recurso de alzada, y donde habrá que tener en cuenta la regulación contenida en los arts. 69 y ss. LRJS.

23.–Así pues, recapitulando, el panorama de los actos previos que deben cumplirse en la actualidad para demandar a las AA.PP. sería el siguiente: la impugnación judicial de las resoluciones emanadas de la administración "laboral" requieren del agotamiento de la vía administrativa; por su parte, las resoluciones dictadas por la administración como empleadora agotan en sí mismas la vía administrativa y, en consecuencia, se pueden impugnar judicialmente de manera directa; finalmente, las demandas en materia de Seguridad Social requieren que con carácter previo se dé cumplimiento a la reclamación administrativa regulada en el art. 71 LRJS.

2.2.1. El agotamiento de la vía administrativa previa y la impugnación judicial directa

24.–Las consideraciones anteriores han permitido trazar las fronteras entre el agotamiento de la vía administrativa y la reclamación administrativa previa. Pues bien, si nos situamos en el primer terreno, debe tenerse en cuenta que no todas las decisiones de la administración requieren para ser atacadas en el orden social de ese "agotamiento".

A) Obligatoriedad del agotamiento de la vía administrativa previa

25.–El agotamiento de la vía administrativa resulta **obligatorio** cuando se pretenda demandar al Estado, Comunidades Autónomas, entidades locales o entidades de Derecho Público con personalidad jurídica propia vinculadas o dependientes de los mismos y así proceda conforme a la normativa de procedimiento administrativo aplicable (art. 69.1 LRJS).

26.–La determinación del significado de dicha expresión obliga a repasar el conjunto de actos que pueden producir el mencionado efecto de "agotar la vía administrativa". Al respecto, el punto de partida debe ser el art. 114 LPAC, pues en dicho precepto se contiene un listado *abierto* de **actos que agotan a vía administrativa**.

26.1.– De entrada, el art. 114 LPAC alude, en primer lugar, a la **resolución que resuelve el recurso de alzada.**

26.2.– En segundo lugar, el art. 114.1.b) LPAC establece que también agotan la vía administrativa las resoluciones dictadas en los **procedimientos "alternativos" a la alzada** y que haya podido crearse al amparo de lo establecido en el art. 112.2 LPAC.

26.3.–En tercer lugar, de conformidad con lo prevenido en el art. 114.1.c) LPAC, el mismo efecto se predica de las **resoluciones dictadas por los órganos administrativos que carezcan de superior jerárquico.**

26.4.– En cuarto lugar, también agotan la vía administrativa todo un conjunto de resoluciones varias que el art. 114.1 LPAC detalla en las letras d) a g). Así sucede con los **acuerdos, pactos, convenios o contratos que tengan la consideración de finalización del procedimiento** (114.1.d) LPAC); las **dictadas en el seno de los procedimientos de responsabilidad patrimonial** (114.1.e) LPAC), así como las que resuelven los **procedimientos complementarios en materia sancionadora** a los que se refiere el art. 90.4 LPAC (art. 114.1.f) LPAC) y las **restantes dictadas por órganos administrativos cuando así lo establezca una disposición legal o reglamentaria** (art. 114.1.g) LPAC).

B) Excepciones y matices

27.– A pesar de la dicción del art. 69.1 LRJS, lo cierto es que determinadas demandas dirigidas contra los organismos públicos reseñados no están sujetas a la necesidad de agotar la vía administrativa.

27.1.– De entrada, debe tenerse en cuenta que en los procesos en los que se reclame la tutela de los derechos fundamentales y libertades públicas frente a actos de las administraciones públicas en ejercicio de sus potestades en materia laboral y sindical, no resulta necesario tal agotamiento, según indica el art. 70 LRJS; con todo, en estos casos, aun no siendo necesario, el agotamiento resulta potestativo, según se deduce de la dicción del precepto.

27.2.– Por otra parte, según adelantamos en páginas anteriores, cuando un empleado público en régimen laboral reclame contra resoluciones dictadas por la administración como empleadora, dichas resoluciones agotan en sí mismas la vía administrativa y, en consecuencia, resulta posible impugnarlas judicialmente de manera directa; en otras palabras, las demandas que se dirijan contra las administraciones públicas como empleadoras por el personal laboral a su servicio no requieren del cumplimiento de ningún acto previo: es decir, cabe interponer demanda judicial de manera directa sin intentar la conciliación preprocesal o interponer recurso de alzada.

Esta es la postura que parece sostener el TS cuando hay un acto o resolución, según se aprecia en distintos pronunciamientos relacionados con el ejercicio de la acción de despido (vid., SsTS de 24 de julio de 2020, de 14 de abril de 2021, de 10 de diciembre de 2021, de 27 de enero de 2022 o de 9 de marzo de 2022).

Al respecto, debe tenerse en cuenta que el art. 69.1 LRJS impone la obligación de la Administración de informar, junto con la decisión que adopte, si esta agota o no la vía administrativa, de los recursos contra esta decisión, y de los plazos y órganos competentes para su conocimiento. Pues bien, las sentencias mencionadas conducen a pensar que, según el Tribunal Supremo, el art. 69.1 LRJS incorpora un mandato consistente en la necesidad de que la Administración empleadora informe en su resolución de que su decisión es impugnable directamente en sede judicial.

Con todo, puede suceder que la administración desatienda tal mandato y, en consecuencia, el empleado público, erróneamente, presente una papeleta de conciliación o un recurso administrativo antes de incoar la vía judicial, cuando no resulta preciso. En ese contexto, la realización de un acto previo innecesario no produce, en principio, el efecto típico de suspender los plazos de caducidad y, por hipótesis, puede provocar que la acción judicial se presente "caducada", ya que el efecto suspensivo no ha tenido lugar. La defensa del derecho fundamental a la tutela judicial efectiva, en su manifestación del principio *pro actione*, conducen a rechazar este tipo de situaciones en cierto modo provocadas por la propia administración. En este sentido, la doctrina unificada señala que no puede estimarse la acción como caducada cuando no ha existido una notificación en la forma debida. Ello se funda, entre otras razones, en las previsiones contenidas en el párrafo tercero del art. 69.1 LRJS, de conformidad con el cual el plazo de caducidad queda suspendido ante notificaciones defectuosas u omisivas. Asimismo, la jurisprudencia unificada también ha tenido que determinar hasta cuándo alcanza este efecto suspensivo y ha optado por la posición más favorable al derecho fundamental de acceso a la justicia, sin que el error de haber planteado una reclamación administrativa previa cuando no procedía permita entender caducada la acción de despido. Ello supone que las notificaciones defectuosas por parte de la administración en las que comunica un despido tendrán como efecto que «el plazo de caducidad no se inicie hasta que el trabajador actúe mediante actos que vengan a poner de manifiesto que conoce, no solo el contenido de la decisión, sino "cómo actuar frente a ella"».

Por lo demás, la solución de no entender caducada la acción de despido se ha extendido a las situaciones en las que el empleado público en cuestión no cuenta con una resolución que impugnar, por ejemplo, porque se ha producido un despido tácito. En estos casos, no es exigible que dicho sujeto dirija una solicitud previa a la demanda para obtener una resolución administrativa, pudiendo presentar directamente la demanda y sin que se inicie el plazo de caducidad hasta que tenga conocimiento fehaciente de actos que pongan de manifiesto la decisión extintiva. Y seguramente esta misma solución también sea extrapolable a cualquier otro supuesto en que no haya una resolución que impugnar (p.e., cuando considere que tiene derecho a percibir un complemento retributivo o al reconocimiento de un determinado mérito). En ambos casos, el fundamento se encontraría en la lectura que del art. 69.1.III LRJS efectúa el TS.

28.–En fin, por lo demás, los sujetos a los que se refiere el art. 69.1 LRJS (Estado, Comunidades Autónomas, entidades locales o entidades de Derecho Público con personalidad jurídica propia vinculadas o dependientes de los mismos) tienen un significado muy preciso que no alcanza a cualquier tipo de entidad con participación pública. Así, por ejemplo, las empresas públicas o sociedades mercantiles de capital público no son reconducibles al art. 69.1 LRJS y, en consecuencia, quedan sujetas a las mismas previsiones que un empresario privado; por lo tanto, para interponer una demanda contra las mismas, habrá que instar la correspondiente conciliación previa o preprocesal, siempre que la misma sea necesaria en los términos que contemplan los art. 63 y ss. LRJS.

C) Plazo para interponer la demanda

29.–El plazo para interponer la demanda contra las Administraciones públicas es de dos meses desde que deba entenderse agotada la vía administrativa (art. 69.2 LRJS), si bien hay una serie de excepciones.

29.1.–Por un lado, en los procesos en los que se interponga demanda en materia de tutela de derechos fundamentales y libertades públicas, el plazo de interposición de la demanda será de veinte días. Este plazo se iniciará el día siguiente a la notificación del acto o al transcurso del plazo fijado para la resolución; cuando la lesión del derecho fundamental tuviera su origen en la inactividad administrativa o en actuación en vías de hecho, o se hubiera interpuesto potestativamente un recurso administrativo, el plazo de veinte días se iniciará transcurridos veinte días desde la reclamación contra la inactividad o vía de hecho, o desde la presentación del recurso (art. 70 LRJS).

29.2.–Por otro, en las acciones derivadas de despido y demás acciones sujetas a plazo de caducidad, el plazo de interposición de la demanda será de veinte días hábiles o el especial que sea aplicable, contados a partir del día siguiente a aquél en que se hubiera producido el acto o la notificación de la resolución impugnada (art. 69.3 LRJS).

2.2.2. *La reclamación administrativa previa en materia de Seguridad Social*

A) Obligatoriedad y excepciones

30.–La reclamación administrativa previa es **requisito** necesario para formular demanda en materia de prestaciones de Seguridad Social contra las Entidades gestoras (art. 71 LRJS). Asimismo, según el art. 71.3 LRJS, si se fuera a impugnar la resolución dictada por una entidad colaboradora, también resultará necesario interponer la reclamación administrativa previa, bien ante la propia entidad colaboradora (en los casos en que tuviera atribuida la competencia para resolver), bien ante el órgano correspondiente de la Entidad gestora u organismo público gestor de la prestación (cuando no tenga tal competencia atribuida).

31.–Con todo, esta regla general, conoce de ciertas **excepciones y matices** que afectan a los procesos de impugnación de resoluciones administrativas por las que se acuerda un alta médica:

31.1.–Así, en primer lugar, quedan exceptuados del trámite los supuestos en los que quiere impugnarse un alta médica acordada por los órganos competentes de las entidades gestoras al haberse agotado la duración de trescientos sesenta y cinco días de la prestación de incapacidad temporal (art. 140.1 LRJS). Y es que, en estos casos, en lugar de plantear la reclamación administrativa previa recogida en el art. 71 LRJS, ha de seguirse un procedimiento de disconformidad previsto en el art. 170.2 LGSS.

31.2.–En segundo lugar, algo similar sucede en los casos en los que el alta médica que se pretende impugnar ha sido emitida por una mutua o una entidad colaboradora en el seno de procesos de incapacidad temporal derivados de contingencias profesionales, pues también para este supuesto existe un procedimiento específico que ha de seguirse con carácter previo a la demanda judicial al que alude el art. 4 RD 1430/2009, de 11 de septiembre.

31.3.–En fin, en el resto de procesos de impugnación de altas médicas se exige la reclamación administrativa previa recogida en el art. 71 LRJS, eso sí, sujeta a unos plazos especiales. Así, no están exentas de una reclamación administrativa previa las altas por curación emitidas por los servicios públicos de salud antes de los 365 días, ni tampoco las emitidas por los facultativos de la entidad gestora antes o después de los 365 días.

B) El desarrollo de la reclamación administrativa

32.–Por lo que respecta al desarrollo de la reclamación administrativa previa en materia de Seguridad Social, hay dos aspectos que deben centrar la atención:

–Por un lado, sus aspectos formales y plazo de ejercicio.

– Por otro, los efectos de su interposición.

a) Los aspectos formales de la reclamación y el plazo de ejercicio

33.–Las previsiones sobre los aspectos formales de la reclamación administrativa previa resultan ciertamente escasas.

33.1.–En primer lugar, parece evidente que la reclamación se planteará ante el propio **organismo** que dictó la resolución que se pretende impugnar, sea la entidad gestora o colaboradora con los pequeños matices antes indicados.

33.2.–En segundo lugar, por lo que respecta al **contenido del escrito** tampoco aparece predeterminado en la legislación procesal, pero viene a coincidir con el de la demanda, pues de hecho en ésta no se pueden introducir alteraciones sustanciales a lo alegado y solicitado en la reclamación previa (Alfonso, 2015). Así pues, el escrito incluirá:

– La identificación del reclamante y del organismo contra el cual se actúa

– Los hechos que fundamentan la actuación.

– La petición que se dirige al organismo.

– La fecha y firma.

33.3.–En tercer lugar, debe señalarse que el escrito así redactado se dirige al organismo anteriormente señalado, sin perjuicio de que la **presentación** de realice en el registro del propio organismo o en otro distinto de los que posibilita el artículo16.4 LPAC, incluido el servicio de correos, eso sí, cumpliendo ciertos requisitos para que los efectos sean los mismos que si se presentara en registro. La LRJAP permite presentar también una **copia** para que la sellen y diligencien a efectos de poder, ulteriormente, acreditar el cumplimiento de este requisito.

33.4.–En fin, por lo que respecta al **plazo de ejercicio**, éste será, **con carácter general**, de **treinta días** hábiles, con diferentes *dies a quo* según la resolución sea expresa –en este caso, desde la notificación de la resolución– o tácita –en este caso, desde que se entienda denegada por silencio administrativo. Al respecto téngase en cuenta que el silencio en materia de prestaciones de la seguridad social se regula en el RD 286/2003, de 7 de marzo, que establece diferentes plazos de silencio administrativo para cada una de las prestaciones. Por otra parte, en los procedimientos de impugnación de **altas médicas** no excluidos del requisito, el plazo es de **once días hábiles** desde la notificación de la resolución.

En cuanto a la **forma de computar** estos plazos, debe tenerse en cuenta que son administrativos y, en este terreno, la LPAC considera inhábiles los sábados, domingos y festivos (art. 30 LPAC). Así pues, la unificación con el régimen de los plazos procesales no resulta completa por dos motivos. En primer lugar, la LPAC no indica nada respecto el 24 y el 31 de diciembre, reputándose, por tanto, dichos días como hábiles, lo que supone una primera diferenciación respecto a lo dispuesto a efectos judiciales por el art. 182.1 LOPJ. En segundo lugar, también conviene llamar la atención sobre el tratamiento diverso que hay en materia de festivos desde la perspectiva procesal y desde la óptica administrativa: en las normas procesales, son festivos los de la sede del órgano jurisdiccional (art. 182 LOPJ); en materia administrativa, se consideran inhábiles tanto los festivos de la sede del órgano administrativo ante el que tiene que cumplimentarse el plazo o término, como los días del municipio o de la comunidad autónoma en que reside el interesado (art. 30.6 LPAC).

b) Los efectos de la interposición de la reclamación administrativa previa

34.–La interposición de la reclamación administrativa previa en materia de seguridad social produce dos efectos esenciales:

34.1.–Por un lado, de conformidad con el art. 73 LRJS, se **interrumpen** los plazos de **prescripción y se suspenden los de caducidad**, reanudándose al día siguiente de la notificación de la resolución o del transcurso del plazo en que deba entenderse desestimada.

34.2.–Por otra parte, la reclamación administrativa previa **fija las posiciones de las partes**; de hecho, el reclamante no podrá aducir en su demanda hechos distintos a los señalados en la reclamación administrativa previa, a no ser que hubieran tenido lugar con posterioridad a la misma, según establece el art. 72 LRJS.

C) El resultado de la reclamación administrativa previa

35.–La reclamación administrativa previa puede finalizar de dos maneras distintas, esto es, con resultado estimatorio o desestimando la petición formulada. Como regla general, la decisión corresponde a la entidad gestora o colaboradora. Existe algún caso, sin embargo, en que la actuación de esta última viene condicionada por un informe previo y vinculante emitido por una comisión paritaria en la que participan representantes de los interesados (cfr. art. 350.2 LGSS, en relación con las prestaciones por cese de actividad de los trabajadores autónomos).

a) La estimación de la RAP y sus efectos

36.–En primer lugar, **cabe que la reclamación prospere** y, entonces, los efectos derivados serán los siguientes:

36.1.–Por un lado, resultará innecesario acudir a la vía judicial, pues ya se ha obtenido lo que se perseguía; con todo, si la estimación fuera parcial, se podría iniciar el proceso respecto lo no estimado.

36.2.–Por otra parte, a diferencia de lo que sucede con el acuerdo alcanzado en conciliación, la LRJS no prevé que la resolución administrativa constituya un título ejecutivo.

b) La desestimación de la RAP y sus efectos

37.–El resultado de la reclamación administrativa previa puede ser, por el contrario, **desestimatorio**. Y en este punto, téngase en cuenta que la reclamación se puede entender desestimada por silencio administrativo cuando hayan transcurrido cuarenta y cinco días, como regla general, y de siete días para los procesos de impugnación de altas médicas no excluidos de reclamación (art. 71.5 LRJS).

37.1.–El efecto primordial que se deriva tanto en un caso como en otro es que queda abierta la vía judicial para plantear las acciones pertinentes en dicha sede.

37.2.–Ahora bien, la posibilidad de acudir a la vía judicial, en cierto modo, se encuentra limitada en el tiempo. En efecto, al margen de los específicos plazos de prescripción y/o caducidad propios de la acción de que se trate –que estaban en suspenso o se habían interrumpido durante la tramitación de la reclamación administrativa previa–, el requisito se tiene por cumplido de manera temporal; en otras palabras, la reclamación previa efectuada tiene una suerte de "vigencia limitada".

– A ello se refiere el artículo 71.6 LRJS, donde se indica que la demanda judicial debe presentarse en los plazos indicados en el propio precepto – treinta días con carácter general, que se reducen a veinte en los procesos de impugnación de las altas médicas–. Así las cosas, transcurridos tales plazos sin plantear la correspondiente demanda, resultaría preciso volver a presentar la reclamación administrativa previa.

– Ahora bien, los casos en los que se impugna una sanción consistente en la extinción de una prestación de la Seguridad Social (por ejemplo, la prestación de desempleo) tienen un régimen diverso. Y es que, en estos supuestos, el efecto de no presentar la demanda judicial en el plazo de treinta días tras la contestación, expresa o por silencio, a la reclamación administrativa previa determina la firmeza de la resolución administrativa por la que se había impuesto la sanción de extinción. Así lo ha entendido el TS (SsTS de 21 de marzo de 2017, rcud.3810/2015 y 5 de abril de 2017, rec. 1219/2016).

D) El control del cumplimiento

38.–La reclamación administrativa previa en materia de Seguridad Social, al igual que la conciliación preprocesal, tiene un carácter obligatorio. Así pues, cabe plantearse cómo se controla el cumplimiento de este requisito y qué sucederá cuando no se haya formulado. Pues bien, el sistema de control se deduce de los arts. 71 y 140 LRJS.

38.1.–Por un lado, el art. 71.7 LRJS establece la necesidad de acreditar en el momento de presentar la demanda judicial el cumplimiento de este trámite. Para ello se presentará un recibo o copia sellada por las entidades u organismos gestores de la Seguridad Social, con indicación de la fecha correspondiente.

38.2.–Por su parte, el art. 140 LRJS impone un control de oficio por parte del órgano judicial al tiempo de admitir la demanda. Así, si el letrado de la administración de justicia apreciase un incumplimiento de este requisito, ordenará su subsanación, la cual deberá efectuarse en cuatro días, pues de lo contrario dará cuenta al Tribunal para que por el mismo se resuelva sobre la admisión de la demanda.

3. Los actos preparatorios

39.–La expresión **actos preparatorios, diligencias preliminares y medidas precautorias** alude a un conjunto de actuaciones de carácter voluntario que preceden al proceso –o, cuanto menos, al juicio oral–, y que se realizan, con intervención del órgano jurisdiccional, con la finalidad de facilitar la preparación del proceso o asegurar algún aspecto del mismo. Así pues, tales actuaciones se caracterizarían por las siguientes **notas**:

39.1.–En primer lugar, por su **carácter previo** al ejercicio de la acción o, como se ha apuntado, al menos al juicio oral.

39.2.–En segundo lugar, a diferencia de los actos previos, estas actuaciones preparatorias tienen un carácter **voluntario**: por un lado, las partes deciden si necesitan recurrir a las mismas o no; por otro, el órgano jurisdiccional decide si se han de llevar a cabo o no.

39.3.–En tercer lugar, también a diferencia de los actos previos, se trata de actuaciones que se realizan con la **intervención** de los órganos jurisdiccionales.

40.–La LRJS proporciona la regulación de estas actuaciones en los arts. 76, 77, y 78, ordenándolas en dos categorías diversas que agrupa en secciones diferenciadas dentro de un mismo capítulo.

40.1.–Así, por un lado, menciona **los actos preparatorios y las diligencias preliminares** –esto es, los que se dirigen a facilitar la preparación del proceso ulterior– e incluye en esta categoría al examen de las partes (art. 76 LRJS) y la exhibición previa de documentos (art. 77 LRJS).

40.2.–Por otro lado, regula lo que se podrían denominar **medidas precautorias** –es decir, las que tratan de garantizar la efectividad última del proceso o el aseguramiento de algún aspecto del mismo–, entre las que incluye la práctica anticipada de la prueba y su aseguramiento (art. 78 LRJS).

3.1. Los actos preparatorios y las diligencias preliminares

41.–Los actos preparatorios regulados en la LRJS pueden ser sistematizados en dos grupos diferentes, atendiendo a la finalidad que cubren o, mejor dicho, a su objeto último.

3.1.1. El examen de las partes

42.–Así, de entrada, cabe aludir a una serie de actos que se dirigen a facilitar la correcta delimitación de la pretensión que ejercita el demandante, en concreto a delimitar adecuadamente a las partes del proceso. Con ello se trata de acreditar la personalidad de un sujeto para determinar de forma correcta, generalmente, la legitimación pasiva, algo que será de gran utilidad, especialmente, en los casos de empresario aparente o cuando haya dudas sobre los sujetos implicados en la asunción de responsabilidades empresariales –p.e., en casos de sucesión de empresas, contratas, cesión ilegal, etc.–; asimismo, también pueden facilitar la concreción de la legitimación activa u otros eventuales interesados en el proceso –piénsese, por ejemplo, en los afectados por un conflicto colectivo–.

42.1.–En este sentido, en primer lugar, **el art. 76.1.I LRJS** permite que quienes pretendan interponer una demanda puedan solicitar al órgano jurisdiccional que el sujeto a quien se pretende demandar preste **declaración** sobre hechos relacionados con su **personalidad, capacidad o legitimación**, o aporte algún documento con finalidad idéntica, cuyo conocimiento sea necesario para el juicio.

42.2.–En segundo lugar, con un objetivo similar, el art. **76.1.II LRJS** prevé que se pueda solicitar la **determinación** de quiénes son los socios, partícipes, miembros o gestores de una entidad sin personalidad y las diligencias necesarias encaminadas a la determinación del empresario y los integrantes del grupo o unidad empresarial, así como la determinación de las personas concurrentes a la producción de un daño con la persona que se pretenda demandar y la cobertura del riesgo en su caso.

42.3.–En tercer lugar, el art. **76.2 LRJS**, para la preparación de los procesos en defensa de intereses colectivos, prevé que se pueda solicitar la ayuda para identificar a quienes integran un grupo de afectados cuando dicho grupo no está determinado, pero sea fácilmente determinable.

42.4. En fin, el **art. 76.3 LRJS** permite la petición de la práctica de cualquier diligencia y averiguación necesaria para preparar el juicio de las que aparecen recogidas en el art. 256 LEC.

43.–El órgano jurisdiccional, en todos estos casos, decidirá sobre la procedencia o no de las actuaciones señaladas mediante resolución que adoptará la forma de **auto**.

43.1.–Por otra parte, debe tenerse en cuenta que cuando su realización pudiera repercutir en la intimidad personal o en cualquier otro derecho fundamental, el órgano jurisdiccional, si no media el consentimiento del afectado, podrá autorizarlas en la forma y con las garantías previstas en el art. 90.4 y 6 LRJS.

43.2.–La resolución que denegase la solicitud, en sí misma considerada, no es susceptible de ser recurrida (art. 76.6 LRJS); ahora bien, la negativa del órgano jurisdiccional podría servir más adelante como fundamento para recurrir la sentencia que resuelva el conflicto, eso sí, en la medida en que esta decisión hubiese provocado indefensión a la parte que la había solicitado.

3.1.2. La exhibición previa de documentos

44.–Por otro lado, el **artículo 77.1 LRJS** se refiere a la posibilidad de solicitar del órgano jurisdiccional, el **examen de libros y cuentas** o la consulta de cualquier **documento** que se demuestre imprescindible para fundamentar la demanda o la oposición a la misma.

44.1.–La **finalidad** de esta medida, nuevamente, es la de facilitar al sujeto que pretende demandar a otro –o prevea que va a ser demandado por otro– los materiales necesarios para fijar adecuadamente su pretensión al tiempo de presentar la demanda o formalizar su oposición. Así, p.e., permitiría al trabajador que se ha visto afectado por un despido económico conocer la situación de la empresa; o al que reclama una participación en beneficios, saber si realmente éstos se han producido o no.

44.2.–La información a la que se accede puede resultar incomprensible para su destinatario y por ello la LRJS permite en estos casos solicitar los servicios de un **experto contable** para ayudar en la lectura de tales documentos. La parte que solicite su intervención asumirá los gastos remuneratorios que ocasione. El interés empresarial a la no difusión de estas informaciones se salvaguarda mediante la imposición de un deber de secreto sobre este sujeto.

44.3.–El órgano jurisdiccional decidirá sobre la procedencia o no de esta medida mediante un auto. La **posibilidad de recurrir la decisión denegatoria** de forma autónoma es objeto de **discusión**.

– Y es que, en principio, a falta de una solución expresa, estaríamos al régimen común previsto para las providencias y los autos en los artículos 186 y ss. LRJS, donde se establece como regla general la recurribilidad de tales resoluciones. La misma solución podría alcanzarse si se acude al art. 258 LEC.

– Ahora bien, en sentido contrario, se ha señalado que históricamente – LPL de 1980– este auto no era recurrible, así como razones de similitud con los otros actos preparatorios, pues el art. 76.6 LRJS prevé la ausencia de recurso para las decisiones allí recogidas.

3.2. Las medidas precautorias

45.–Las medidas precautorias aparecen en el art. 78 LRJS y, a diferencia de los actos previos y diligencias preliminares, tienen una finalidad relacionada con el intento de garantizar la efectividad del desarrollo del proceso o de la resolución final, más que con el objetivo de preparar el proceso.

3.2.1. La solicitud previa de práctica anticipada de la prueba

46.–En primer lugar, el art. 78.1 LRJS la posibilidad de que quien pretenda demandar, o quien presuma que va a ser demandado, pueda solicitar **previamente** del órgano jurisdiccional la **práctica anticipada** de algún medio de prueba cuando concurran ciertas circunstancias excepcionales.

46.1.–El **objeto** de esta actuación previa al inicio del proceso es, en la actualidad, bastante más amplio de lo que lo era en el pasado. Así, en consonancia con lo establecido en el art. 293 LEC, la LRJS vigente ya no se refiere sólo al examen de testigos que, por diversas razones (edad avanzada, salud, viaje inminente, etc.), presumiblemente no fueran a poder aportar su testimonio en el futuro, como hacía la LPL de 1995, sino que alude a **cualquier actividad probatoria**, cuando exista temor fundado de que, por causa de las personas o de estado de las cosas, dichos actos no puedan realizarse en el momento procesal generalmente previsto o cuya realización presente graves dificultades en dicho momento.

46.2.–La solicitud se presentará ante el órgano que corresponda según la aplicación de las normas de competencia ya estudiadas en la lección primera; por ello, cuando se presente la demanda se deberá hacer referencia a esta cuestión y así garantizar la inmediación.

46.3.–El órgano jurisdiccional decidirá sobre la procedencia o no de esta actuación, en este caso, mediante un **auto**. La LRJS no resuelve si esta resolución es recurrible o no, pudiéndose abrir aquí un debate análogo al señalado en líneas anteriores en relación con el auto que resuelve la solicitud de exhibición previa de documentos a que se refiere el art. 77 LRJS. Aquí, la respuesta negativa tendría como fundamento que en la LPL de 1995 la resolución sobre el examen previo de testigos no era recurrible, así como que en el art. 78.2 LRJS se prevé la no recurribilidad de las resoluciones sobre práctica anticipada de la prueba.

3.2.2. La solicitud de práctica anticipada de la prueba

47.–Precisamente, la solicitud de práctica anticipada de la prueba es la otra medida precautoria a la que hay que referirse. A ella se refiere el artículo 78.2 LRJS cuando regula la posibilidad de que cualquiera de las partes, una vez iniciado el proceso, pero en todo caso sin suspenderlo, puedan solicitar la **práctica anticipada de pruebas** que no puedan efectuarse en el juicio oral por cualquier circunstancia o cuya realización presente graves dificultades en dicho momento.

47.1.–La diferencia fundamental con las previsiones del artículo 78.1 LRJS estriba en que, por un lado, en estos casos, la propuesta de las partes se realiza en la propia demanda o, después de la misma, pero antes del juicio oral; por otro lado, el supuesto de hecho –el presupuesto– del art. 78.1 LRJS parece más restrictivo.

47.2.–Por lo que respecta al régimen jurídico, la LRJS contiene unas previsiones realmente parcas en este punto.

a) Por un lado, el segundo inciso del art. 78.2 LRJS indica que el órgano jurisdiccional decidirá sobre la procedencia o no de esta actuación en los términos previstos en la norma que regule el medio de prueba correspondiente. Por otro, el último inciso del mismo precepto señala que la resolución que denegase la solicitud, en sí misma considerada, no es susceptible de recurso, sin perjuicio del que, por este motivo, pueda interponerse en su día contra la sentencia.

b) En fin, al margen de lo anterior, se efectúa una remisión, en cuanto resulte aplicable, a lo establecido en los arts. 293 a 297 LEC y al 298.1 LEC, algo que llama la atención. De entrada, porque no aporta nada respecto la supletoriedad general prevista en la DF 4ª LRJS, salvo facilitar la búsqueda en el articulado de la norma procesal civil. Por otra parte, la remisión al art. 297 y al art. 298.1 LEC resulta extraña en esta sede, ya que dicho precepto regula las medidas de aseguramiento, algo conexo pero distinto a la prueba anticipada, y respecto las cuales, a pesar del título de la sección, la LRJS guarda silencio.

4. El proceso cautelar

4.1. Noción y fundamento

48.–La realización de la actividad jurisdiccional requiere de un determinado período de tiempo. Esto puede incidir negativamente en la satisfacción de la pretensión del actor, pues la demora deja abierta la posibilidad de que el demandando realice actos que dificulten o impidan la efectividad de la posible sentencia final.

48.1.–Pues bien, el proceso cautelar aparece como el mecanismo para conjurar el riesgo mencionado; en definitiva, se trata de un proceso que presenta un carácter instrumental respecto otro principal cuyos resultados trata de garantizar.

48.2.–El art. 117.3 CE no alude de manera expresa a esta faceta de la potestad jurisdiccional; con todo, ya se ha destacado la posibilidad de deducir su existencia del derecho a la tutela judicial efectiva reconocido en el art. 24 CE sin grandes dificultades.

4.2. Las notas características

49.–Este proceso, que se resuelve en la adopción de una serie de medidas de diversa índole, presenta las siguientes notas características (Blasco Pellicer, 2010, 565).

49.1.–La característica esencial del mismo es su **carácter instrumental**. Ello determina que las medidas cautelares que en el mismo se adopten no constituyen un fin en sí mismas, sino que se encuentran necesariamente vinculadas a un proceso principal, pendiente o futuro, –o, si se prefiere, a la sentencia que en el mismo pueda dictarse, asegurando su efectividad práctica–. Esta nota genera unas consecuencias:

– En primer lugar, la necesaria pendencia de un proceso principal cuando se solicite la adopción de estas medidas –o, al menos, que se incoe próximamente–.

– En segundo lugar, que tales medidas desaparezcan cuando finalice el procedimiento principal.

– Finalmente, que las medidas sean funcionales, pudiendo coincidir parcialmente con el objetivo perseguido con el proceso principal.

49.2.–Una segunda característica de las medidas cautelares es la de su **urgencia**, y ello tanto desde una perspectiva "objetiva" como "temporal".

49.3.–Por último, las medidas cautelares se caracterizan por su **carácter jurisdiccional**, es decir, necesariamente son adoptadas por órganos jurisdiccionales.

4.3. Los presupuestos

50.–La posible adopción de las medidas cautelares solicitadas depende de la concurrencia de una serie de presupuestos. Tradicionalmente, la doctrina civilista ha hecho referencia a cuatro presupuestos y debemos comprobar si los mismos son exigibles en el ámbito laboral o no (Blasco Pellicer, 2013).

50.1.–El primero de esos presupuestos es el *fumus boni iuris* o apariencia de buen derecho. Ello supone exigir que haya una situación jurídica cautelable: parece que el solicitante ostenta realmente el derecho que ha reclamado en el proceso principal; no se trata de demostrarlo plenamente, simplemente basta presentar un principio de prueba.

50.2.–El segundo es el *periculum in mora* o peligro en la demora. Ello supone que existe un cierto riesgo en la consecución de lo pretendido derivado del lapso temporal que media entre la interposición de la demanda y la resolución del pleito. Normalmente el peligro viene definido en la propia norma y se trata de comprobar la concurrencia de tales presupuestos (p.e., art. 79.2 LRJS).

50.3.–El tercer presupuesto sería la **pendencia de un proceso principal**, esto es, que se haya iniciado un proceso declarativo o ejecutivo. En todo caso, parece que sería suficiente con la existencia de la pretensión de presentarlo en breve.

50.4.–Finalmente, estaría la constitución de **fianza** –para garantizar que se podrá hacer frente a los perjuicios ocasionados en el demandado caso de que la demanda principal no prospere–. Pues bien, este requisito no procede imponerlo en el proceso laboral de forma general, pues chocaría con sus principios informadores; de hecho, así lo prevé el art. 79.1.III LRJS para ciertos sujetos entre quienes incluye a los trabajadores y a los beneficiarios de la Seguridad Social.

4.4. Las medidas cautelares en el proceso laboral

51.–La LRJS no regula de forma detallada el proceso cautelar, sino que destina un único artículo a fijar el régimen aplicable a las medidas cautelares.

51.1.–Este régimen, en principio, es el previsto en art. 79 LRJS que establece unas reglas muy básicas y, además, regula alguna medida cautelar concreta; por otra parte, a lo largo del articulado de la LRJS se recogen otras medidas cautelares concretas.

51.2.–Ello obligaría a acudir a la normativa supletoria, tal y como prevé la DF 4ª LRJS; de hecho, el propio art. 79 LRJS recuerda esta necesidad y efectúa, por un lado, una remisión de carácter general a los arts. 721 a 747 LEC, que se aplicarán en el orden social con las necesarias adaptaciones a las particularidades del proceso laboral y oídas las partes; por otro lado, en los procesos sobre impugnación de actos de las AA.PP. en materia laboral y de seguridad social, la remisión se hace a los arts.129 a 138 LJCA.

52.–Por lo que respecta a las concretas medidas cautelares que se pueden adoptar, sin lugar a dudas, una de las más relevantes es el embargo preventivo, pero no es la única.

4.4.1. El embargo preventivo

53.–El embargo preventivo aparece regulado en los apartados 2, 3 y 4 del art. 79 LRJS. Allí se prevé que el órgano jurisdiccional puede decretar esta medida sobre los bienes del demandado en cantidad suficiente para cubrir lo reclamado en la demanda, así como las costas de ejecución, cuando dicho sujeto esté realizando actos de los que se infiera su intención de colocarse en una situación de insolvencia o impedir la efectividad de la sentencia.

53.1.–El embargo preventivo puede decretarse tanto de oficio, como a instancia de parte interesada o del FOGASA.

53.2.–La solicitud de embargo preventivo podrá presentarse, según el art. 79.4 LRJS, en cualquier momento del proceso antes de la sentencia. En principio, la LRJS parece estar pensando en un proceso ya iniciado, en el sentido de que ya se ha presentado la demanda; no obstante, atendiendo la finalidad que persigue parece que sería posible solicitarlo incluso antes de presentar la demanda (Blasco Pellicer, 2013).

53.3.–El órgano judicial podrá requerir al solicitante del embargo la presentación de documentos, información testifical o cualquier otra prueba que justifique la situación alegada.

4.4.2. Otras medidas cautelares

54.–El embargo preventivo no es la única medida cautelar que contempla la LRJS.

54.1.–En este sentido, de entrada, el propio art. 79 LRJS menciona ciertas medidas de aseguramiento empresarial para las reclamaciones en materia de accidentes de trabajo (art. 79.5 LRJS), también aplicable a los procedimientos sobre paralización de trabajos por riesgo grave e inminente o los relacionados con la responsabilidad empresarial sobre enfermedades profesionales por falta de reconocimientos médicos (art. 79.6 LRJS); la suspensión de la relación o la exoneración de la prestación laboral en ciertas demandas de extinción del contrato vía art. 50 ET (art. 79.7 LRJS).

54.2.–En segundo lugar, en el ámbito de la modalidad especial de tutela de los derechos fundamentales y libertades públicas, el art. 180 LRJS regula diferentes medidas cautelares, como, por ejemplo, la de proceder a suspender la efectividad del acto impugnado (esto es, el acto lesivo que se ataca) o la posibilidad antes anunciada de solicitar la suspensión de la relación o la exoneración de la prestación.

54.3.–En tercer lugar, se encuentra el artículo 132.1c) ET, en sede de impugnación de los laudos electorales previstos en el artículo 76 ET. Como regla general, dicha impugnación no determina la suspensión del procedimiento electoral, a no ser que la decrete el órgano jurisdiccional previa petición fundada de parte; pues bien, dicha suspensión sería una medida cautelar.

54.4.–Finalmente, en la actualidad no cabe duda la posibilidad de aplicar en el proceso laboral las medidas cautelares inespecíficas previstas en la LEC, en concreto, en el art. 727.11ª LEC. El precepto en cuestión permite que el propio demandante concrete la cautela que precisa y se la solicite al órgano judicial; éste, si lo estima oportuno, la concederá. La remisión que efectúa el art. 79.1 LRJS a los arts. 721 a 747 LEC en la materia disipan cualquier duda al respecto

II. CUESTIONARIO

1. Los actos previos se caracterizan...

a) Por su carácter previo al proceso, su obligatoriedad y realizarse con intervención de un órgano jurisdiccional.

b) Por su carácter previo al proceso, su voluntariedad y realizarse sin intervención de un órgano jurisdiccional.

c) Por su carácter previo al proceso, su obligatoriedad y realizarse sin intervención de un órgano jurisdiccional.

d) Por su carácter previo al proceso, su voluntariedad y realizarse con intervención de un órgano jurisdiccional.

2. La conciliación extrajudicial es un acto previo que resulta obligatorio...

a) Siempre que se quiera interponer una demanda ante la jurisdicción social, con independencia del sujeto demandado y de la materia sobre la que se litigue.

b) Siempre que se quiera interponer una demanda ante la jurisdicción social contra una administración pública, salvo en ciertas materias que quedan exceptuadas.

c) Siempre que se quiera interponer una demanda ante la jurisdicción social contra un sujeto privado, salvo en ciertas materias que quedan exceptuadas.

d) Siempre que se quiera interponer una demanda ante la jurisdicción social contra un sujeto privado, con independencia de la materia sobre la que se litigue.

3. La interposición de la papeleta de conciliación tiene como efecto...

a) La suspensión de los plazos de prescripción y la interrupción de los plazos de caducidad, estos últimos, hasta que se celebre el acto de conciliación y, como máximo, durante quince días.

b) La interrupción de los plazos de caducidad y la suspensión de los plazos de caducidad hasta que se celebre el acto, con independencia del tiempo que transcurra.

c) La suspensión tanto de los plazos de caducidad como de los plazos de prescripción, pero por un tiempo limitado.

d) La interrupción de los plazos de prescripción y la suspensión de los plazos de caducidad, estos últimos, hasta que se celebre el acto de conciliación y, como máximo, durante quince días.

4. El acuerdo alcanzado en conciliación administrativa previa...

a) Tiene la misma fuerza ejecutiva que una sentencia, siempre que sea ratificado por un órgano jurisdiccional y se registre ante la autoridad laboral.

b) Tiene la misma fuerza ejecutiva que una sentencia, sin necesidad de ser ratificado ante un órgano jurisdiccional, si bien la protección del FOGASA resulta más limitada.

c) No tiene fuerza ejecutiva, con independencia de que sea ratificado o no por un órgano jurisdiccional, si bien cuenta en todo caso con la protección del FOGASA.

d) Tiene la misma fuerza ejecutiva que una sentencia, sin necesidad de ser ratificado ante un órgano jurisdiccional y cuenta en todo caso con la protección del FOGASA.

5. El agotamiento de la vía administrativa previa es un acto previo...

a) ... que resulta necesario siempre que se pretenda demandar ante la jurisdicción social a las AA.PP.

b) ... que resulta necesario cuando se quiera demandar ante la jurisdicción social a las AA.PP. o empresas públicas, excepto en algunas materias que quedan excluidas.

c) ... que resulta necesario siempre que se pretenda demandar ante la jurisdicción social a las AA.PP. en sus actuaciones como empleadoras.

d) ... que resulta necesario cuando se quiera demandar ante la jurisdicción social a las AA.PP. por el ejercicio de potestades laborales, siempre que no reclame la tutela de un derecho fundamental o una libertad pública.

6. La reclamación administrativa previa en materia de seguridad social es un acto previo...

a) ... cuya interposición determina la interrupción de los plazos de prescripción, así como la fijación de las posiciones de las partes en el eventual proceso posterior.

b) ... cuya interposición determina la interrupción de los plazos de cadu-cidad, así como la fijación de las posiciones de las partes en el eventual proceso posterior.

c) ... cuya interposición determina la interrupción de los plazos de prescripción, pero que no tiene ninguna repercusión en los hechos que posteriormente se puedan alegar en un eventual proceso posterior.

d) ... cuya interposición determina la suspensión de los plazos de prescripción, pero que no tiene ninguna repercusión en los hechos que posteriormente se puedan alegar en un eventual proceso posterior.

7. La reclamación administrativa previa en materia de seguridad social...

a) ... se entiende siempre desestimada por el transcurso del plazo de un mes, quedando entonces expedita la vía judicial.

b) ... se entiende siempre desestimada por el transcurso del plazo de treinta días, quedando entonces expedita la vía judicial.

c) ... se entiende generalmente desestimada por el transcurso del plazo de 45 días, quedando entonces expedita la vía judicial.

d)   ... se entiende generalmente desestimada por el transcurso del plazo de 40 días, quedando entonces expedita la vía judicial.

8. El examen de las partes...

a) ... es un acto preparatorio del proceso laboral que el juez viene obligado a conceder siempre que se lo solicite un sujeto que pretenda iniciar un pleito.

b) ... es un acto preparatorio del proceso laboral que el juez competente puede denegar, si bien dicha resolución es susceptible de ser recurrida.

c) ... es un acto preparatorio del proceso laboral que el juez competente puede conceder o denegar, sin que la resolución denegatoria en sí misma considerada pueda ser recurrida.

d) ... es un acto preparatorio del proceso laboral que se solicita a un órgano administrativo que decide sobre su procedencia o improcedencia.

9. La solicitud de práctica anticipada de la prueba...

a) ... puede solicitarse exclusivamente respecto las de carácter testifical y el juez competente decidirá sobre su procedencia o no, siendo su decisión recurrible.

b) ... puede solicitarse respecto cualquier tipo de medio probatorio, siempre que concurran ciertas circunstancias, y el juez competente decidirá sobre su procedencia o no, sin que su decisión pueda ser recurrida de forma autónoma.

c) ... puede solicitarse respecto cualquier medio probatorio, siempre que concurran ciertas circunstancias, y que el juez competente viene obligado a conceder.

d) ... puede solicitarse exclusivamente respecto las de carácter testifical y que el juez competente viene obligado a conceder.

10. El embargo preventivo es una medida cautelar...

a) ... que puede adoptarse por parte del juez, sólo a instancia de parte, para cubrir lo reclamado en la demanda y lo que se calcule para las costas de ejecución, cuando el demandado realice actos de los que quepa presumir su intención de situarse en situación de insolvencia o impedir la efectividad de la sentencia.

b) ... que puede adoptarse por parte del juez, sólo de oficio, para cubrir lo reclamado en la demanda y lo que se calcule para las costas de ejecución, cuando el demandado realice actos de los que quepa presumir su intención de colocarse en situación de insolvencia o impedir la efectividad de la sentencia

c) ... que puede adoptarse por parte del juez, tanto de oficio como a instancia de parte interesada, para cubrir lo reclamado en la demanda y lo que se calcule para las costas de ejecución, cuando el demandado realice actos de los que quepa presumir su intención de colocarse en situación de insolvencia o impedir la efectividad de la sentencia.

d) ... que debe adoptar el juez siempre que una parte interesada se lo reclame para cubrir lo reclamado en la demanda y lo que se calcule para las costas de ejecución.

11. D. Juan Jiménez, quien reside y trabaja en Valencia, fue padre hace un par de años. Con el objeto de atender mejor a su hijo, ha solicitado una reducción y modificación horaria que no le han reconocido y por ello pretende iniciar acciones judiciales.

a) Antes de interponer su demanda judicial resulta obligado que inste conciliación ante el SMAC del lugar de prestación de servicios o del domicilio de los interesados.

b) Antes de interponer su demanda judicial resulta obligado que inste conciliación ante el SMAC del lugar de prestación de servicios o del domicilio del futuro demandado.

c) Antes de interponer su demanda judicial resulta obligado que inste conciliación ante el SMAC del lugar de prestación de servicios o de su domicilio.

d) No es necesario que con carácter previo inste conciliación ante el SMAC

12. D. Juan Jiménez, quien reside en Murcia y trabaja en Alicante, ha sido despedido por su empresa, una entidad financiera domiciliada en Madrid. Así las cosas, D. Juan ha decidido iniciar acciones judiciales.

a) Antes de interponer demanda judicial, resulta necesario que interponga papeleta de conciliación ante el organismo competente, pudiendo optar entre presentar tal escrito en Murcia, Alicante o Madrid.

b) Antes de interponer demanda judicial, resulta necesario que interponga papeleta de conciliación ante el organismo competente, debiendo presentar tal escrito necesariamente en Murcia o en Madrid.

c) Antes de interponer demanda judicial, resulta necesario que interponga papeleta de conciliación ante el organismo competente, debiendo presentar tal escrito necesariamente en Alicante o en Madrid.

d) Antes de interponer demanda judicial, resulta necesario que interponga papeleta de conciliación ante el organismo competente, debiendo presentar tal escrito necesariamente en Murcia o en Alicante.

13. D. Mario Postigo solicitó reconocimiento de una prestación de viudedad al INSS que le fue denegada. Así las cosas, presentó directamente demanda ante el Juzgado de lo social de Valencia impugnando dicha resolución.

a) La demanda está bien presentada pues las demandas en materia de viudedad están exceptuadas de la necesidad de interponer Reclamación Administrativa Previa.

b) La demanda debería ir acompañada de documento acreditativo de haber realizado Reclamación Administrativa Previa por lo que se le concederá un plazo de 4 días para subsanar.

c) La demanda debería ir acompañada de documento acreditativo de haber realizado Reclamación Administrativa Previa, por lo que se le concederá un plazo de 15 días para subsanar.

d) La demanda debería ir acompañada de documento acreditativo de haber realizado Reclamación Administrativa Previa, por lo que será archivada sin más trámite.

14. D. Juan Jiménez suscribió un contrato de trabajo con una empresa de alimentación en 2017. No ha percibido el salario correspondiente a los últimos cinco meses y ha decidido iniciar acciones judiciales; con carácter previo ha presentado papeleta de conciliación, lo que determina lo siguiente:

a) El plazo de prescripción con que contaba (un año desde que la acción se pudo ejercitar) se habrá suspendido; además, no podrá alegar en su demanda hechos distintos a los ahora aducidos salvo que sean posteriores o de imposible conocimiento.

b) El plazo de prescripción con que contaba (un año desde que la acción se pudo ejercitar) se habrá interrumpido; no obstante, podrá alegar en su demanda hechos distintos a los ahora aducidos aunque no sean posteriores o de imposible conocimiento.

c) El plazo de prescripción con que contaba (un año desde que la acción se pudo ejercitar) se habrá interrumpido; además, no podrá alegar en su demanda hechos distintos a los ahora aducidos salvo que sean posteriores o de imposible conocimiento.

d) El plazo de prescripción con que contaba (tres años desde que la acción se pudo ejercitar) se habrá interrumpido; además, no podrá alegar en su demanda hechos distintos a los ahora aducidos salvo que sean posteriores o de imposible conocimiento.

15. La Inspección de Trabajo, en visita realizada a la empresa Gutiérrez S.L.U., levantó acta de infracción por incumplimiento de ciertas medidas de seguridad en el centro de trabajo. Tras el oportuno expediente administrativo, la empresa ha sido sancionada y ahora pretende impugnar la sanción impuesta.

a) Antes de interponer demanda ante el orden social, debe interponer una papeleta de conciliación.

b) La empresa puede interponer demanda directamente ante la jurisdicción contenciosa administrativa.

c) La empresa puede interponer demanda directamente ante la jurisdicción social.

d) Antes de interponer la correspondiente demanda ante el orden social, debe agotar la vía administrativa previa.

16. D. Juan Gil solicitó pensión de jubilación en diciembre del año pasado que fue denegada por resolución del INSS de Valencia notificada el 27 de diciembre del año pasado. Antes de presentar demanda judicial, interpuso la preceptiva reclamación administrativa previa el pasado 2 de enero.

a) D. Juan podrá entender desestimada su RAP cuando hayan transcurrido más de 45 días desde la interposición.

b) D. Juan podrá entender desestimada su RAP cuando haya pasado un mes desde la interposición.

c) D. Juan podrá entender desestimada su RAP a partir de que hayan pasado más de 30 días desde la interposición.

d) D. Juan podrán entender desestimada su RAP cuando hayan pasado más de 7 días desde su interposición.

17. Dª. María de la Vega interpuso demanda por despido ante el Juzgado de lo Social de Valencia que fue admitida a trámite, fijándose la fecha del acto

de conciliación y juicio para el 10 diciembre. Dª María solicitó el mes pasado que se practicase anticipadamente una prueba cuya realización el día del juicio presenta, a su juicio, extrema dificultad.

a) Si el juez deniega la solicitud, Dª María podrá recurrir esta resolución a través del recurso de reposición.

b) Si el juez deniega la solicitud, esta resolución, en sí misma considerada, no puede ser recurrida, sin perjuicio del recurso que en su día se pueda interponer contra la sentencia.

c) La petición formulada por Dª María no es admisible, pues todas las pruebas deben solicitarse y practicarse el día del juicio.

d) La petición formulada por Dª María no es admisible, pues debería haberla incorporado en su escrito de demanda.

18. D. Fernando Guzmán, trabajador al servicio de una empresa integrada en un grupo fraudulento, tiene la intención de interponer una demanda en reclamación de cantidad contra las distintas empresas que integran el grupo; por ello ha decidido solicitar como diligencia preliminar que se determinen las empresas que forman parte de aquél.

a) La petición se formulará ante el juzgado competente que la podrá denegar, si bien dicha resolución es susceptible de ser recurrida autónomamente.

b) La petición se formulará ante el juzgado competente y tendrá que ser necesariamente atendida y estimada por el órgano jurisdiccional.

c) La petición se formulará ante el juzgado que la podrá conceder o denegar, sin que la resolución denegatoria en sí misma considerada pueda ser recurrida.

d) La petición se formulará ante un órgano administrativo que decidirá sobre su procedencia o improcedencia.

19. D. Pedro García, trabajador del sector limpieza, demandó a su empresa en reclamación de cantidad. Tras la demanda, la empresa ha realizado actos que permiten intuir que pretende situarse en situación de insolvencia.

a) D. Pedro podría solicitar un embargo preventivo, pero necesita que su solicitud venga avalada por el FOGASA, pues de lo contrario no prosperará.

b) D. Pedro podría solicitar un embargo preventivo en cuantía suficiente para cubrir lo reclamado en la demanda y lo que se calcule para las costas de ejecución, pero para ello deberá constituir una fianza (caución o garantías) en cuantía igual a lo reclamado.

c) D. Pedro no puede solicitar embargo preventivo todavía, pues este tan solo se puede pedir en el acto de conciliación y juicio.

d) D. Pedro podría solicitar un embargo preventivo en cuantía suficiente para cubrir lo reclamado en la demanda y lo que se calcule para las costas de ejecución, sin que se le pueda exigir la constitución de fianza (caución o garantías) por ser trabajador.

20. Dª Lucía Perpiñol, directora regional de ventas de una empresa dedicada al comercio de productos informáticos, pretende reclamar una participación en beneficios a la que estima tener derecho. Por ello, necesita conocer los resultados de su empresa y se plantea qué puede hacer.

a) Dª Lucía podría solicitar la exhibición previa de documentos o instar, con una antelación mínima de cinco días a la vista, que se requiera a la empresa para que aporte tales documentos el día del juicio.

b) Dª Lucía no puede tener acceso a tales datos, pues se trata de información especialmente sensible para la empresa.

c) Dª Lucía tan solo cuenta como posibilidad la de instar la exhibición previa de documentos antes de interponer demanda, pero tras la interposición de ésta ya no tendrá vía legal alguna para acceder a tal documentación.

d) Dª Lucía debe exigir la presentación de tales documentos el propio día del juicio y, si la empresa no las aportase, se procedería a la suspensión de la vista.

III. SOLUCIONES AL CUESTIONARIO

1: C	2: C	3: D	4: B	5: D	6: A	7: C	8: C	9: B	10: C
11: D	12: A	13: B	14: C	15: D	16: A	17: B	18: C	19: D	20: A

IV. ACTIVIDADES PROPUESTAS

1. La tutela judicial efectiva y los actos previos al proceso

La conciliación preprocesal, la reclamación administrativa previa en materia de Seguridad Social o, en su caso, el agotamiento de la vía administrativa son actos previos de obligado cumplimiento cuya falta de observancia puede determinar que el órgano jurisdiccional no entre en el fondo del asunto. Así pues, tales actos presentan una clara relación con el derecho a la tutela judicial efectiva en su sentido más primigenio; de hecho, el Tribunal Constitucional ha tenido la oportunidad de pronunciarse sobre esta relación a lo largo de los últimos años en diferentes ocasiones, resolviendo recursos de amparo en los que se suscitaban cuestiones diversas: admisibilidad de este tipo de actos; consecuencias de su incumplimiento; consecuencias cuando la parte plantea un acto distinto al procedente; consecuencias de acudir a un organismo equivocado, carente de competencia; etc.

Localice al menos cinco pronunciamientos del Tribunal Constitucional dictados en los últimos años en los que el Alto Tribunal se haya pronunciado sobre estas cuestiones, prestando una especial atención a su relación con el derecho a la tutela judicial efectiva, la solución ofrecida y las razones tenidas en cuenta para ello.

2. Caso práctico

Trate de resolver los siguientes supuestos que se plantean en relación con los actos previos al proceso; en todos ellos, proceda a leer atentamente los hechos que se relatan para, a continuación, responder a las cuestiones que se formulan.

2.1. Supuesto primero

Hechos:

Primero: Dª. Isabel de Freire, domiciliada en Reus, fue contratada laboralmente por el Ayuntamiento de dicha localidad para trabajar como socorrista en una de las piscinas de la entidad mencionada.

Segundo: Esta trabajadora no ha percibido el salario correspondiente al mes de septiembre del presente año, último mes de su vinculación contractual con el Ayuntamiento, y decide reclamarlo.

Cuestiones:

1ª. Determine de qué plazo dispone, en principio, la trabajadora para la interposición de la demanda judicial en reclamación de cantidad. Razone la respuesta con referencia a los preceptos aplicados.

2ª. Determine si resulta necesario realizar un acto preprocesal necesario para efectuar esta reclamación.

2.2. Supuesto segundo

Hechos:

Primero: D. Aureliano Buendía, domiciliado en Pontevedra, fue contratado como auxiliar administrativo por la empresa de transportes "Transportes del Noroeste, S.A.", el 15 de agosto de 2005, para prestar servicios en el centro de trabajo que la mencionada empresa tiene en la ciudad de Vigo, lugar donde también radica el domicilio social de la misma.

Segundo: El trabajador recibe en su domicilio el 26 de junio de este año, por la que se le notifica que a partir del 30 de junio su contrato de trabajo queda extinguido por motivos disciplinarios y decide reclamar contra dicha decisión empresarial.

Cuestiones:

1ª. Determine de qué plazo dispone, en principio, el trabajador para la interposición de la demanda judicial en reclamación frente al despido; calcule el último día de dicho plazo. Razone la respuesta con referencia a los preceptos aplicados.

2ª. Determine el acto preprocesal necesario para efectuar esta reclamación. Razone la respuesta con referencia a los preceptos aplicados.

3ª. Imagine que el trabajador plantea el escrito correspondiente al acto en cuestión el primer lunes de julio de ese año y que la celebración del mismo tiene lugar ocho días hábiles después, sin que se alcance ningún acuerdo. Calcule, atendiendo a tales datos, cuál sería el último día para la interposición de la demanda. Razone la respuesta con referencia los preceptos aplicados.

4ª. Imagine que, a pesar de haberse interpuesto el escrito solicitando la celebración del acto preprocesal el primer lunes de julio, a finales de dicho mes el acto en cuestión todavía no se hubiera celebrado. Determine, en tales circunstancias, cuál sería el último día para la interposición de la demanda. Razone la respuesta con referencia los preceptos aplicados.

2.3. Supuesto tercero

Hechos:

Único: Una vez extinguido su contrato de trabajo, D. Aureliano solicita prestación por desempleo el primer lunes de septiembre, prestación que le deniegan por Resolución adoptada dos semanas más tarde, y notificada el último viernes del mes. El trabajador pretende impugnar la mencionada Resolución.

Cuestiones:

1ª. Indique de cuánto tiempo dispone el trabajador para presentar el escrito correspondiente al trámite preprocesal que debe realizar, especificando el *dies ad quem*. Razone la respuesta con referencia los preceptos aplicados.

2ª. Señale las consecuencias que tendría el hecho de que el trabajador, en el momento de presentar la demanda judicial, no acreditase haber cumplido con el trámite preprocesal anterior. Razone la respuesta con referencia a los preceptos aplicados.

2.4. Supuesto cuarto

Hechos:

Único: D. Justino Murder, domiciliado en Valencia y trabajador de la empresa de pompas fúnebres "Valle feliz, S.A.", cuyo domicilio social radica en Minglanilla, prestaba servicios en el centro de trabajo que la empresa en cuestión tiene en Cuenca, hasta que el 14 de febrero del presente año recibió una carta de la dirección, fechada el 31 de enero, en la que se le notificaba que su contrato quedaba extinguido por motivos disciplinarios desde ese mismo momento –es decir, desde el propio 31 de enero.

Cuestiones:

1ª. Indique qué plazo tiene el trabajador para impugnar su despido, especificando el *dies ad quem*. Razone la respuesta con referencia los preceptos aplicados.

2ª. Identifique el órgano competente objetiva y territorialmente para conocer de la demanda judicial. Razone la respuesta con referencia los preceptos aplicados.

3ª. Indique qué acto preprocesal debe realizarse antes de presentar demanda, especificando el plazo y el órgano competente. Razone la respuesta con referencia los preceptos aplicados.

4ª. Redacte el escrito correspondiente al acto preprocesal en cuestión.

5ª. Imagine que el escrito interesando el trámite preprocesal se presenta en una Oficina de Correos ¿qué consecuencias tendría? ¿y si se presenta en un organismo incompetente? Para esto último puede resultarle útil la lectura de la STC 58/2002.

6ª. Ahora imagine que el empleador fuera un Ayuntamiento y determine si resultaría necesario realizar un acto previo a la vía judicial o, diversamente, cabría plantear una demanda judicial de forma directa.

V. GLOSARIO

– *Actos previos*: Actuaciones que deben realizarse obligatoriamente antes de iniciar un proceso, al margen del órgano jurisdiccional, con el objeto de evitar el pleito.

– *Agotamiento de la vía administrativa previa*: Es otro medio de evitación del proceso social que ha de seguirse para la impugnación de actos administrativos en materia laboral y de Seguridad Social que haya realizado la Administración como poder público.

– *Actos preparatorios*: Actuaciones que pueden realizarse antes de iniciar un proceso, con intervención del órgano jurisdiccional, con el objeto de preparar el pleito.

– *Conciliación extrajudicial*: Acto previo al proceso que se realiza al margen del órgano jurisdiccional con el objeto de alcanzar un acuerdo entre las partes que haga innecesario el pleito.

– *Embargo preventivo*: Medida cautelar que permite garantizar lo reclamado en la demanda cuando el demandado realiza actos de los que quepa inferir su propósito de situarse en estado de insolvencia o impedir la efectividad de la resolución judicial.

– *Medidas precautorias*: Actuaciones en las que interviene el órgano jurisdiccional que persiguen garantizar ciertos aspectos del proceso.

– *Proceso cautelar*: Proceso mediante el cual se trata de garantizar la efectividad de otro proceso principal, conjurando los riesgos que se deriven del transcurso del tiempo necesario para impartir justicia.

– *Proceso declarativo*: Proceso mediante el cual los órganos judiciales cumplen la función de juzgar que les atribuye en exclusiva el art. 117.3 CE.

– *Proceso ejecutivo*. Proceso mediante el cual los órganos judiciales cumplen la función de hacer ejecutar lo juzgado que les atribuye en exclusiva el art. 117.3 CE.

– *Reclamación administrativa previa en materia de Seguridad Social*: Acto previo al proceso en materia de Seguridad Social que se realiza al margen del órgano jurisdiccional cuando se vaya demandar a una administración pública a efectos de que ésta conceda lo que se pretende reclamar, de manera que el pleito devenga innecesario.

– *Reconvención*: Actuación procesal por la que el demandado en un pleito introduce en el mismo una acción contra el sujeto que lo ha demandado.

EL PROCESO ORDINARIO

CONTENIDO GENERAL

Una vez han fracasado los intentos por encontrar en sede extrajudicial una solución pacífica al conflicto que separa a las partes, y habiendo realizado, en su caso, las actividades preparatorias oportunas, se estará ya en condiciones de poner en marcha el proceso.

En principio, las normas procesales toman como presupuesto que cada conflicto origina un proceso diferenciado; ahora bien, en algunos casos, la LRJS permite la tramitación conjunta de diferentes conflictos a través de la llamada ACUMULACIÓN de acciones y de autos.

Por otra parte, como se avanzó en el módulo anterior, el contenido de la pretensión determina que los trámites a seguir sean los del PROCESO ORDINARIO o, diversamente, los de alguna de las MODALIDADES PROCESALES reguladas en la LRJS.

Pues bien, el objeto de esta unidad, se centra en el análisis del instituto de la acumulación y del proceso ordinario. En relación con este último, el tratamiento se efectúa siguiendo las distintas fases por las que el mismo atraviesa desde que se interpone la demanda hasta que finaliza con una sentencia o de otro modo.

El punto de partida, obviamente, será el análisis de la demanda, pues con ella se pone en marcha el proceso, así como la actividad que desarrolla el órgano judicial para admitirla a trámite, la cual, si todo es correcto, finalizará con la fijación del acto de conciliación y juicio.

Precisamente, el desarrollo del acto de conciliación y juicio oral constituyen el siguiente punto de atención en la tarea de estudio; se trata de la fase central del proceso y debe destacarse el empeño normativo por garantizar que todo se realice en una unidad de acto; es decir, que en un mismo día tengan lugar las alegaciones, la práctica de la prueba y las conclusiones.

En fin, la lección se cierra con las distintas formas de finalización del pleito.

OBJETIVOS PERSEGUIDOS

- Ahondar en la diferencia entre proceso ordinario y modalidades procesales.
- Conocer la figura de la acumulación y la diferencia entre la acumulación de acciones y de autos.

– Adquirir una visión clara del proceso ordinario y de sus distintas fases –inicio, desarrollo y finalización–.

– Adquirir destrezas en la redacción del escrito de demanda.

– Conocer los límites y los efectos de la conciliación judicial.

– Conocer los distintos tipos de alegaciones que se pueden formular en el proceso laboral por ambas partes.

– Conocer las singularidades que presenta la actividad probatoria en el proceso laboral.

– Conocer los diferentes modos existentes para finalizar el pleito.

I. DESARROLLO

1. Introducción

1.–El proceso tiene por objeto dar una solución a la acción ejercitada por el demandante. El alcance y contenido de esas acciones, como se apuntó en la lección anterior, puede ser muy variado.

1.1.–Por un lado, en el proceso declarativo, hay pretensiones meramente declarativas, pretensiones de carácter constitutivo, modificativo o extintivo y, finalmente, pretensiones de condena –a dar, hacer o no hacer alguna cosa.

1.2.–Por otro lado, las pretensiones que se ejerciten pueden versar sobre distintas materias: una reclamación de cantidad; la impugnación de una modificación sustancial de condiciones de trabajo; una reclamación frente a un despido; etc.

2.–En principio, cada acción debería dar lugar a un proceso diferenciado y ese proceso, en función del objeto material del mismo, puede ser el ordinario –el que sirve para la generalidad de pretensiones– o alguna de las modalidades especiales reguladas en la LRJS para ciertas materias en las que resulta aconsejable la existencia de una tramitación "peculiar". Con todo, en determinados casos, la LRJS permite que se lleve a cabo una acumulación de las acciones o de los procesos. Pues bien, el objeto de esta unidad se circunscribe al análisis de la acumulación y del proceso ordinario, siendo las modalidades procesales analizadas en la unidad siguiente.

2. La acumulación

3.–La acumulación constituye una institución procesal determinante de que procesos que inicialmente debieran tramitarse por separado, o que de hecho se estaban desarrollado separadamente, se integren en un procedimiento común.

3.1.–Al respecto, la LRJS diferencia distintos fenómenos, como son la acumulación de acciones, regulada en los arts. 25 a 27 LRJS, la acumulación de procesos, regulada en los arts. 28 a 32 LRJS, la acumulación de recursos, prevista en el art. 33 LRJS y la acumulación de ejecuciones, artículos 36 y ss. LRJS; por otra parte, debe tenerse en cuenta que existen una serie de disposiciones comunes a todos estos fenómenos, en los arts. 34 y 35 LRJS.

3.2.–Las líneas que siguen tan sólo ofrecen una aproximación a la acumulación de acciones y de procesos, pues la acumulación de recursos y de ejecuciones se analizarán en su sede correspondiente (lecciones 7ª y 8ª, respectivamente).

2.1. La acumulación de acciones

2.1.1. Noción y efectos

4.–La acumulación de acciones, en principio, supone el ejercicio de varias pretensiones por un mismo demandante contra un demandado común y en una única demanda –arts. 25.1 y 25.3 LRJS–. Así, todas las pretensiones se discutirán conjuntamente en el mismo procedimiento y se resolverán en la misma resolución que dará respuesta a todas las cuestiones planteadas –arts. 34 y 35 LRJS–.

5.–Esta situación puede producirse **por diferentes vías**:

5.1.- De entrada, la concurrencia de acciones normalmente derivará de la **voluntad del demandante,** quien podrá hacerlo antes de la celebración de los actos de conciliación y juicio, según dispone el art. 34.1 LRJS; además, se exige que las acciones puedan tramitarse en el mismo Juzgado o Tribunal –art. 25.1 LRJS–. El art. 25.4 LRJS contiene unas previsiones específicas para los casos en que se ventilen resarcimientos de daños y perjuicios derivados de accidente de trabajo y enfermedades profesionales.

5.2.–Con todo, en ocasiones, la acumulación surge al hilo de la actuación del demandado, en concreto, cuando este sujeto formula **reconvención**, algo que puede efectuar en el propio acto del juicio (art. 34 LRJS). Nuevamente, se exige que las acciones puedan tramitarse ante el mismo Juzgado o Tribunal. Por lo demás, para poder reconvenir en el acto del juicio se precisa haberlo anunciado con anterioridad en la conciliación previa al proceso o en la contestación a la reclamación administrativa previa en materia de prestaciones de Seguridad social o resolución que agote la vía administrativa previa –art. 85.3 LRJS–.

5.3.–Asimismo, la acumulación puede ser obra del **ejercicio simultáneo** de las acciones que uno o varios actores tengan contra uno o varios demandados, siempre que entre esas acciones exista un nexo por razón del título o causa de pedir, entendiéndose que concurre tal requisito cuando las acciones se funden en los mismos hechos –art. 25.3 LRJS–; esto es lo que se conoce como acumulación subjetiva de acciones.

5.4.–En fin, por último, el art. 25.6. LRJS prevé que el actor pueda acumular en su demanda las distintas pretensiones que tenga contra un mismo acto o resolución administrativa, así como los que se refieran a varios actos o resoluciones administrativas cuando exista entre ellos conexión directa.

2.1.2. Acciones no acumulables

6.–Ahora bien, no todas las acciones son susceptibles de ser acumuladas, según se deriva del art. 26 LRJS, donde se regulan una serie de **excepciones** a la acumulación, esto es, supuestos en los que la misma no procede.

6.1.–En **primer lugar**, el artículo 26.1 LRJS alude a una serie de acciones que no son susceptibles de ser acumuladas a ninguna otra, tratándose todas ellas de acciones que tienen prevista una modalidad procesal. Así, el precepto menciona las de despido y demás causas de extinción del contrato de trabajo, las de modificaciones sustanciales de condiciones de trabajo, las de disfrute de vacaciones, las de materia electoral, las de impugnación de los estatutos de los sindicatos o de su modificación, las de movilidad geográfica, las de derechos de conciliación de la vida personal, familiar y laboral a los que se refiere el art. 139 LRJS, las de impugnación de convenios colectivos, las de impugnación de sanciones impuestas por los empresarios a los trabajadores y las de tutela de derechos fundamentales y libertades públicas. Ahora bien, el propio art. 26 LRJS recoge una serie de matices a estas previsiones de conformidad con los cuales tales acciones no acumulables podrían serlo en las circunstancias y con el alcance previsto en la propia norma. Así sucede en los supuestos siguientes:

a) De entrada, en función de lo prevenido en el art. 26.2 LRJS, en cualquiera de los supuestos anteriores (que en principio no son acumulables a ningún otro) es posible reclamar la indemnización derivada de discriminación o lesión de derechos fundamentales conforme a los arts. 182, 183 y 184 LRJS.

b) Igualmente, hay que tomar en consideración la remisión que se efectúa en el propio precepto a lo dispuesto en los apartados 3 y 5 del art. 26, así como a los arts. 32.1 y 33, siempre de la LRJS.

– Así, el art. 26.3.I y el art. 32 LRJS se refieren a la acumulación de la acción de despido con la de extinción del contrato por la vía del artículo 50 ET, pues se trata de acciones que están estrechamente vinculadas.

– Por su parte, el art. 26.3.I LRJS también permite que cuando la acción de extinción del contrato de trabajo ejercitada por el trabajador por la vía del art. 50 ET derive del impago del salario, los salarios pendientes se pueden reclamar en el mismo proceso en que se persigue la extinción.

– Asimismo, el art. 26.3.II LRJS permite que se pueda acumular a la acción de despido la reclamación de la liquidación de las cantidades adeudadas hasta esa fecha conforme al art. 49.2 ET, si bien con ciertos matices para los casos en que la complejidad de los conceptos reclamados pueda generar demoras excesivas en el proceso por despido.

– Por su parte, en relación con los TRADE, el art. 26.5 LRJS prevé una regla específica para aquellos casos en los que la naturaleza de la relación sea controvertida (si es un verdadero TRADE o, en realidad, un trabajador por cuenta ajena) y se esté atacando una decisión extintiva u otro tipo de decisiones, a efectos de poder plantear conjuntamente (de forma subsidiaria) la acción que le corresponda como TRADE o, en su caso, como trabajador por cuenta ajena o viceversa.

– En fin, el artículo 33 LRJS se refiere a la acumulación de recursos que tengan un mismo objeto.

c) Las excepciones presentes en el art. 26 LRJS no se agotan en lo anterior. En efecto, el art. 26.4 LRJS permite acumular a la reclamación de clasificación profesional por realización de trabajos de categoría o grupo profesional superior la reclamación de las diferencias retributivas derivadas.

6.2.–En **segundo lugar**, el artículo 26.6 LRJS señala que no son acumulables entre sí las reclamaciones en materia de Seguridad Social, salvo cuando tengan una misma causa de pedir, en cuyo caso sí que resultarían acumulables (por ejemplo, cuando se reclama de manera conjunta una pensión de viudedad y otra de orfandad derivadas de un mismo hecho causante) o se alegue vulneración de derechos fundamentales.

7.–En el caso de que se hubiera procedido a una **acumulación indebida**, la propia LRJS establece las consecuencias derivadas en su art. 27.

7.1.–En principio, como regla general, el letrado de la administración de justicia requerirá al demandante para que, en el plazo de cuatro días, subsane el defecto y decida la acción a mantener. A partir de ahí, pueden suceder dos cosas: que el demandante subsane, esto es, que decida la acción a ejercitar; la segunda, que no subsane, en cuyo caso se dará cuenta al Juez o Tribunal para que éste, en su caso, decida el archivo de la demanda.

7.2.–Ahora bien, junto a esta regla general que abre las puertas de la subsanación y, en su caso, puede finalizar en el archivo de la demanda, la LRJS proporciona una serie de soluciones diversas en determinados casos.

a) Por un lado, si la acumulación indebida afectase a una acción sujeta a plazo de caducidad (despido, movilidad geográfica, modificación sustancial, etc.), la solución es un tanto diferente: el silencio del demandante no determina el archivo de las actuaciones, sino que se sigue el procedimiento correspondiente a la acción sometida a dicho plazo y se tiene por no formulada la otra, eso sí, se advierte al demandante sobre la posibilidad de ejercitar esa otra/-s acción/-es por separado (art. 27.2 LRJS).

b) Por otro lado, si las acciones indebidamente acumuladas estuvieran todas sujetas a plazo de caducidad, el art. 27.3 LRJS obliga a distinguir dos posibilidades distintas:

– Así, con carácter general, el silencio del demandante determinará que se siga la tramitación del juicio de la primera de las pretensiones ejercitadas en el suplico de la demanda.

– No obstante, si una de ellas fuera la acción por despido, el régimen vuelve a variar, pues el silencio del demandante supondrá en este caso que se dé prioridad a la acción por despido y que las restantes se tengan por no formuladas, sin perjuicio de su ejercicio separado.

2.2. La acumulación de procesos

8.–La acumulación de procesos parte de la existencia de varios procesos iniciados de forma separada contra un mismo sujeto, que se encuentran pendientes de resolución y que acaban convergiendo en un solo procedimiento, de manera que las pretensiones que constituyen su objeto van a ser examinadas de forma conjunta.

8.1.–En principio, en función de lo dispuesto en los arts. 28 y 29 LRJS para acordar la acumulación de procesos se exige la concurrencia de los siguientes requisitos:

– una pluralidad de demandantes.

– una identidad de demandado/-s.

– una identidad de acciones.

– una pendencia de los procesos en un mismo juzgado o sala, o en juzgados distintos de la misma circunscripción –en este caso, la petición se formulará ante el órgano que conociese de la demanda que hubiese tenido entrada antes en el Registro–.

8.2.–Ahora bien, el art. 30.1 LRJS permite que se acuerde la acumulación de procesos pendientes en un mismo o distinto Juzgado o Tribunal cuando entre los objetos de los procesos exista tal conexión que, de seguirse por separado, pudieran dictarse sentencias con pronunciamientos o fundamentos contradictorios, incompatibles o mutuamente excluyentes; asimismo, el art. 30.2 LRJS también relaja los requisitos generales en las causas sobre accidentes de trabajo y el art. 28.2 LRJS hace lo propio en pleitos sobre prestaciones o sobre impugnación de actos administrativos.

9.–La decisión de acumular se adopta por el órgano jurisdiccional de oficio o a instancia de parte, eso sí, siempre de manera necesaria antes de los actos de conciliación y juicio –arts. 28, 29 y 34 LRJS–.

9.1.–A tal efecto, el letrado de la administración de justicia da traslado o audiencia a todos los que sean parte en los procesos que vayan a ser acumulados a fin de que puedan formular las alegaciones que estimen pertinentes; a partir de ahí, en la medida en que concurran los requisitos legales, el Juez o Tribunal decidirá la acumulación mediante auto.

9.2.–Los términos empleados por la LRJS (*"se acordará…"*; *"también se acordará…"*; *"se acordará también…"*) en estos preceptos (arts. 28, 29 y 30 LRJS) inducen a pensar que el órgano jurisdiccional carece de libertad para adoptar la decisión de acumular, sino que viene obligado en la medida en que concurran los requisitos legales. No obstante, el carácter voluntario se podría seguir manteniendo si se tiene en cuenta que el art. 34.2 LRJS permite dejar sin efecto la acumulación de procesos si concurren causas justificativas (Alfonso, 2015, 172); con todo, hay una serie de casos en los que la obligatoriedad no presenta dudas.

– En este sentido, en primer lugar, hay que mencionar los procedimientos incoados de oficio por la autoridad laboral, a los que, según el art. 31 LRJS, se acumularán las demandas individuales en las que concurran identidad de personas y de causa de pedir respecto de la demanda de oficio, aunque pendan en distintos juzgados de la misma circunscripción.

– Un segundo supuesto está relacionado con el ejercicio de la extinción fundada en el art. 50 ET por parte del trabajador y de la acción de despido. En estos casos se pretende evitar actuaciones espurias que persigan, a través del ejercicio de la acción resolutoria, la elusión de las consecuencias de un despido que se presume inminente o la búsqueda de la enervación de tal acción mediante la imposición de un despido.

– En fin, la acumulación también parece obligada en el caso regulado en el art. 30.1 LRJS (cuando entre los objetos de los procesos cuya acumulación se pretende exista tal conexión que, de seguirse por separado, pudieran dictarse sentencias con pronunciamientos o fundamentos contradictorios, incompatibles o mutuamente excluyentes), en el art. 30.2 LRJS (procesos que tengan su origen en un mismo accidente de trabajo o enfermedad profesional en los que concurran ciertos requisitos) o en el art. 32.3 LRJS (demandas de impugnación de un acto administrativo que afecten a una pluralidad de destinatarios).

3. El proceso ordinario

10.–Una vez determinada la acción que se va a ejercitar, puede suceder que ese tipo de pretensiones tenga previsto en la LRJS un procedimiento específico o, por el contrario, carezca de tal cauce especial. Pues bien, en este último caso, la tramitación a seguir será la del procedimiento ordinario, regulado en los arts. 80 y ss. LRJS, ya que a través del mismo se puede dar curso a cualquier demanda que no tenga fijada una modalidad específica.

3.1. El inicio del proceso ordinario

3.1.1. La demanda

11.–El proceso ordinario se pone en marcha mediante la interposición de la correspondiente demanda.

11.1.–La demanda es un acto de parte en el que se expone la pretensión del actor y los hechos en que se funda la misma, algo que se acabará de perfilar a través de las alegaciones y las conclusiones que se efectúen en el momento del juicio, aunque en tales momentos, como veremos más adelante, no cabrá introducir variaciones sustanciales. A su vez, debe recordarse que en la demanda no pueden aducirse hechos distintos a los señalados en los actos previos, salvo que hubiesen acontecido con posterioridad o no hubiese sido posible conocerlos antes.

11.2.–Por otra parte, debe señalarse que se trata de un acto escrito –a pesar de que el proceso ulterior sea oral–, cuyo contenido, formalidades y documentos anejos detalla el art. 80 LRJS, pudiéndose utilizar los formularios y procedimientos facilitados al efecto en la oficina judicial donde deba presentarse, según indica el mismo precepto.

A) El contenido de la demanda

12.–El contenido de la demanda aparece regulado en el artículo 80 LRJS, donde se recogen las **menciones básicas** que debe contener todo acto de este tipo:

12.1.–En **primer lugar**, la designación del órgano judicial al que se dirige, así como la expresión de la modalidad procesal a través de la cual entienda que debe tramitarse la pretensión.

– Esta designación normalmente se efectúa en el encabezamiento del escrito y se determina aplicando las reglas de competencia analizadas en lección primera.

– La designación, en este momento, tiene un carácter genérico –p.e., a los Juzgados de lo social de Sevilla–, pues no se sabe todavía a qué juzgado concreto de los de Sevilla le corresponderá la tramitación, ya que ésa es una cuestión que se determina mediante las reglas de reparto.

12.2.–En **segundo lugar**, la identificación de las partes.

– Por un lado, el demandante, en los términos del art. 16 LRJS y con expresión del número de documento nacional de identidad o del número y tipo de documento de identificación en el caso de ciudadanos extranjeros.

– Por otro, los demás interesados, con menciones distintas según se trate de personas físicas, jurídicas o grupos sin personalidad; igualmente se incluirá el domicilio de los mismos. A estos efectos resulta de gran utilidad la medida del art. 76 LRJS.

12.3.–En **tercer lugar**, los hechos.

– Los hechos, que deben aparecer enumerados de forma clara y concreta, en la medida que guarden relación con la pretensión o resulten imprescindibles para resolver la cuestión planteada. Al respecto debe subrayarse una vez más que de conformidad con el art. 80.1.c) LRJS no pueden aportarse hechos distintos a los aducidos en los actos previos, salvo que se trate de hechos nuevos o que no hubieran podido conocerse con anterioridad.

– La LRJS no exige que se aporten fundamentos de derecho, algo coherente con el carácter facultativo que tiene en el proceso laboral la defensa por abogado o la representación técnica por graduado social colegiado. En todo caso, aun no siendo necesarios, los fundamentos de derecho pueden resultar convenientes, sobre todo, cuando se pretende convencer al órgano jurisdiccional de la aplicación de un precepto para resolver el pleito cuya aplicabilidad o interpretación pueda resultar controvertida.

12.4.–**En cuarto lugar**, la súplica o petición que se dirige al órgano jurisdiccional.

– Esta petición, al igual que sucede con los hechos, debe coincidir con la planteada en los actos previos, sin que quepa introducir variaciones.

– Asimismo, ha de tratarse de una petición clara, precisa y concreta.

12.5.–En **quinto lugar**, en el caso de que el demandante litigue por sí mismo, señalará un domicilio en los términos previstos en el propio precepto, de ser posible en la localidad del juzgado o tribunal, a efectos de que allí se practiquen todas las diligencias que hayan de entenderse con él; en caso de que litigue por representante, en principio, será el de dicho sujeto.

12.6.–En sexto **lugar**, la fecha y firma.

12.7.–En fin, es posible que se efectúen peticiones accesorias o adicionales, que tradicionalmente se introducen en el escrito mediante la fórmula del OTROSÍ DIGO.

B) Los documentos anejos

13.–La demanda debe ir acompañada de una serie de documentos anejos. Ahora bien, en este momento sólo se precisa presentar ciertos documentos de carácter procesal, ya que los de carácter material podrán ser aportados en el acto del juicio:

13.1.–De entrada, habrá que aportar los referidos a la capacidad y legitimación que se ostenta.

13.2.–Asimismo, si se comparece por medio de representante, debe aportarse el poder, la certificación del letrado de la administración de justicia o, en el caso de que ello sea posible, la del SMAC u órgano equivalente – así sucede en el supuesto previsto en el art. 19 LRJS–; si actúa el sindicato, según el art. 20 LRJS, éste deberá acreditar la condición de afiliado del trabajador y la comunicación que le ha efectuado.

13.3.–En fin, del mismo modo resulta necesario aportar la acreditación de haber dado cumplimiento al intento de conciliación o mediación extraprocesal o, en su caso, a la reclamación administrativa previa.

3.1.2. La presentación y el examen de la demanda

14.–La demanda, con las copias señaladas en el artículo 80.2 LRJS, se presenta ante el órgano jurisdiccional correspondiente; en dicha sede, y dentro de los tres días siguientes a la recepción, se efectúa un análisis de la demanda centrado en dos aspectos:

14.1.–Por un lado, debe comprobarse que el asunto es de la competencia genérica, objetiva, funcional y territorial del órgano; en caso negativo, el art. 5.1 LRJS dispone que, tras oír a las partes, se dictará un auto de inadmisión en el que, además, se señalará a qué órgano deben dirigirse las partes.

14.2.–A partir de ahí, caso de no considerarse incompetente, debe llevarse a cabo un examen sobre la corrección formal de la demanda y de la documentación que la acompaña, lo que puede conducir a diferentes situaciones (Alfonso, 2015, 165):

a) En primer lugar, si no se aprecia ningún defecto en la formulación de la demanda, ésta será admitida a trámite y el proceso continuará adelante; esta actuación corresponde al letrado de la administración de justicia mediante decreto (art. 206 LEC), en el que, según se deduce del art. 82.1 LRJS, se procede a señalar la fecha del acto de conciliación y juicio.

b) Por el contrario, según el art. 81 LRJS, si el letrado de la administración de justicia entiende que la demanda presenta algún defecto, alguna omisión o que no se ha dado cumplimiento a la conciliación obligatoria, debe ordenar la subsanación del defecto:

– En primer lugar (arts. 81.1 y 81.2 LRJS), se prevé la concesión al demandante de un plazo de cuatro días para la subsanación de defectos u omisiones en el modo de redactar la demanda en relación con los presupuestos procesales necesarios que pudieran impedir el desarrollo válido y adecuado del proceso, así como en relación con los documentos cuya presentación resulta preceptiva: si no se subsana, el letrado de la administración de justicia da cuenta al Tribunal para que por el mismo se resuelva sobre la admisión; si se subsana, estaremos en el supuesto anterior (en el plazo de tres días dictará el correspondiente decreto de admisión y señalamiento).

– En segundo lugar, tratándose de la conciliación obligatoria, el art. 81.3 LRJS prevé la concesión de un plazo de quince días para la subsanación: transcurrido el plazo sin subsanar el letrado de la administración de justicia da cuenta al Tribunal para que por el mismo se resuelva sobre la admisión; si se subsana, se sigue adelante por el sistema ya conocido (decreto de admisión). Aunque el precepto se refiere literalmente a la acreditación de su celebración, se emplea también para subsanar la omisión.

– En fin, por lo que respecta a la reclamación administrativa previa en materia de Seguridad Social, se aplica el art. 140 LRJS, que establece un control de oficio de corte similar, con un plazo más reducido (cuatro días).

3.1.3. La admisión, el señalamiento y la citación para la conciliación y juicio

15.–El examen anterior puede haber determinado la admisión de la demanda, en la medida en que no presente defectos o éstos hayan sido subsanados; ello, en principio, corresponde al letrado de la administración de justicia mediante el oportuno decreto. En tales casos, el art. 82.1 LRJS dispone que dicho sujeto, en la misma resolución de admisión a trámite, señalará el día y la hora en que han de celebrarse los actos de conciliación y juicio, debiendo mediar con carácter general un mínimo de 10 días entre la citación y la efectiva celebración de los actos, aunque en algunos casos el plazo pueda ser distinto, como advierte el propio precepto (vid. art. 82.1 LRJS).

16.–Una vez señalado el día y la hora para la celebración de los actos de conciliación y juicio, se procederá a notificarlo a los demandados, a los demás interesados – así, p.e., el FOGASA– y, en su caso, Ministerio Fiscal. Asimismo, a cada uno se les remite una copia de la demanda y demás documentos presentados por el demandante –para ello se han presentado las copias que exige el art. 80.2 LRJS.

16.1.–La cédula de citación, de conformidad con el art. 82.3 LRJS, indicará, por un lado, que los actos de conciliación y juicio no pueden suspenderse por incomparecencia del demandado; por otro, que las partes deben comparecer con los mecanismos de prueba que pretendan utilizar; finalmente, recordará las diferentes vías a través de las cuales las partes podrían alcanzar una solución pactada previa al juicio.

16.2.–La falta de citación o la notificación defectuosa puede determinar la nulidad de actuaciones en la medida en que genere indefensión en los términos analizados en la lección tercera.

3.2. El desarrollo del proceso ordinario: los actos de conciliación y juicio oral

3.2.1. La suspensión y la incomparecencia a los actos de conciliación y juicio

17.–La convocatoria para los actos de conciliación (ante el letrado de la administración de justicia) y juicio (ante el juez o magistrado), como regla general, es única, pero sucesiva. La LRJS, tratando de dar cumplimiento a los principios de celeridad y concentración, persigue que se realicen conjuntamente y en la fecha señalada.

18.–En este sentido, debe destacarse como las posibilidades para conseguir la **suspensión** de tales actos son ciertamente limitadas. En efecto, al margen de la posibilidad prevista en el art. 82.3 LRJS (suspensión durante un máximo de quince días por sometimiento de la cuestión a una mediación y siempre que las partes soliciten dicho efecto de común acuerdo), el art. 83 LRJS prevé la suspensión de forma muy restringida cuya interpretación debe colmarse acudiendo a los arts. 183 y 188 LEC.

18.1.–Por un lado, prevé una primera suspensión del acto por acuerdo de las partes o concurrencia de motivos justificados acreditados ante el letrado de la administración de justicia.

18.2.–Por otro, excepcionalmente, permite una segunda suspensión si concurren circunstancias trascendentes probadas.

18.3.–En fin, por lo demás, este precepto trata de resolver también los problemas que se pueden derivar de los casos de coincidencia de señalamientos

19.–Una vez efectuado el señalamiento para los actos de conciliación y juicio y notificado el mismo a las partes, llegado el día señalado, a no ser que concurra alguna de las causas tasadas del art. 83 LRJS, las partes deberán comparecer ante el órgano jurisdiccional. Ahora bien, puede suceder que las mismas no comparezcan y, en tal caso, habrá que determinar las consecuencias de su actuación.

19.1.–En primer lugar, según el art. 83.2 LRJS, cuando el actor (demandante) citado en forma no comparece y no alega justa causa que lo justifique, se le tiene por desistido de su demanda y se archivan las actuaciones.

19.2.–En segundo lugar, si el sujeto que no comparece es el demandado, el art. 83.3 LRJS señala que dicha incomparecencia no impedirá la celebración del juicio, el cual continuará sin necesidad de declarar su rebeldía; por otra parte, este comportamiento puede provocar otras consecuencias adicionales.

– Por un lado, es un caso típico para solicitar el embargo preventivo de sus bienes, algo que prevé expresamente el art. 185.2 LRJS.

– Por otro lado, si se hubiera solicitado su intervención en el interrogatorio de parte, podrá ser tenido por confeso (art. 91.2 LRJS).

– En fin, en el futuro, si resulta que la incomparecencia deriva de una citación defectuosa, o por circunstancias excepcionales ajenas a su voluntad, podrá interponer el recurso de audiencia al demandado rebelde (art. 185 LRJS).

19.3.–En tercer lugar, si no comparece ninguna de las partes, aunque la ley no señale nada, las consecuencias son las del art. 83.2 LRJS.

19.4.–Finalmente, si comparecen ambas partes, se desarrollará el acto de conciliación y juicio, que tienen un carácter oral.

3.2.2. La conciliación judicial

20.–El órgano judicial emitió en su momento una resolución señalando una fecha para los actos de conciliación y juicio, los cuales se desarrollan en única, pero sucesiva, convocatoria, salvo que el resultado del primer acto haga innecesario el segundo. Y es que, según se deriva del art. 84 LRJS, la conciliación consiste en una comparecencia de las partes ante el letrado de la administración de justicia en la que dicho sujeto, llevando a cabo la labor mediadora que le es propia y advirtiendo a las partes de los derechos u obligaciones que pudieran corresponderles, tratará de conseguir que las mismas alcancen un acuerdo que haga innecesario el pleito. El resultado de dicho intento conciliador puede ser variado: cabe que se alcance una avenencia o que no.

A) Avenencia

21.–Por un lado, es posible que las partes alcancen un acuerdo, el cual será objeto de documentación en el acta correspondiente; en tal caso, el letrado de la administración de justicia dicta un decreto aprobando la avenencia y acordando el archivo de las actuaciones. Los principales **rasgos del acuerdo** en cuestión son los siguientes:

21.1.–En primer lugar, cabe señalar que el letrado de la administración de justicia desarrolla una importante labor fiscalizadora sobre el contenido del acuerdo. En este sentido, de acuerdo con el art. 84.2 LRJS, si estimase que el pacto resulta lesivo, fraudulento o abusivo, no lo aprobará y ordenará la continuación del pleito.

21.2.–En segundo lugar, junto al control que despliega el letrado de la administración de justicia, debe tenerse en cuenta que, en todo caso, el acuerdo es susceptible de ser impugnado en los términos previstos en el art. 84.6 LRJS.

21.3.–En tercer lugar, interesa destacar que el acuerdo es susceptible de ser ejecutado como si de una sentencia se tratase, según dispone el art. 84.5 LRJS. Así pues, prácticamente equivale a una sentencia, incluso a efectos de protección del FOGASA, respondiendo el órgano de garantía tanto de los salarios pendientes como de las indemnizaciones impagadas, eso sí, dentro de los límites cuantitativos del art. 33 ET. Esta es una diferencia importante respecto los acuerdos alcanzados en la conciliación preprocesal.

B) Sin avenencia

22.–Por otra parte, puede suceder también que las partes no alcancen ningún acuerdo en esta sede –o que éste sea parcial–.

22.1.–El art. 85.1 LRJS ordena, en estos casos, que se pase seguidamente a juicio, dando el letrado de la administración de justicia cuenta de todo lo actuado.

22.2.–El hecho de no haber alcanzado en este momento un acuerdo, según el art. 84.3 LRJS, no obsta a que en cualquier momento del litigio las partes puedan poner fin al mismo y suscribir un acuerdo, siempre que ello tenga lugar antes de dictarse sentencia (vid., p.e., el art. 85.8 LRJS). Ahora bien, la aprobación de este acuerdo correspondería al Juez o Tribunal y sólo cabría una nueva intervención del letrado de la administración de justicia aprobando un acuerdo si el acto del juicio se llegase a suspender por cualquier causa.

3.2.3. La apertura del juicio oral y el desarrollo del mismo

23.–La finalización del acto de conciliación ante el letrado de la administración de justicia sin alcanzar ningún acuerdo determina que, sin solución de continuidad, se proceda a abrir el juicio oral, el cual atraviesa diversas fases.

A) Dación de cuentas y resolución de cuestiones previas

24.–Con carácter preliminar al núcleo del proceso (alegaciones, prueba y conclusiones) se llevan a cabo una serie de actuaciones de distinto calado.

24.1.–En primer lugar, según prevé el art. 85.1 LRJS, el letrado de la administración de justicia dará cuenta de lo actuado hasta ese momento. La dación de cuentas consiste simplemente en ofrecer una exposición resumida de lo acontecido hasta ese momento: escritos que se han presentado, contenido de los mismos, planteamiento de la demanda, etc.

24.2.–Por otro lado, la LRJS actualmente prevé que se proceda en este momento a resolver una serie de cuestiones:

a) En este sentido, por un lado, se alude a las cuestiones previas que se puedan formular en el acto del juicio, así como a los recursos u otras incidencias pendientes de resolución. Pues bien, estas cuestiones se deben resolver en esta fase inicial y debe hacerse, motivadamente, en forma oral y oídas las partes, sin perjuicio de que posteriormente ello se fundamente sucintamente en la sentencia, cuando proceda.

b) Por otro lado, el precepto también prevé que se resuelvan las cuestiones que el juez o tribunal pueda plantear en ese momento sobre su competencia, sobre presupuestos de la demanda o el alcance y límites de la pretensión. Nuevamente, también en este caso, la resolución se efectúa de forma oral, motivadamente y con audiencia a las partes; por otra parte, el precepto añade que se respeten las garantías procesales y no se prejuzgue el fondo del asunto.

B) Alegaciones

25.–El juicio continuará con la exposición de las **alegaciones de las partes**. El Juez concede a las partes la palabra para que procedan a alegar cuanto a su derecho convenga. Habida cuenta del principio de oralidad, las alegaciones se desarrollan verbalmente, aunque el art. 85.6 LRJS permite que las partes puedan aportar unas notas breves de cálculo o resumen de datos numéricos. A pesar de ello, no es infrecuente que las partes recurran a las llamadas *instructa*, escritos preparados como soporte de la intervención oral que las partes intentan que se incorporen a las actuaciones para que el órgano judicial las recuerde o tenga a su alcance datos complementarios –p.e., referencias de sentencias–. A pesar de que la jurisprudencia ha entendido que se trata de una "viciosa práctica" que debe ser evitada, lo cierto es que, en ocasiones, el propio órgano habilita el medio para su incorporación al expediente; en todo caso, la presencia de la *instructa* no implica nulidad de actuaciones salvo que se hubiera producido indefensión a la contraparte.

a) Alegaciones del demandante

26.–En primer lugar, según se desprende del art. 85.1.III LRJS, se concede el turno al demandante –en otros procedimientos este orden de intervención se ve alterado y actúa en primer lugar el demandado–.

26.1.–El demandante puede, básicamente, hacer dos cosas: por un lado, ratificar la demanda; por otro lado, ampliarla sin introducir alteraciones sustanciales en la misma, siendo ésta una diferencia que resulta compleja trazar y donde la frontera debe fijarse en que las ampliaciones no provoquen indefensión a la otra parte.

26.2.–Por otra parte, aunque no aparezca señalado expresamente en el art. 85.1.III LRJS también resultaría posible proceder a una reducción de las peticiones inicialmente efectuadas o, incluso, desistir de la demanda.

b) Alegaciones del demandado

27.–Una vez razonadas las alegaciones del demandante, corresponde el turno al demandado, quien, según el art. 85.2 y 3 LRJS, caso de no allanarse, básicamente podría seguir cualquiera de los tres comportamientos siguientes: afirmar o negar los hechos; formular excepciones; reconvenir.

27.1.–**En primer lugar**, podría afirmar o negar los hechos alegados en la demanda.

– En el primer caso, los hechos tendrán la consideración de no controvertidos y, por tanto, estarán exentos de prueba.

– En el segundo, los hechos carecerán de la consideración de no controvertidos y, en consecuencia, no estarán exentos de prueba.

– En fin, la LRJS no prevé nada en específico sobre la posibilidad de guardar silencio. Ahora bien, debe tenerse en cuenta que si el demandado ni afirma ni niega un hecho alegado por el demandante, el juez podría considerarlo como un hecho no controvertido y, por tanto, estaría exento de prueba (art. 405.2 LEC).

Por lo demás, en relación con lo anterior, téngase en cuenta que el art. 85.6 LRJS, con una clara finalidad garantista, señala que si no se suscitasen cuestiones procesales o si, suscitadas, se hubieran contestado, las partes o sus defensores con el Tribunal fijarán los hechos sobre los que exista conformidad o disconformidad de los litigantes; si fuera necesario, se dejará constancia en el acta, o mediante diligencia, de aquellos extremos esenciales sobre los que exista conformidad a efectos de un eventual ulterior recurso.

27.2.–**En segundo lugar,** la LRJS recoge la posibilidad de que el demandado formule excepciones, que pueden ser tanto procesales –impedirán, caso de prosperar, al juez pronunciarse sobre el fondo del asunto– como materiales –las que afectan al fondo–.

– Las excepciones que se pueden ejercitar son muy variadas: incompetencia de la jurisdicción; falta de personalidad del actor o no acreditar el carácter o la representación con los que se reclama; falta de legitimación pasiva; litispendencia (el asunto está pendiente de solución ante otro órgano); defecto legal en el modo de proponer la demanda; incumplimiento de requisitos preprocesales; cosa juzgada (el asunto ya ha sido resuelto por un órgano judicial; o existe un acuerdo con idéntica eficacia); inadecuación del procedimiento; prescripción y caducidad; sumisión a arbitraje.

– Una vez alegada la excepción, se dará turno de contestación al demandante, abriendo un apartado de réplicas y dúplicas en tanto sea necesario a juicio del juez (art. 85.3 LRJS). Tras su formulación, el examen de las mismas se difiere hasta el momento final, existiendo un orden preestablecido en el art. 417 LEC para su solución (p.e, primero las de incompetencia, etc.).

27.3.–**En tercer lugar,** el artículo 85.3 LRJS regula la posibilidad de que el demandante pueda formular reconvención.

– La posibilidad de reconvenir exige del cumplimiento de una serie de requisitos: de entrada, que se haya anunciado en los actos previos, expresando los hechos en que se funda y la petición concreta; en segundo lugar, que se trate de acciones que entren en la esfera de competencias del órgano jurisdiccional; en tercer lugar, que la acción no exija de una modalidad procesal distinta y además sea acumulable; finalmente, que exista una conexión entre la pretensión y la que sea objeto de la demanda principal.

– Por otra parte, el art. 85.3.II LRJS solventa el problema relativo a trazar la frontera entre la compensación por deudas y la reconvención (la primera funciona como excepción y, por tanto, no requiere haber sido anunciada en los actos previos).

– En fin, una vez formulada la reconvención, al igual que sucede con las excepciones, se devuelve el turno de intervención al demandante.

c) Otras alegaciones

28.–Al margen de las alegaciones anteriores, hay que tener en cuenta unas cuestiones adicionales que afectan tanto al demandante como al demandado.

28.1.–La primera es la posibilidad de que se planteen cuestiones previas, incidentales y prejudiciales. Al respecto, debe indicarse que, con carácter general, no determinan la suspensión del procedimiento (con la excepción de las penales basadas en falsedad documental, cuando el documento en cuestión resulte imprescindible para la resolución del asunto) y son resueltas por el juez en la sentencia; por otra parte, en la actualidad, la mayor parte de estas cuestiones previas e incidentales se resuelven en esa "fase previa" que regula el art. 85.1 LRJS a la que antes se ha aludido.

28.2.–La segunda se refiere a la alegación de "afectación general", en la que se pone de relieve que el asunto, a pesar de tener una dimensión individual, podría alcanzar una vertiente colectiva –p.e., el trabajador que reclama un plus de peligrosidad por las condiciones a las que se haya expuesto–; ello es importante a efectos de un eventual acceso al recurso de suplicación, según el art. 191.3.b) LRJS.

C) La prueba

29.–Una vez finalizadas las alegaciones, y cuando las partes no se mostrasen de acuerdo sobre los hechos, pedirán el recibimiento del pleito a prueba. Esta fase se acomodará a lo dispuesto en los arts. 90 y ss. LRJS, que debe completarse con lo establecido en los arts. 281 y ss. LEC.

a) El objeto de la prueba y carga probatoria

30.–La actividad probatoria, en principio, se debe desplegar sobre los hechos controvertidos, según se desprende del art. 87.1 LRJS y del art. 281 LEC.

30.1.–Ello implica que, en primer lugar, respecto a los hechos no controvertidos, ya sea por admisión, ya por silencio, no se precisa desplegar dicha actividad, salvo que afectasen a materias no disponibles por los litigantes; asimismo, existen otros hechos que tampoco requieren de prueba:

– Los notorios (art. 281.4 LEC).

– Los inútiles e impertinentes (art. 87.1 LRJS).

– Los amparados por presunciones legales (art. 385 LEC) o los que sean objeto de presunción judicial (art. 386 LEC).

30.2.–En segundo lugar, los preceptos indicados "a contrario" y la aplicación del principio *iura novit curia* permiten entender que, el derecho tampoco requeriría de prueba; con todo, se trata de una regla general que conoce de excepciones:

– Los convenios colectivos no publicados en el BOE, con los matices que impuso en su día la STC 151/1994, de 23 de mayo, respecto los convenios publicados el DOCCAA.

– Los usos y costumbres (art. 281 LEC).

– El derecho extranjero (art. 281 LEC).

31.–La carga de demostrar los hechos o el derecho que requiere de prueba incumbe a la parte que lo alega, de conformidad con las reglas contenidas en el art. 217 LEC. Este principio se atenúa en ciertas circunstancias:

31.1.–En primer lugar, de modo particular, en los pleitos en los que se alega discriminación o atentado de cualquier derecho fundamental, según los arts. 96.1 y 181.2 LRJS. Y es que, en tales casos, aportado un indicio de discriminación o de la lesión del derecho fundamental, corresponde a la otra parte demostrar que su conducta fue objetiva y razonable. La alteración afecta sólo al carácter discriminatorio de la conducta o a la lesión del derecho fundamental, no a otros hechos alegados.

31.2.–El segundo matiz se produce en los pleitos sobre responsabilidades derivadas de accidentes de trabajo y enfermedades profesionales, donde corresponde a los deudores de seguridad y a los concurrentes en la producción del resultado lesivo probar la adopción de las medidas necesarias para prevenir o evitar el riesgo, así como cualquier factor excluyente o minorador de su responsabilidad (art. 96.2 LRJS).

31.3.–Por último, no pueden dejar de mencionarse aquellos casos en los que la normativa señala que la prueba corresponde a quien tenga mayores facilidades probatorias (art. 217.6 LEC).

b) El procedimiento probatorio

32.–La **apertura** del período probatorio exige que las partes hayan hecho saber al órgano jurisdiccional competente de su intención de valerse de los medios probatorios oportunos, algo que harán, en principio, al formular la demanda o, en su caso, en las propias alegaciones.

32.1.–Una vez solicitado el pleito a prueba, el órgano jurisdiccional generalmente lo concede, aunque cabría que lo denegase, por ejemplo, cuando se trate de medios inútiles –no contribuyen a esclarecer los hechos– o impertinentes –no guardan relación con el objeto del proceso– (art. 283 LEC).

32.2.–La decisión denegatoria no es susceptible de un recurso individualizado, fuera del que en su momento se pueda interponer contra la sentencia final, según prevé el art. 87.2 LRJS. En todo caso, para poder recurrir por este motivo, resulta preciso proceder a protestar en este momento contra la decisión del órgano jurisdiccional y dejar constancia en el acta de dicha protesta.

33.–Las partes deben efectuar la **propuesta** de los concretos medios de prueba de los que pretenden valerse.

33.1.–Las posibilidades de propuesta son variadas, según se desprende del art. 90 LRJS, incluyendo los medios de reproducción de la palabra, la imagen y el sonido o de archivo y reproducción de datos, siempre que en la obtención de cualquiera de ellos no se hayan violado derechos fundamentales, algo que determinaría la aplicación de las consecuencias recogidas en el art. 90.2 LRJS. Este precepto alude a que si se suscitase tal cuestión, se daría audiencia a las partes y se decidiría sobre la pertinencia de la prueba, siendo tal decisión recurrible en reposición, planteándose y resolviéndose la misma en el propio acto del juicio o comparecencia, quedando a salvo el derecho de las partes a volver a plantear la impugnación de la prueba ilícita en el recurso que, en su caso, procediera contra la sentencia que en su día se dicte. En todo caso, al hilo de la amplitud en la propuesta, hay que efectuar ciertos matices:

– Así, por un lado, hay medios que exigen del desplazamiento del órgano jurisdiccional fuera de su sede. Pues bien, según el art. 87.1 LRJS, éstos sólo se admiten cuando sean imprescindibles, pues requieren la suspensión del juicio para poder llevar a cabo su práctica, algo que entra en pugna con los principios inspiradores del proceso laboral, singularmente la concentración y celeridad.

– Por otro lado, según el art. 90.3 LRJS, aquellos medios probatorios cuya práctica necesite de citaciones o requerimientos, deben proponerse con una antelación suficiente –al menos cinco días antes del juicio oral– para que el juez pueda comunicarlo a los sujetos que deben intervenir y éstos estén presentes dicho día.

33.2.–El juez disfruta de una amplia libertad a la hora de aceptar o no un concreto medio probatorio, que genera las mismas consecuencias que la admisión del pleito a prueba: la decisión individualmente considerada no es atacable, obviamente, sin perjuicio del recurso que en su día quepa interponer contra la sentencia que se dicte; eso sí, para ello es necesario protestar y dejar constancia de la protesta en el acta. La única excepción a este régimen, según ya se ha indicado, se produce en los casos en que el rechazo del medio probatorio propuesto se funda en la eventual vulneración de derechos fundamentales, ya que en estos casos las consecuencias son las específicas que contempla el art. 90.2 LRJS.

34.–En cuanto a la **práctica de la prueba**, al margen de las previsiones particulares que puedan existir respecto de los concretos medios probatorios, deben tenerse en cuenta las siguientes reglas generales.

34.1.–En primer lugar, destacan las amplias facultades de control y dirección con que cuenta el juez, como evidencian las previsiones que a continuación se indican:

– El artículo 87.2 LRJS prevé que el órgano jurisdiccional pueda decidir la continuación de la práctica de una prueba, inicialmente solicitada por la parte y a la que ésta haya renunciado tras haberse concedido por el juez, incluso una vez iniciada su práctica.

– El art. 87.3 LRJS prevé que el juez, asimismo, puede interrogar a los testigos, a las partes o a los peritos que hayan sido llamados al proceso.

– El art. 92.1 LRJS permite al juez limitar el número de testigos, cuando lo considere innecesario, bien sea por la reiteración dada en sus testimonios o por el carácter suficientemente esclarecido de los hechos.

– En fin, los arts. 93.2 y 95 LRJS proporcionan ejemplos adicionales sobre estos poderes en cuanto permiten al órgano jurisdiccional requerir la intervención de un médico forense o la realización de ciertas pruebas de informes.

34.2.–Una segunda regla general a destacar es la relativa a la necesidad de que la práctica probatoria se realice, en la medida de lo posible, en el propio acto del juicio y con predominio de la oralidad.

c) Los medios probatorios

35.–Por lo que respecta a los particulares medios probatorios, ya se ha señalado cómo el art. 90 LRJS permite la utilización de cualquiera de los medios previstos en las leyes.

36.–En primer lugar, pues, hay que hacer referencia a la prueba de **INTE-RROGATORIO DE PARTE**, regulada en los arts. 91 LRJS y 301 y ss. LEC y que consiste en el planteamiento de unas cuestiones que la parte requerida debe contestar.

36.1.–Únicamente podrán ser requeridas a ello las partes, siempre a petición verbal del oponente, debiendo contestar a las preguntas que se le formulen.

– Si es una persona física, en principio, lo hace por sí misma, si bien el art. 91.4 LRJS permite la posibilidad de que se efectúe a través de un tercero, siendo para ello necesarias tres cosas: por un lado, que la declaración verse sobre hechos presenciados y no personales de la parte; por otro, el consentimiento y la asunción de responsabilidad por esta última; finalmente, que el tercero se encuentre a disposición del órgano jurisdiccional en ese momento.

– Si se tratase de una persona jurídica o de un grupo sin personalidad, se realizará a través de la persona que ostente la representación y tenga facultades para responder. Ahora bien, si dicho sujeto no hubiese intervenido en los hechos, deberá aportar a juicio a la persona conocedora directa de los mismos. Al respecto, téngase en cuenta la posibilidad que tiene cualquiera de los interesados de proponer a la persona que estimen adecuada para ser sometida a interrogatorio siempre que lo justifiquen.

– En el caso de las administraciones públicas, el interrogatorio presenta unas particularidades adicionales, estándose, al respecto, a las previsiones recogidas en el art. 315 LEC. Ello implica, entre otras cosas, que se efectúa por escrito.

36.2.–Otras cuestiones a tener en cuenta son las siguientes:

– Por un lado, no hay pliegos de preguntas, sino que las posiciones se proponen de modo verbal, siendo el interrogatorio oral y libre –a excepción del caso de las AA.PP., como se ha ya señalado– (arts. 91.1 y 91.6 LRJS).

– En el caso de que la parte llamada al interrogatorio no compareciese, rehusara a contestar o persistiera en no responder afirmativa o negativamente, el juez podrá tener por ciertos los hechos a que se refieran las preguntas en aquello que le perjudiquen (es lo que se conoce como *ficta confessio*); por otra parte, incluso, cabría imponerle una multa (art. 91.2 LRJS).

37.–En segundo lugar, hay que mencionar la prueba de **INTERROGARIO DE TESTIGOS**, regulada en los arts. 92 LRJS y 360 y ss. LRJS. Este medio de prueba consiste en la declaración de personas que tuvieran conocimiento de los hechos controvertidos a través de los sentidos.

37.1.–Las preguntas se formulan y contestan oralmente, salvo en el caso de que se lleve a cabo el interrogatorio por vía del exhorto (cfr. arts. 275 LOPJ y 169.4 LEC).

37.2. El procedimiento de tacha de testigos previsto en el art. 377 LEC, dirigido a evitar que participen quienes carecen de la objetividad necesaria, no resulta de aplicación en el proceso laboral, aunque las partes, en conclusiones, podrán manifestar lo que tengan por conveniente. Ahora bien, el art. 92.3 LRJS fija una serie de límites y cautelas que afectan a los casos en que intervengan como testigos personas con un interés de tipo objetivo o subjetivo en la causa.

38.–En tercer lugar, se encuentra la prueba **PERICIAL**, regulada en los artículos 93 LRJS y 335 y ss. LEC. Esta prueba recae sobre conocimientos técnicos, científicos, artísticos o prácticos.

38.1.–Los peritos aportan un informe, escrito o verbal, sobre el punto que se les haya sometido a su consideración, ratificando su dictamen en el juicio. La ratificación no es necesaria cuando los informes obren en expedientes o documentación administrativa cuya aportación al proceso sea preceptiva de conformidad con la modalidad procesal de que se trate.

38.2.–En el proceso laboral, en principio, cada parte designa a sus peritos, a no ser que se trate de beneficiarios de la justicia gratuita, caso en el que se designan por el órgano jurisdiccional.

39.–Una variante de la prueba pericial es la prueba de **ASESORES**, a la que se refiere el art. 95 LRJS.

39.1.–Así, con carácter general, el apartado primero prevé la posibilidad de que el órgano jurisdiccional recabe los informes que estime pertinentes. Al respecto, resulta habitual requerir informes de la Inspección de Trabajo, p.e., en decisiones organizativas o en despidos.

39.2.–Por otra parte, el precepto en cuestión prevé otros supuestos más específicos:

– en el caso de dudas interpretativas sobre un convenio colectivo, solicitud de informe a la Comisión Negociadora;

– en el caso de conflictos por discriminación por razón de sexo, origen racial o étnico, religión o convicciones, discapacidad, edad o acoso, el informe del organismo público competente;

– en materia de accidentes de trabajo y enfermedades profesionales, de la Inspección de Trabajo, de los organismos públicos competentes, o de las entidades e instituciones legalmente habilitadas al efecto.

40.–En quinto lugar, debe mencionarse la prueba **DOCUMENTAL**, regulada en los arts. 94 LRJS y 317 y ss. LEC.

40.1.–Los documentos pueden ser públicos –las resoluciones y diligencias de actuaciones judiciales, los autorizados por notario, los intervenidos por corredor de comercio y todos los recogidos en el art. 317 LEC– o privados.

40.2.–La LRJS permite solicitar al oponente la presentación de aquellos documentos que obren en su poder. La negativa a presentarlos puede determinar que el juez tenga por demostrada la alegación de la otra parte cuya prueba requería de la presentación del documento en cuestión (arts. 94.2 LRJS).

41.–En sexto lugar, hay que mencionar el **RECONOCIMIENTO JUDICIAL**, regulado en el art. 87.1 LRJS y que afecta a bienes inmuebles o muebles de difícil traslado a la sede del órgano. La admisión de esta prueba es restrictiva por cuanto supone una suspensión del procedimiento para poder efectuar la inspección correspondiente.

d) La valoración de la prueba

42.–El órgano judicial valorará las pruebas practicadas ante sí conforme a las reglas de la sana crítica, apareciendo su juicio reflejado en la declaración de hechos probados recogida en la sentencia en la que se aparecerá el razonamiento que le ha conducido a una determinada convicción (art. 97.2 LRJS).

D) Conclusiones

43.–Una vez finalizada la fase probatoria, las partes formularán sus conclusiones, a las cuales se refieren el art. 87.4 LRJS.

43.1.–Las conclusiones vienen a ser una especie de resumen de todo lo afirmado con anterioridad, donde se deja constancia nuevamente de los hechos, dándolos por probados y se reitera la petición que se dirige al órgano jurisdiccional. Tras este trámite el juicio queda, en principio, visto para sentencia.

43.2.–Ahora bien, el art. 87.6 LRJS permite en ciertos casos presentar conclusiones complementarias por escrito sobre las cuestiones que se les indique, preferiblemente por vía telemática.

a) La posibilidad aparece prevista para aquellos casos en que las pruebas periciales o documentales resulten especialmente voluminosas o complejas; las pruebas deben estar a disposición de las partes en la oficina judicial.

b) Se concederá plazo común de tres días para formular las conclusiones escritas, comenzando después el plazo para dictar sentencia.

E) El "acta" del juicio

44.–El desarrollo del juicio quedaba en el pasado reflejado en el acta que iba extendiendo el letrado de la administración de justicia. Ahora bien, en la actualidad, el desarrollo del pleito se registra con carácter general en soporte apto para la grabación y reproducción de la imagen y del sonido, según indica el art. 89.1 LRJS. Esta previsión no implica que las actas hayan desaparecido totalmente.

44.1.–En efecto, en principio, el acta ya no resulta necesaria cuando se hayan empleado estos medios y además se pueda garantizar la autenticidad e integridad de lo grabado o reproducido mediante sistemas que conforme a la ley ofrezcan tales garantías, como la firma electrónica; en tal caso, ni siquiera se requiere la presencia en sala del letrado de la administración de justicia durante el juicio, salvo que se den las circunstancias excepcionales del art. 89.2 LRJS (solicitud por las partes; asunto muy complejo), algo que conduciría además a la necesidad de levantar un acta "sucinta".

44.2. Ahora bien, cuando los mecanismos que garantizan la autenticidad e integridad de lo grabado o reproducido no pudieran ser utilizados, será necesaria la presencia del letrado de la administración de justicia y éste deberá extender un acta "sucinta" en los términos recogidos por el art. 89.3 LRJS.

44.3. En fin, por último, seguirá siendo necesaria un acta, ahora más detallada, en los casos en que los medios de registro de la imagen y sonido no pudieran ser utilizados, concretando el art. 89.4 LRJS los aspectos que en tales casos debe reflejar.

45.–La extensión del acta, cuando se haya realizado, se hará por procedimientos informáticos, sin que pueda ser manuscrita más que en las ocasiones en que la sala en que se esté celebrando la actuación careciera de medios informáticos.

45.1.–El letrado de la administración de justicia resolverá, sin ulterior recurso, cualquier observación que se hiciera sobre el contenido del acta.

45.2.–En fin, el acta será firmada por el Juez o Tribunal en unión de las partes o de sus representantes o defensores y de los peritos, haciendo constar si alguno de ellos no firma por no poder, no querer hacerlo o no estar presente, firmándola por último el letrado de la administración de justicia.

F) Las diligencias finales

46.–Una vez finalizado el juicio, el órgano jurisdiccional, si entendiese que algún punto importante no ha quedado especialmente claro, podría ordenar la práctica de pruebas adicionales, conocidas como diligencias finales, a las que se refiere el art. 88 LRJS.

46.1.- Estas diligencias se pueden acordar en el periodo que media entre la finalización del juicio y el de dictar sentencia –habitualmente cinco días–.

46.2.–Las diligencias tienen por objeto alumbrar un punto oscuro, pero no sustituir la inactividad de las partes, las cuales pueden intervenir en la práctica.

3.3. La finalización: la sentencia y otros modos de terminación

3.3.1. La sentencia

47.–Así se llega al momento de dictar sentencia, que es el acto jurisdiccional que decide definitivamente el pleito en cualquier instancia o grado.

A) Los tipos de sentencias

48.–Las sentencias pueden ser de diferente tipo, siendo susceptibles de ser clasificadas atendiendo a diferentes criterios.

48.1.–En primer lugar, en atención a su contenido, las sentencias pueden ser **procesales** –las que no entran en el fondo por un problema procesal– o **materiales** –las que resuelven la cuestión litigiosa–.

48.2.–En segundo lugar, según puedan ser recurridas o no, se distinguen **definitivas** –las que admiten recurso– o **firmes** –las que, en principio, no lo admiten, por no existir o por haber transcurrido el plazo para su interposición, a salvo de los extraordinarios de revisión y de audiencia al demandado rebelde.

48.3.–Finamente, atendiendo a su forma, la sentencia puede ser **escrita** u **oral**, pues la LRJS permite dictar la sentencia *IN VOCE*, nada más finalizar el pleito, bien que no en todo tipo de litigios, ya que el art. 50 LRJS excluye de dicha posibilidad los casos en que, por razón de la cuantía o de la materia, proceda el recurso de suplicación. No obstante, lo que sí se puede hacer en todo caso es proceder a la lectura del fallo, con una fundamentación sucinta, sin perjuicio de la redacción posterior en tiempo y forma.

B) Otras cuestiones

49.–El análisis de la sentencia exige hacer referencia a otras cuestiones relacionadas con las mismas que presentan un cierto interés.

49.1.–De entrada, hay que mencionar el órgano competente para dictarla. Pues bien, resulta obvio que, de conformidad con el principio de inmediación, será órgano competente aquél que haya conocido del asunto; de hecho, según el art. 98 LRJS, si el juez no pudiera dictar sentencia, habrá que repetir todo el pleito.

49.2.–El órgano jurisdiccional cuenta en el proceso ordinario con un **plazo** de cinco días para dictar sentencia; el plazo varía si se trata de recursos o de ciertas modalidades de carácter urgente, en las que el plazo se reduce.

49.3.–La sentencia que dicte el órgano jurisdiccional tiene unos **requisitos** relativos a su estructura –incluirá un encabezamiento, los antecedentes de hecho, los hechos probados, los fundamentos de derecho y el fallo– y a su contenido. Al hilo de este último debe señalarse lo siguiente:

– En primer lugar, las sentencias deben ser claras, precisas y congruentes. La exigencia de congruencia implica que la sentencia respete los términos en que las partes han planteado el litigio, sin que se dé algo más o distinto de lo solicitado; igualmente, que se responda a todas las cuestiones planteadas y que la decisión aparezca debidamente fundamentada.

– En segundo lugar, si la sentencia contiene en el fallo una condena pecuniaria, ésta deberá expresarse en forma líquida, sin que se pueda dejar su concreción para momentos ulteriores; ahora bien, si se reclaman prestaciones o cantidades periódicas, la sentencia podrá incluir la condena a satisfacer esas cantidades que se devenguen con posterioridad al momento en que se dicte (art. 99 LRJS).

– En tercer lugar, debe señalarse que la sentencia puede incorporar al fallo ciertas condenas adicionales al litigante que obró de mala fe o temeridad (art. 97.3 LRJS): en principio, cabe imponer a cualquiera de las partes una multa pecuniaria en los términos del art. 75.4 LRJS (es decir, entre los 180 y los 6.000 euros, sin superar un tercio de la cuantía litigiosa, atendiendo a una serie de circunstancias y siguiendo unos trámites específicos); además, si fuera el empresario quien obró de mala fe, se le impone también la obligación de pagar los honorarios de los abogados y graduados sociales de la otra parte, hasta el límite de 600 euros, algo que no procede en el caso del trabajador.

Por otra parte, recuérdese que el art. 66 LRJS también prevé una condena en costas, con inclusión de tales honorarios hasta un máximo de 600 euros, para los casos en que no se compareció a al acto de conciliación, sin mediar causa justificada y el fallo de la sentencia coincidiese en lo sustancial con lo solicitado en dicha sede. Nótese que esta previsión afecta a todas las partes y que, por otra parte, es independiente de la mala fe o de la temeridad.

– En cuarto lugar, si la sentencia condena al empresario –ahora, de nuevo, con independencia de su buena o mala fe–, esté deberá abonar al trabajador que personalmente hubiese comparecido los salarios correspondientes al tiempo necesario para la asistencia a los actos de conciliación y juicio y demás comparecencias, en los términos y con los límites previstos en el art. 100 LRJS.

49.4.–La sentencia debe ser **publicada inmediatamente y notificada** en el plazo de dos días (art. 97.1 LRJS); si fuera una sentencia *in voce* y las partes estuvieran presentes en el juicio, se entenderá que han sido notificadas por la lectura y la consignación del contenido de la misma en el acta del juicio (art. 50.3 LRJS; aunque si alguna no ha comparecido, se le efectúa la oportuna notificación, según matiza el art. 50.4 LRJS). La notificación debe especificar si la sentencia es firme o, por el contrario, definitiva; en este último caso, concretará el recurso que proceda interponer, el órgano y el plazo, así como los depósitos y consignaciones que sean necesarios y el modo de efectuarlos (art. 97.4 LRJS).

49.5.–**Los efectos** de la sentencia son diversos en función de que la misma sea firme o definitiva.

– Por un lado, si la sentencia fuera definitiva, se abre la posibilidad de recurrirla y puede ser objeto de ejecución provisional.

– Por otro, si la sentencia es firme, gozará de la eficacia de cosa juzgada –así, no se podrá volver a litigar entre los mismos sujetos por el mismo problema–, no puede recurrirse –a excepción del recurso extraordinario de revisión y la audiencia al demandado rebelde– y constituye un título para proceder a la ejecución definitiva.

3.3.2. *Otros modos de terminación*

50.–La terminación del proceso se puede producir no sólo del modo recién señalado, sino que existen otras formas de terminación del pleito.

A) Allanamiento

51.–En primer lugar, cabe aludir a la finalización por allanamiento, a la que se refiere el art. 85.7 LRJS, así como el art. 21 LEC.

51.1.–El allanamiento es un acto del demandado en virtud del cual dicho sujeto manifiesta su conformidad con la pretensión del actor, vinculando al órgano jurisdiccional a dictar una sentencia de fondo en la que se estime la pretensión del actor.

51.2.–Este acto, que sólo resulta procedente en el caso de materias dispositivas, puede ser de carácter total o parcial: en el primer caso, se dicta una sentencia; en el segundo, la resolución adoptará la forma de auto; en cualquiera de los dos supuestos, el órgano jurisdiccional vela porque no se produzca una renuncia prohibida de derechos, fraude o lesión del interés de terceros, así como que no se vulneren intereses públicos.

B) Renuncia

52.–En segundo lugar, cabe mencionar la renuncia, a la que se refiere el art. 20 LEC.

52.1.–La renuncia es un acto de disposición mediante el cual el demandante abandona su pretensión, obligando al juez a dictar una sentencia que desestima la acción ejercitada.

52.2.–Obviamente, tampoco la renuncia procede respecto materias no dispositivas.

C) Desistimiento

53.–En tercer lugar, se encuentra el desistimiento, regulado en el artículo 20 LEC.

53.1.–El desistimiento consiste en un acto procesal del demandante por el que el mismo hace dejación del proceso. A diferencia de lo que sucede en la renuncia, aquí no hay una dejación de la pretensión; de hecho, la misma queda imprejuzgada en el auto que dicta el juez, de manera que sería posible volver a plantear posteriormente el asunto.

53.2.–Por todo ello, el desistimiento procede, incluso, respecto materias no dispositivas, a diferencia de lo que sucedía en las figuras anteriores.

D) Transacción

54.–En cuarto lugar, el proceso podría finalizar mediante una transacción, a la que se refiere el art. 19.2 LEC.

54.1.–El art. 1809 CC la define como el negocio por el que las partes prometiendo, reteniendo, dando cada una alguna cosa, evitan la provocación de un proceso o ponen término a uno ya comenzado.

54.2.–Por su parte, el art. 517.3 LEC le reconoce fuerza ejecutiva; el art. 1816 CC, le otorga valor de cosa juzgada.

E) Caducidad en la instancia

55.–La caducidad en la instancia se refiere a un modo de terminación del proceso derivado de la inactividad de las partes. La existencia del impulso de oficio en el proceso laboral dificulta su existencia en este ámbito. Lo más parecido a la misma serían las previsiones de los arts. 69.3 y 71.5 LRJS, aunque propiamente no se pueda hablar ahí de caducidad en la instancia ya que el proceso todavía no se ha iniciado.

4. El proceso monitorio

56.–La LRJS, siguiendo el ejemplo de lo sucedido en el ámbito civil, incorporó un procedimiento especial muy ágil que permite resolver determinadas reclamaciones de cantidad de una forma rápida y sencilla; se trata del proceso monitorio que regula el art. 101 LRJS. En efecto, se trata de un proceso que surge en el ámbito de los pleitos entre los miembros de las comunidades de propietarios que, dado a su éxito, ha ido extendiendo su radio de acción. Con todo, en el terreno social, no ha tenido el éxito que se esperaba.

4.1. Los presupuestos

57.–La LRJS no prevé este proceso especialmente rápido y sencillo para cualquier tipo de reclamación, sino sólo para ciertas reclamaciones y en la medida en que concurran determinados presupuestos.

57.1.–De entrada, el recurso al proceso del art. 101 LRJS se restringe exclusivamente a reclamaciones de cantidad vencidas, exigibles y de cuantía determinada, siempre que, además, sean inferiores a 6.000 euros y deriven de una relación laboral. Por otra parte, ha de tratarse de reclamaciones individuales o plurales, excluyéndose las reclamaciones colectivas que puedan plantear los representantes de los trabajadores.

57.2.–En segundo lugar, la reclamación debe dirigirse contra un empresario que no se encuentre en situación concursal y que además pueda ser citado conforme a las previsiones de los arts. 56 y 57 LRJS, es decir, sin recurrir, al sistema de edictos.

– Al respecto, téngase en cuenta que el precepto excluye de forma expresa las reclamaciones dirigidas contra entidades gestoras y colaboradoras de la Seguridad Social.

– Asimismo, la referencia contenida en el art. 101.a) LRJS a la necesidad de acreditar el intento de conciliación o mediación, y el silencio respecto a la necesidad de manera análoga el cumplimiento de haber agotado la vía administrativa, inducen a pensar que el proceso monitorio se puede plantear sólo contra empresarios privados.

4.2. La tramitación

58.–La tramitación de este tipo de reclamaciones resulta ser muy sencilla y atraviesa las fases siguientes:

58.1.–El proceso monitorio empieza con la presentación, preferentemente por medios informáticos si se dispone de ellos, de una solicitud en la que se expresarán los datos exigidos por el art. 101.a) LRJS y que irá acompañada de los documentos que en el mismo precepto se señalan. Con carácter previo, como ya se ha indicado, habrá sido necesario tramitar el intento de conciliación o mediación

58.2.–Una vez presentada, según el art. 101.b) LRJS, el letrado de la administración de justicia desarrolla un mínimo control sobre el cumplimiento de los requisitos formales de la solitud y, en su caso, concede un plazo de subsanación.

a) Si los defectos no fueran subsanables o no se subsanasen los detectados, se comunica al juez para que este resuelva sobre la admisión.

b) Si no hubiese defectos o se subsanasen los apreciados, y la petición fuera admisible, se procede a requerir al empresario para que en el plazo de diez días abone la deuda o alegue ante el juzgado lo que estime pertinente; del requerimiento se da traslado al FOGASA.

58.3.–A partir de ahí, cabe imaginar las siguientes situaciones:

a) De entrada, que el acreedor pague o consigne la totalidad del importe; en cuyo caso, previa entrega al solicitante, se archivará el proceso.

b) En segundo lugar, si transcurre el plazo sin mediar oposición del empresario o del FOGASA, el letrado de la administración de justicia dicta decreto dando por terminado el proceso monitorio y da traslado al solicitante a efectos de que éste pueda instar ejecución.

c) En fin, si se formula oposición en el plazo y forma expresada, se da traslado a la parte actora a efectos de que ésta, en los cuatro días siguientes, pueda presentar demanda ante el juzgado en los mismos términos que previene el art. 101 LRJS, procediendo seguidamente al señalamiento de los actos de conciliación y juicio.

II. CUESTIONARIO

1.- Jaime Ortiz ha venido sufriendo impagos continuados de su salario durante los últimos 7 meses y ha decidido instar la extinción de su contrato de trabajo con apoyo en el art. 50.1.b ET.

    a) Podrá acumular a su demanda de extinción indemnizada tan solo el pago de los salarios correspondientes a la última mensualidad.

    b) Podrá acumular a su demanda de extinción indemnizada, el pago de los salarios adeudados, ya que la LRJS lo permite.

    c) No podrá acumular a su demanda de extinción indemnizada el pago de los salarios adeudados, pues se trata de una acción no acumulable en ningún caso.

    d) Podrá acumular a su demanda de extinción indemnizada cualquier otra, ya que la LRJS reconoce una libertad absoluta en cuanto a la acumulación de esta acción.

2.- Begoña Plà, trabajadora de la empresa VEGACARDILLA, S.A., ha recibido notificación de su empresa por la que se le traslada de Valencia a Madrid y decide impugnar esta decisión empresarial de movilidad geográfica.

    a) Su acción puede ser acumulada con cualquier reclamación de cantidad por salarios adeudados, por ejemplo, los correspondientes a las tres últimas mensualidades.

b) Su acción no puede ser acumulada a ninguna otra salvo, en su caso, una hipotética indemnización por una eventual vulneración de derechos fundamentales.

c) Su acción puede ser acumulada, entre otras muchas, con una demanda de clasificación profesional y las eventuales diferencias salariales.

d) Su acción tan sólo puede ser acumulada con una hipotética demanda de clasificación profesional y siempre que no reclame las diferencias salariales.

3.- Arturo Poveda trabajador de la empresa NUMANTINA, S.L. ha sido despedido y decide acumular a su acción de despido la reclamación de cantidades adeudadas hasta la fecha del despido.

a) Esta acumulación no resulta posible, pues la acción de despido no es acumulable a ninguna otra, sin que existan excepciones al respecto.

b) Esta acumulación resulta posible, pues la LRJS no prevé ningún límite en cuanto a las acciones acumulables a la de despido, siendo acumulable a cualquier otra.

c) Esta acumulación no resulta posible, pues la acción de despido no es acumulable a reclamaciones de cantidad, salvo que se trate del pago de horas extraordinarias.

d) Esta acumulación resulta posible, si bien la LRJS contiene previsiones específicas para los casos en que los conceptos reclamados sean demasiado complejos.

4.- D. Juan Gil, trabajador de la empresa ARDISA S.L., ha recibido notificación de su empresa por la que se le deniega una reducción de jornada que había solicitado para atender a un familiar y decide impugnar esta decisión sobre conciliación de la vida laboral y familiar.

a) Su acción puede ser acumulada solo con eventuales reclamaciones de cantidad por salarios pendientes de pago, eso sí, en la medida en que estos no se hallen prescritos.

b) Su acción no puede ser acumulada a ninguna otra salvo, en su caso, una hipotética indemnización por una eventual vulneración de derechos fundamentales

c) Su acción puede ser acumulada con cualquier otra acción que tenga el trabajador contra la empresa, pues así lo prevé en la LRJS para este tipo de acciones.

d) Su acción tan sólo se puede acumular con una hipotética demanda de clasificación profesional pero siempre que no reclame las diferencias salariales.

5.- Juan Gil, trabajador de la empresa ARDISA, S.L., solicitó una reducción de jornada para poder atender a un menor a cargo; la empresa le denegó tal solicitud y, dos días más tarde, procedió a su despido. D. Juan presentó demanda acumulada impugnando ambas decisiones.

a) Esta acumulación es incorrecta. Juan será requerido para que subsane este defecto en el plazo de 4 días; si no subsana, el letrado de administración de justicia dará cuenta al juez o tribunal para que éste proceda al archivo sin más trámite.

b) Esta acumulación es incorrecta. Juan será requerido para que subsane este defecto en el plazo de 4 días; si no subsana, proseguirá el pleito por despido y se tendrá por no formulada la otra acción, sin perjuicio de poder ejercitarla por separado.

c) Esta acumulación es incorrecta. Juan será requerido para que subsane este defecto en el plazo de 4 días; si no subsana, proseguirá el pleito correspondiente a la acción que aparezca en primer lugar en el suplico y la otra se archiva.

d) La acumulación es correcta, por lo que ambas acciones se tramitarán en el seno del mismo procedimiento; se dictará una sola sentencia que tendrá tantos pronunciamientos como acciones se hayan ejercitado.

6.- Carmela Zarate, trabajadora de la empresa MUAKA, S.L., solicitó una reducción de jornada para poder atender a un menor a cargo; la empresa le denegó tal solicitud y, dos días más tarde, procedió a traslado. Carmela presentó demanda acumulada impugnando ambas decisiones.

a) Esta acumulación es incorrecta. Carmela será requerida para que subsane este defecto en el plazo de 4 días; si no subsana, proseguirá el pleito por traslado y se tendrá por no formulada la otra acción, sin perjuicio de poder ejercitarla por separado.

b) Esta acumulación es incorrecta. Carmela será requerida para que subsane este defecto en el plazo de 4 días; si no subsana, el letrado de administración de justicia dará cuenta al juez o tribunal para que éste proceda al archivo sin más trámite.

c) Esta acumulación es incorrecta. Carmela será requerida para que subsane este defecto en el plazo de 4 días; si no subsana, proseguirá el pleito correspondiente a la acción que aparezca en primer lugar en el suplico y la otra se archiva.

d) La acumulación es correcta, por lo que ambas acciones se tramitarán en el seno del mismo procedimiento; se dictará una sola sentencia que tendrá tantos pronunciamientos como acciones se hayan ejercitado.

7.- D. Pedro Jiménez no percibe el salario desde hace cinco meses y con ayuda de un libro de formularios ha procedido a redactar una demanda en la que ha hecho constar el órgano al que se dirige, la identificación de las partes (demandante y demandado), los hechos en los que se basa, la súplica que dirige al órgano jurisdiccional, un domicilio a efectos de notificaciones, la fecha y la firma.

   a) La demanda, en principio, parece correcta, pues cubre los requisitos exigidos por la LRJS.

   b) La demanda resulta claramente incorrecta, pues falta la alusión a los fundamentos de derecho en los que basa su petición.

   c) La demanda resulta claramente incorrecta, pues debe ser redactada necesariamente por abogado o graduado social colegiado.

   d) La demanda resulta claramente incorrecta, pues no ha incluido peticiones de prueba por medio de OTROSÍ, algo siempre necesario en una demanda laboral.

8.- D. María Fernández, trabajadora de la empresa Ophimatics S.L., ha decidido presentar demanda en reclamación de cantidad contra su empresa, así como acudir a juicio representada por graduado social colegiado. Identifique los documentos que debería aportar a su demanda.

   a) Todas las pruebas documentales de las que pretenda valerse el día del juicio, pues si no las aporta ahora, no se permite su presentación ulterior.

   b) No resulta necesario aportar ningún tipo de documento, ni procesales, ni sobre el fondo, pues la LRJS permite hacerlo el mismo día del juicio.

   c) El poder de representación procesal, los relativos a su capacidad y legitimación y el que acredite haber cumplido con el preceptivo intento de conciliación.

   d) Todos los documentos que obren en su poder relacionados con el fondo del asunto, así como los escritos de preguntas que pretenda realizar a la otra parte, a los testigos y/o a los peritos.

9.- D. Antonio Fresneda pretende demandar a su empresa en reclamación de cantidad. Tras el fracaso del intento de conciliación, ha redactado la oportuna demanda dirigida al Juzgado de lo social competente y ahora se plantea dónde debe presentarla.

   a) D. Antonio debe presentar su demanda en el registro de la oficina judicial del propio Juzgado.

   b) D. Antonio puede presentar su demanda ante el Juzgado de guardia, pues así lo prevé la LRJS.

c) D. Antonio puede presentar su demanda en el registro de cualquier administración pública o, incluso, en la oficina de correos, pues así lo prevé la LRJS.

d) D. Antonio puede presentar su demanda en el registro de cualquier administración pública, pero no en la oficina de correos, pues así lo prevé la LRJS.

10.- D. Iván Alarcón interpuso demanda en reclamación de cantidad contra su empresa, sin que en el suplico quede del todo claro qué está reclamando. El Letrado de la Administración de Justicia (LAJ) le ha requerido para que subsane dicho defecto en el plazo legalmente establecido. D. Iván presenta un escrito de subsanación transcurridos doce días hábiles desde la notificación del requerimiento. Así las cosas:

a) La subsanación se ha realizado fuera del plazo legal por lo que previsiblemente el LAJ dará cuenta de ello al juez para que éste decida sobre la admisibilidad.

b) La subsanación se ha realizado dentro de plazo por lo que previsiblemente la demanda será admitida a trámite.

c) La subsanación debería hacerse en el propio acto del juicio, en el turno de alegaciones correspondiente.

d) La subsanación se ha realizado fuera del plazo legal por lo que el propio LAJ dictará un auto inadmitiendo a trámite la demanda.

11.- Dª Gertrudis Hernández, jefa de personal de una empresa constructora, ha interpuesto demanda en reclamación de cantidad contra su empresa. Una vez interpuesta la demanda judicial y admitida a trámite, las partes han sido citadas para la conciliación y juicio.

a) Ambos actos se celebrarán en única convocatoria y los dos bajo la dirección del juez quien intentará que las partes alcancen un acuerdo y, si fracasa, celebrará el juicio.

b) Ambos actos se celebrarán en única convocatoria: el primero ante el Letrado de la Administración de Justicia; si fracasa, pasados diez días, se celebrará el juicio ante el juez.

c) Ambos actos se celebrarán en única convocatoria y los dos bajo la dirección del juez quien intentará que las partes alcancen un acuerdo y, si fracasa, celebrará el juicio en los diez días siguientes.

d) Ambos actos se celebrarán en única convocatoria: el primero ante el Letrado de la Administración de Justicia; si fracasa, se pasará directamente al juicio ante el juez.

12.- D. Rafael Barroso interpuso demanda en reclamación de cantidad contra su empresa, la mercantil AGÓRICA, S.L. La demanda se admitió a trámite

y las partes fueron debidamente citadas para el acto de conciliación y juicio. El día previsto ninguna de las partes ha comparecido ante el órgano jurisdiccional.

a) La LRJS prevé que, en estos casos, el órgano jurisdiccional dictará una resolución en forma de auto citando nuevamente a las partes para una nueva audiencia en el término de diez días.

b) La LRJS prevé que en estos casos el juicio se celebrará en todo caso, si bien la sentencia será necesariamente desestimatoria.

c) La LRJS prevé que, en estos casos, el órgano jurisdiccional dictará una resolución dejando la causa en suspenso hasta que cualquiera de las partes inste su reanudación.

d) A pesar de que la LRJS no lo prevé expresamente, la consecuencia será la misma que si no hubiese comparecido D. Rafael: en principio, se le tiene por desistido.

13.- Carlos Gutiérrez interpuso demanda en reclamación de cantidad contra su empresa, la mercantil BORROMEO, S.L. Las partes comparecieron en la fecha que se les citó en el juzgado y alcanzaron un acuerdo ante el Letrado de la Administración de Justicia (LAJ) en el que la empresa reconocía la deuda y se comprometía a pagarla en el plazo de dos semanas. Han pasado dos semanas y la empresa no ha satisfecho cantidad alguna.

a) Carlos puede instar un proceso ejecutivo ya que el acuerdo alcanzado en conciliación ante el LAJ goza de fuerza ejecutiva; ahora bien, si la empresa fuese insolvente, Carlos no contaría nunca con la protección del FOGASA.

b) Carlos puede instar un proceso ejecutivo ya que el acuerdo alcanzado en conciliación ante el LAJ goza de fuerza ejecutiva; si la empresa fuese insolvente, Carlos podría gozar de la protección del FOGASA.

c) Carlos no puede instar proceso ejecutivo, sino que deberá iniciar un nuevo proceso declarativo a efectos de que un juez reconozca que su empresa (BORROMEO S.L.) le adeudaba las cantidades impagadas.

d) Carlos no puede instar proceso ejecutivo hasta que haya transcurrido el plazo de un mes, pues según la LRJS debe esperarse a que se consuma el plazo de impugnación de los acuerdos para que estos sean ejecutables.

14.- Carlos Gutiérrez interpuso demanda acumulada en materia de despido y reclamación de cantidad contra su empresa, la mercantil BORROMEO, S.L. Las partes comparecieron en la fecha que se les citó en el juzgado y alcanzaron un acuerdo ante el Letrado de la Administración de Justicia (LAJ) en el que la empresa reconocía la improcedencia del despido, y se comprometía a abonar

en el plazo de dos semanas los salarios adeudados y la indemnización por despido. Con posterioridad, la empresa se ha colocado en situación de insolvencia.

a) Carlos podrá gozar de cierta protección del FOGASA, pero solo en lo relativo a los salarios adeudados, no así respecto la indemnización por despido.

b) Carlos podrá gozar de cierta protección del FOGASA, pero solo en lo relativo a la indemnización por despido, no así respecto los salarios.

c) Carlos no gozará en ningún caso de la protección del FOGASA.

d) Carlos podrá gozar de cierta protección del FOGASA tanto en lo relativo a los salarios, como en cuanto a la indemnización por despido.

15.- Pedro Jiménez interpuso demanda en reclamación de cantidad contra MAVISA, S.L., empresa en la que presta servicios como jefe de ventas. El día del juicio, en su turno de alegaciones, MAVISA le pretende reclamar 12.500 € en concepto de indemnización, pues considera que Pedro ha incumplido un pacto de dedicación exclusiva y pretende demostrarlo ahora.

a) La alegación de la empresa constituye una reconvención y no hay problema en plantearla ahora, aunque no se haya anunciado en la conciliación preprocesal.

b) La alegación de la empresa no resultaría nunca admisible, pues en el proceso laboral no se ventilan reclamaciones de las empresas frente a sus trabajadores.

c) La alegación de la empresa tienen la naturaleza de compensación por deudas; aun así, no resulta posible plantearla ahora, pues debería haberse anunciado en el acto de conciliación preprocesal.

d) La alegación de la empresa constituye una reconvención y sería necesario haberlo anunciado en la conciliación preprocesal para poder alegarla ahora.

16.- Andrea Amador interpuso demanda contra su empresa reclamando el pago de las doce últimas mensualidades de un plus de turnicidad por valor de 1.400 €. Admitida la demanda a trámite, y llegado el día del juicio, Andrea pretende actualizar la cuantía de lo reclamado a 1.520 €, pues ha habido una subida salarial en el convenio aplicable; asimismo, pretende aprovechar el juicio para reclamar también un plus de peligrosidad al que cree tener derecho.

a) Andrea puede ampliar el día del juicio su demanda en ambos sentidos, ya que la LRJS no prevé límites relativos a la ampliación de la demanda el día del juicio.

b) Andrea no puede introducir ninguna variación en su demanda el día del juicio, con independencia de que sea sustancial o no, ya que la LRJS lo prohíbe taxativamente en ambos casos.

c) Andrea puede actualizar la cuantía a 1.520 €, ya que eso no es una variación sustancial; sin embargo, no puede reclamar dicho día el plus de peligrosidad, pues eso sería una ampliación que entraña una variación sustancial prohibida por la LRJS.

d) Andrea puede reclamar el día del juicio el plus de peligrosidad ya que eso no es una variación sustancial; sin embargo, no puede actualizar la cuantía a 1.520 €, pues eso sería una ampliación que entraña una variación sustancial prohibida por la LRJS.

17.- Pedro Jiménez interpuso demanda en reclamación de cantidad contra su empresa, en concreto, el pago de las retribuciones correspondientes a los últimos seis meses a razón de 1325 € el mes. La empresa ha reconocido en sus alegaciones que la retribución de Pedro era, en efecto, de 1.325 € mensuales.

a) Pedro tendrá que demostrar, en todo caso, que la cuantía retributiva es de 1.325 €/mes, pues, siendo una alegación suya, rige la regla general sobre onus probandi.

b) El reconocimiento empresarial de la cuantía retributiva mensual equivale a un allanamiento, por lo que el juez dictará sentencia estimatoria.

c) La cuantía retributiva (1.325 €/mes) tendrá la consideración de hecho no controvertido y, en consecuencia, no se requerirá desplegar prueba sobre ello.

d) El reconocimiento empresarial de la cuantía retributiva no despliega ningún efecto en el proceso ya que carece de trascendencia.

18.- Araceli Hernández trabaja para la editorial UGOLINA, S.A. desde hace 25 años con unas valoraciones muy positivas de sus tareas. El mes pasado presentó una demanda contra su empresa, pues considera que no se le ha ascendido por razones religiosas, lo que sería discriminatorio.

a) Araceli debe aportar indicios de la existencia de discriminación en la actuación de la empresa y, en tal caso, la empresa deberá aportar justificación objetiva y razonable de su proceder.

b) Araceli está exenta de demostrar la discriminación, pues la mera alegación de su existencia invierte la carga de la prueba, desplazándose hacia el demandado.

c) Araceli debe demostrar plenamente la existencia de una causa discriminatoria en el proceder de la empresa, sin que haya aquí especialidad alguna.

d) Araceli no tiene que desplegar ningún tipo de actividad probatoria, sino que el juez de oficio efectuará todas las indagaciones necesarias para descubrir la verdad.

19.- Pedro Jiménez interpuso demanda contra su empresa reclamando el pago de unas horas extraordinarias que afirmaba haber realizado. A efectos de demostrarlo, solicitó en su demanda que se requiriese a la empresa para que aportase el día del juicio los correspondientes documentos de control horario; el juzgado dio curso a tal petición, pero la empresa el día del juicio no ha aportado los documentos requeridos.

a) El juez, en tales circunstancias, debe decretar de oficio la suspensión del procedimiento y proceder a un nuevo señalamiento.

b) El juez, en tales circunstancias, debe obligatoriamente dictar una sentencia estimatoria.

c) El juez, en tales circunstancias, podría tener por probada la realización de las horas extraordinarias.

d) El juez, en tales circunstancias, debe obligatoriamente dictar una sentencia desestimatoria.

20.- D. Rafael Grau, graduado social colegiado y defensor de la parte demandante en un proceso de reclamación de cantidad, está interesado en que se proceda al interrogatorio de su cliente.

a) D. Rafael puede solicitar el interrogatorio de su cliente siempre que solicite dicha prueba con anterioridad a la vista, para que pueda ser citado por el órgano judicial.

b) D. Rafael puede solicitar el interrogatorio de su cliente en cualquier momento, incluso el día del propio juicio, pues no se necesitan citaciones ni requerimientos.

c) D. Rafael no puede solicitar esta prueba, sin perjuicio de que si la parte contraria la solicitase, entonces podrá interrogar a su cliente en el turno correspondiente.

d) D. Rafael puede solicitar el interrogatorio de su cliente, pero solo por medio de las diligencias finales.

21.- D. Álvaro Torromé, administrador único de JUROGISA y legal representante de la misma, ha sido llamado para ser interrogado en el proceso por despido que Dª María Albiach ha instado contra dicha empresa. D. Álvaro no está respondiendo con claridad a las preguntas que se le formulan durante la práctica de la prueba, sino que lo hace con evasivas.

a) D. Álvaro podrá ser tenido por confeso respecto los hechos que se le preguntan en la medida en que hubiese intervenido personalmente en ellos y le perjudiquen.

b) D. Álvaro no puede sufrir consecuencia, alguna pues según la quinta enmienda nadie está obligado a declarar contra sí mismo.

c) D. Álvaro será tenido por confeso siempre, pues según la LRJS esta es una consecuencia necesaria cuando el sujeto interrogado contesta con evasivas.

d) D. Álvaro puede solicitar una suspensión del proceso a efectos de consultar con un experto cuál debe ser su estrategia procesal y no verse perjudicado.

22.- D. Pedro López, abogado defensor de la empresa Construcciones Velvedere, S.L. en un pleito por despido, pretende valerse de una prueba testifical en el juicio, en concreto, de un antiguo trabajador de la empresa, siendo necesario proceder a citar a dicho testigo pues no responde a sus llamadas.

a) D. Pedro puede solicitar esta prueba el propio día del juicio ya que todas las pruebas se pueden proponer el mismo día de la vista.

b) D. Pedro debe solicitar la práctica de esta prueba con una antelación mínima de 5 días al acto del juicio oral para proceder a la citación del testigo.

c) D. Pedro debe solicitar la práctica de esta prueba en los 5 días siguientes a que se le notifique la interposición de la demanda y la citación para juicio.

d) D. Pedro debe solicitar la práctica de esta prueba con una antelación mínima de 10 días al acto del juicio oral.

23.- Dª Juana Almenar, abogada en el juicio que sigue Dª Inés Sanz en reclamación de cantidad contra la empresa TURMENDIA, S.L., propuso como prueba el interrogatorio de D. Cástulo Roma. El juez ha denegado dicha prueba por considerarla impertinente.

a) La decisión del juez es susceptible de ser recurrida en reposición, como sucede con cualquier resolución por la que se inadmite un medio de prueba.

b) La decisión del juez determina la apertura de un incidente sobre la cuestión y la suspensión del proceso principal mientras se resuelve el mismo.

c) La decisión del juez, autónomamente considerada, no es susceptible de ser recurrida, sin perjuicio del recurso que en su día proceda contra la sentencia, siendo para ello necesario dejar constancia de la protesta en el acta del juicio.

d) La decisión del juez, autónomamente considerada, no es susceptible de ser recurrida, sin perjuicio del recurso que en su día proceda contra la sentencia, sin que sea necesario para ello efectuar ningún tipo de actuación ahora.

24.- D. Pedro López, abogado defensor de la empresa Construcciones Vel-vedere, S.L. en un pleito por despido, pretendía valerse de una prueba testifical en el juicio. A tal efecto, propuso en tiempo y forma dicha prueba para que se cursase la citación a dicho sujeto, algo que se hizo por el juzgado. El testigo no ha comparecido al juicio.

a) La inasistencia del testigo determina que el juez proceda a aplicar la ficta confessio, de manera que aquello que quería demostrar D. Pedro con el testimonio de dicho sujeto se tendrá por probado.

b) La inasistencia del testigo determina que el juez proceda de oficio a efectuar un nuevo señalamiento en el plazo de diez días, con advertencia de archivo para el caso de inasistencia.

c) La inasistencia del testigo determina que se proceda directamente al archivo de las actuaciones siempre que el demandado lo solicite.

d) D. Pedro López podría solicitar, con apoyo en la LEC, la suspensión del juicio si considera que el testigo en cuestión es de vital importancia para sus intereses.

25.- Marina Fresneda, residente en Bilbao, trabaja para un armador de Bermeo como marinera en un buque pesquero de altura que faena en el Gran Sol capturando bacalao. Marina ha interpuesto una demanda en reclamación de cantidad y en su fundamentación jurídica ha alegado una costumbre típica del puerto de Bermeo según la cual los marineros de altura tienen derecho a un plus de 120 euros por galerna sufrida en alta mar.

a) Marina tendrá que demostrar, para que prospere su reclamación, el hecho de la galerna y la existencia de la costumbre alegada.

b) Marina tendrá que demostrar para que prospere su reclamación el hecho de la galerna, pero no será necesario que demuestre la existencia de la costumbre, ya que, al ser derecho, rige el *iura novit curia*.

c) Marina tan solo tiene que demostrar que era marinera al servicio del armador, correspondiendo a este demostrar que no hubo galernas y que no existe tal costumbre.

d) Marina tendrá que demostrar, para que prospere su alegación, la existencia de la costumbre invocada, pero no la situación de hecho.

26. Pedro Jiménez interpuso demanda contra su empresa reclamando el pago de unas horas extraordinarias que afirma haber realizado. A efectos de demostrarlo, necesita que se requiera a la empresa para que aporte el día del juicio los correspondientes documentos de control horario.

a) D. Pedro debe solicitar la práctica de esta prueba con una antelación mínima de 5 días al acto del juicio oral para proceder requerir a la empresa.

b) D. Pedro puede solicitar esta prueba el propio día del juicio ya que todas las pruebas se pueden proponer el mismo día de la vista.

c) D. Pedro debe solicitar la práctica de esta prueba en los 5 días siguientes a que se le notifique la interposición de la demanda y la citación para juicio.

d) D. Pedro debe solicitar la práctica de esta prueba con una antelación mínima de 10 días al acto del juicio oral.

27.- Maite Rimbaud presentó demanda en reclamación de cantidad contra la empresa en la que presta servicios (ARTEMISA S.A.) solicitando el pago de 17.540 €, una parte en concepto de plus de nocturnidad impagado (8.800 €) y el resto como diferencias salariales. La empresa ha presentado escrito en el juzgado mostrando su conformidad con la reclamación de la nocturnidad.

a) La actuación empresarial constituye un allanamiento parcial que, en principio, será aprobado por el Letrado de la Administración de Justicia mediante un decreto.

b) La actuación empresarial constituye un desistimiento que, en principio, será aprobado por el juez mediante un auto.

c) La actuación empresarial constituye una renuncia que, en principio, será aprobada por el juez mediante una sentencia.

d) La actuación empresarial constituye un allanamiento parcial que, en principio, podrá ser aprobado por el juez mediante un auto.

28.- Alberto Cebrián presentó demanda en reclamación de cantidad contra la empresa en la que presta servicios (BERRASA, S.A.) solicitando el pago de 13.540 €, una parte en concepto de retrasos en nómina (4.800 €) y el resto en concepto de plus de peligrosidad al que estima tener derecho. El juzgado de lo social ha dictado sentencia condenando al pago de los atrasos, pero guarda silencio en lo relativo al plus de peligrosidad.

a) La sentencia no incurre en ningún defecto, pues ha estimado una pretensión y la segunda se puede entender desestimada por silencio administrativo.

b) La sentencia no incurre en ningún defecto; Alberto debe presentar una nueva demanda en la que reclame el pago del plus de peligrosidad.

c) La sentencia podrá ser recurrida pues incurre en un defecto de incongruencia omisiva (no resuelve todo lo que se le ha planteado).

d) Alberto no podía acumular estas acciones y por ello el juzgado tan solo ha resuelto una de ellas.

29.- Marina Sotomayor presentó demanda en reclamación de cantidad contra la empresa en la que presta servicios (TACORONTE S.A.) solicitando el

pago de 23.540 €, una parte en concepto de plus de peligrosidad impagado (14.000 €) y el resto como diferencias salariales. La empresa ha presentado escrito en el juzgado mostrando su conformidad con todas las pretensiones de la actora.

a) La actuación empresarial constituye un allanamiento que, en principio, será aprobado por el Letrado de la Administración de Justicia mediante un decreto.

b) La actuación empresarial constituye un allanamiento total que, en principio, será aprobado por el juez mediante una sentencia precisamente por ser total.

c) La actuación empresarial constituye un desistimiento que, en principio, será aprobado por el juez mediante un auto.

d) La actuación empresarial constituye una renuncia que, en principio, será aprobada por el juez mediante una sentencia.

30- Pedro Jiménez interpuso reclamación de cantidad contra su empresa y ahora pretende desistir de su acción, algo que hace y, tras los trámites necesarios, se admite por el juzgado.

a) El Juzgado dicta en estos casos un auto, lo cual no impide que en el futuro D. Pedro pueda volver a interponer demanda por la misma cuestión.

b) El Juzgado dictará en estos casos un auto, el cual despliega eficacia de cosa juzgada impidiendo que D. Pedro plantee esta acción nuevamente en el futuro.

c) El Juzgado dicta en estos casos una sentencia desestimatoria de la acción ejercitada.

d) El Juzgado no permitirá nunca este tipo de actuaciones pues supone una renuncia de derechos inadmisible.

III. SOLUCIONES AL CUESTIONARIO

1: B	2: B	3: D	4: B	5: B	6: A	7: A	8: C	9: A	10: A
11: D	12: D	13: B	14: D	15: D	16: C	17: C	18: A	19: C	20: C
21: A	22: B	23: C	24: D	25: A	26: A	27: D	28: C	29: B	30: A

IV. ACTIVIDADES PROPUESTAS

Caso práctico

Trate de resolver el siguiente supuesto relativo a una reclamación de cantidad que debe tramitarse a través del proceso ordinario; para ello, lea atentamente los hechos que se relatan para, a continuación, responder a las cuestiones que se formulan.

Hechos:

Primero: La empresa "Construcciones Levantinas, S.A.", domiciliada en Valencia, C/ del Mar, 7, comenzó a ejecutar un proyecto consistente en la construcción de diez bloques de apartamentos en el término municipal de Benicarló (Castellón) en enero de 2006.

Segundo: La envergadura de la obra determinó que la empresa mencionada contratase en mayo del mismo año con la empresa "Construcciones Gamboa, S.A.", domiciliada en Castellón, Avd/ Jaume I, 16, la construcción de cuatro de los diez bloques del proyecto.

Tercero: La empresa "Construcciones Gamboa, S.A.", a su vez, encargó en septiembre de 2007 a la empresa "Interiores Ranzao, S.A.", domiciliada en Oropesa, C/ Acacias, 23, las tareas de pintura correspondientes a los bloques que le corresponde edificar.

Cuarto: La empresa "Ranzao, S.A." cuenta con una plantilla de diez trabajadores, incluido el personal administrativo. Ante la insuficiencia de su plantilla para hacer frente al encargo recibido, esta empresa suscribió un contrato de trabajo por obra determinada con D. Wenceslao Fernández, DNI 20209176, natural de Pontevedra y domiciliado en Tarragona, Rambla Nova, 23.

Quinto: El contrato, que vinculaba su duración a la finalización de la obra en cuestión, establecía, entre otras cosas, que la categoría profesional de D. Wenceslao sería la de Oficial 1ª y que dicho sujeto percibiría una retribución de 1152 euros mensuales (900 salario base y 252 por complementos), al margen de dos pagas extraordinarias –una en diciembre y otra en junio– cuantificadas sobre el salario base más un 5 % del mismo.

Sexto: Las obras del complejo construido finalizaron el 30 de noviembre del año pasado, fecha en la que el contrato de trabajo de D. Wenceslao se extinguió.

Séptimo: En ese momento, la empresa adeudaba al trabajador mencionado las siguientes cantidades:

– la nómina de los meses de octubre y noviembre del año de finalización

– las pagas extraordinarias del año anterior

– el plus de transporte correspondiente a los meses de junio, julio y agosto de este año (300 euros)

– el plus de nocturnidad de los meses de junio, julio y agosto de este año (200 euros)

– la indemnización por fin de contrato (454 euros)

Octavo: A finales de diciembre de ese mismo año, el trabajador pretende realizar las acciones legales oportunas para obtener las cantidades adeudadas.

Cuestiones:

1ª. Determine, en primer lugar, si resultaría posible que el trabajador plantease de forma conjunta todas las reclamaciones señaladas en la fecha indicada (1.1); asimismo, señale si podría existir algún problema procesal derivado del hecho de plantear las acciones en la fecha indicada (1.2); finalmente especifique quiénes serán los legitimados pasivos en este proceso (1.3). Razone sus respuestas con referencia a los preceptos aplicados.

2ª. Determine si resulta necesaria la realización de algún tipo de acto previo a la vía judicial. En caso afirmativo identifique el tipo de acto, el órgano competente para su celebración y los efectos que acarrea su celebración. Razone la respuesta con referencia a los preceptos aplicados. Asimismo, con ayuda de un libro de formularios, proceda a redactar el escrito correspondiente al acto en cuestión.

3ª. Proceda a redactar el escrito de demanda, teniendo en cuenta que, por un lado, el trabajador pretende comparecer en juicio representado por graduado social y que, por otro, le interesa solicitar la práctica de determinadas pruebas documentales.

4ª. Indique qué documentos debería adjuntar el trabajador a su demanda; asimismo, especifique las consecuencias que acarrearía la no presentación de los mismos.

5ª. Una vez admitida a trámite la demanda, ¿cabría citar directamente a los demandados mediante edictos?; ¿qué consecuencias tendría?

6ª. Presuponiendo que las partes han sido citadas en tiempo y forma, ¿qué consecuencias se derivarían de una eventual incomparecencia de las mismas?

7ª. Indique si el trabajador, una vez abierto el juicio oral y en su turno de alegaciones, podría incorporar a la suma inicialmente reclamada la derivada de la realización de unas horas extraordinarias que recientemente se ha percatado que la empresa todavía le adeuda; asimismo, determine si resultaría posible que la empresa, una vez abierto el juicio oral y en su turno de alegaciones, reclamase al trabajador una suma de 300 euros que la misma entiende que éste le adeuda. Razone las respuestas con referencia a los preceptos aplicados.

8º. El trabajador pretende demostrar la existencia de la deuda correspondiente a la realización del trabajo nocturno mediante la prueba de su efectiva ejecución. Para ello necesita presentar un documento que obra en poder de la empresa. Así las cosas, determine en qué momento podría solicitar la práctica de esta prueba; asimismo, indique las consecuencias que se podrían derivarse del hecho de que la empresa no aportase el documento en cuestión; finalmente, señale qué sucedería si el juez inadmitiese la práctica de este medio de prueba propuesto por el trabajador. Razone su respuesta con referencia los preceptos aplicados.

9ª. Imagine que la sentencia ha condenado a la empresa "Interiores Ranzao, S.A." al pago de las cantidades reclamadas. Determine si resulta posible plantear algún tipo de recurso contra la resolución en cuestión. En caso afirmativo, especifique el tipo de recurso, los sujetos que pueden interponerlo y el órgano competente para su solución. Razone la respuesta con referencia a los preceptos aplicados (PARA CONTESTAR DESPUÉS DE HABER ESTUDIADO LA LECCIÓN SÉPTIMA).

10ª. Señale si durante la tramitación del recurso podría el trabajador solicitar el pago de la cantidad reconocida en la sentencia. En caso afirmativo, indique el órgano competente y la cantidad que podría percibir el trabajador. Razone la respuesta con referencia a los preceptos aplicados (PARA CONTESTAR DESPUÉS DE HABER ESTUDIADO LA LECCIÓN OCTAVA).

V. GLOSARIO

– *Acumulación*: Institución procesal determinante de que procesos que inicialmente debieran tramitarse por separado, o que de hecho se estaban desarrollado separadamente, se integren en un procedimiento común.

– *Allanamiento*: Acto del demandado en virtud del cual dicho sujeto manifiesta su conformidad con la pretensión del actor, vinculando al órgano jurisdiccional a dictar una sentencia de fondo en la que se estime la pretensión del actor.

– *Conciliación Judicial*: Fase del proceso que se realiza ante el letrado de la administración de justicia, antes de dar paso al juicio oral, en la que las partes tratan de alcanzar un acuerdo que ponga fin al pleito.

– *Desistimiento*: Acto procesal del demandante por el que el mismo hace dejación del proceso, pero no de la acción.

– *Excepción*: Mecanismo empleado en el pleito para oponerse a que las reivindicaciones de la parte contraria prosperen.

– *Reconvención*: Actuación procesal por la que el demandado en un pleito introduce en el mismo una acción contra el sujeto que lo ha demandado.

– *Renuncia*: Acto de disposición mediante el cual el demandante abandona su pretensión, obligando al juez a dictar una sentencia que desestima la acción ejercitada.

– *Sentencia*: Acto jurisdiccional que decide definitivamente el pleito en cualquier instancia o grado.

– *Transacción*: Negocio por el que las partes prometiendo, reteniendo, dando cada una alguna cosa, evitan la provocación de un proceso o ponen término a uno ya comenzado.

LAS MODALIDADES PROCESALES

CONTENIDO GENERAL

Las acciones que se ejercitan ante el orden social, ya se ha señalado en lecciones anteriores, determinan la apertura de un proceso cuyos trámites suelen ser comunes en la generalidad de los casos. Ese proceso se conoce como proceso ordinario y ha sido objeto de análisis en la lección quinta. Las previsiones del procedimiento ordinario no se ajustan demasiado bien para la tramitación de ciertos litigios, pues podrían resultar disfuncionales; por ello, la LRJS regula junto a éste una serie de **modalidades procesales** que sirven para tramitar determinados pleitos en unas materias específicas.

La regulación de las modalidades procesales se articula sobre el esquema del proceso ordinario, respecto el cual la LRJS procede a introducir ciertas especialidades, más o menos intensas según los casos, que afectan a determinados aspectos de la tramitación, ya sea al inicio del proceso, al desarrollo del mismo o a su finalización; de hecho, en todo lo no previsto en la regulación de la modalidad procesal de que se trate, se aplican las previsiones propias del proceso ordinario.

Pues bien, el objeto de esta unidad es, precisamente, el análisis de las modalidades procesales. Ahora bien, en la medida en que éstas son numerosas, y el espacio con que se cuenta para la exposición limitado, se ha optado por centrar el análisis en unas cuantas modalidades solamente. La elección se ha efectuado atendiendo a dos tipos de criterios: por un lado, se han escogido aquéllas que tienen una mayor trascendencia práctica, a juzgar por el número de pleitos relacionados con las mismas que se promueven; por otro lado, las que presentan unas mayores dificultades de comprensión.

OBJETIVOS DE LA UNIDAD DE APRENDIZAJE

– Ahondar en la diferencia entre proceso ordinario y modalidades procesales.

– Conocer los conflictos o materias que cuentan con una modalidad procesal específica y cuál es su regulación.

– Profundizar en el conocimiento de algunas de las modalidades procesales, en particular, las relacionadas con el despido, con los conflictos colectivos, con la seguridad social y la tutela de los derechos fundamentales y libertades públicas.

– Adquirir destrezas en la redacción de los escritos correspondientes.

– Conocer los límites y los efectos de la conciliación judicial.

SUMARIO: I. DESARROLLO. 1. Introducción. 1.1. Proceso ordinario versus modalidades procesales. 1.2. Las modalidades procesales: sistematización. 1.2.1. Modalidades relacionadas con pretensiones de Derecho del Trabajo individual. 1.2.2. Modalidades relacionadas con pretensiones de Derecho del Trabajo colectivo. 1.2.3. Modalidades relacionadas con pretensiones de Seguridad Social. 1.2.4. Otras modalidades procesales. 2. Los "procesos" por despido. 2.1. La modalidad especial para impugnar el despido disciplinario. 2.1.1. El objeto de la modalidad especial y su regulación. 2.1.2. Las peculiaridades. A) El inicio del proceso: el plazo para interponer demanda y su contenido. B) El juicio oral: alteración en el orden de intervenciones y límites a la oposición. C) La finalización del proceso: especialidades de la sentencia. D) La ejecución provisional. E) La ejecución definitiva de sentencias por despido. 2.2. La modalidad especial para impugnar los despidos objetivos. 2.2.1. El objeto de la modalidad especial y su regulación. 2.2.2. Las peculiaridades. A) El inicio del proceso: el plazo para la interposición de la demanda. B) La finalización del proceso: especialidades de la sentencia. 2.3. La modalidad especial para impugnar los despidos colectivos. 2.3.1. El objeto de la modalidad especial y su regulación. 2.3.2. Las peculiaridades. A) Las peculiaridades en la vía de impugnación colectiva. B) Las peculiaridades en la vía de impugnación individual. 3. La modalidad especial de conflicto colectivo. 3.1. El objeto de la modalidad especial y su regulación. 3.2. Las peculiaridades. 3.2.1. Los actos previos. 3.2.2. El inicio del proceso: la demanda y su admisión. 3.2.3. La finalización del proceso: especialidades en la sentencia. 4. La modalidad especial de Seguridad Social. 4.1. El objeto de la modalidad especial y su regulación. 4.2. Las peculiaridades. 4.2.1. Las peculiaridades en los procesos contra los organismos gestores o entidades colaboradoras. A) El inicio del proceso: la demanda. B) Tramitación. 4.2.2. Las peculiaridades en el proceso de impugnación de altas médicas. 4.2.3. Las peculiaridades en el proceso del art. 146 LRJS. 4.2.4. Las peculiaridades en el proceso del art. 147 LRJS. 5. La modalidad especial de tutela de los derechos fundamentales. 5.1. El objeto de la modalidad especial y su regulación. 5.2. Las peculiaridades. 5.2.1. El inicio del proceso: la demanda y su control. 5.2.2. El juicio oral: la prueba. 5.2.3. La finalización del proceso: la sentencia. II. CUESTIONARIO. III. SOLUCIONES AL CUESTIONARIO. IV. ACTIVIDADES PROPUESTAS. V. GLOSARIO.

I DESARROLLO

.

1. Introducción

1.1. Proceso ordinario versus modalidades procesales

1.–La LRJS regula, junto al procedimiento ordinario, una serie de modalidades procesales para la tramitación de determinadas pretensiones.

1.1.–Y es que, las previsiones del primero podrían resultar disfuncionales para la tramitación de ciertas causas laborales; en otras palabras, la regulación de aquél no resulta adecuada para la solución de algunos pleitos en materias específicas y por ello el legislador opta por introducir unos cauces procesales distintos, unas modalidades procesales, en los arts. 102 y ss. LRJS.

1.2.–Con todo, las modalidades procesales se articulan sobre la base del proceso ordinario, respecto del cual, la LRJS procede a introducir algunas variantes en aspectos concretos, con mayor o menor intensidad según el caso; es más, según señala el art. 102 LRJS, las previsiones del proceso ordinario se siguen aplicando en aquellas materias para las que existe una modalidad procesal en todo aquello que no esté expresamente regulado en la modalidad en cuestión.

1.2. Las modalidades procesales: sistematización

2.–Las modalidades procesales reguladas en la LRJS afectan a materias muy diversas y podrían intentar sistematizarse atendiendo al sector del ordenamiento laboral implicado. En este sentido, de entrada, existe una serie de modalidades para la solución de conflictos relacionados con ciertos aspectos individuales del Derecho del Trabajo; asimismo, existen otras modalidades que sirven para tramitar unos litigios relacionados con ciertos aspectos colectivos del Derecho del Trabajo; igualmente, la LRJS regula unas modalidades vinculadas a ciertas pretensiones en materia de Seguridad Social; en fin, algunas modalidades son de clasificación dudosa, pues resultaría posible encuadrarlas en más de uno de los apartados anteriores.

1.2.1. Modalidades relacionadas con pretensiones de Derecho del Trabajo individual

3.–Por lo que respecta a las modalidades procesales relacionadas con las pretensiones de Derecho del Trabajo individual, cabe aludir a las siguientes.

3.1.–En primer lugar, hay un conjunto de modalidades que sirven para impugnar las **decisiones** empresariales **extintivas** y otras **relacionadas** con las mismas.

– Por un lado, se encuentra la modalidad especial para impugnar el **despido disciplinario**, regulada en los arts.103–113 LRJS; la modalidad especial para impugnar los **despidos objetivos**, arts.120–123 LRJS; y la modalidad especial para impugnar los **despidos colectivos**, regulada en el art. 124 LRJS.

– Por otro lado, por su conexión con el despido, cabe traer a colación otras dos modalidades procesales más: de una parte, la modalidad procesal para reclamar al Estado los **salarios de tramitación** en aquellos casos en los que fuera responsable del abono de una parte de los mismos, regulada en los arts. 116-119 LRJS; de otra, la modalidad especial para impugnar las **sanciones** que impone la empresa al trabajador distintas al despido disciplinario, regulada en los arts. 114-115 LRJS.

3.2.–En segundo lugar, se encuentra la modalidad especial de **vacaciones**, regulada en los arts. 125-126 LRJS y que permite resolver exclusivamente los conflictos relativos a la fijación de la fecha de disfrute de las mismas.

3.3.-En tercer lugar, la modalidad especial de **clasificación profesional** regulada en el art. 137 LRJS y cuyo objeto es resolver las discrepancias que surgen entre la categoría asignada en el contrato y la realmente desarrollada.

3.4.-En cuarto lugar, la modalidad especial de **movilidad geográfica, modificación sustancial de condiciones de trabajo, suspensión del contrato y reducción de jornada por causas económicas, técnicas, organizativas o de la producción o derivadas de fuerza mayor**, regulada en el art. 138 LRJS y que tienen por objeto obtener un fallo en el que se declare que las decisiones adoptadas por la empresa sobre tales materias son injustificadas o nulas.

3.5.- En quinto lugar, la modalidad especial en **reclamaciones de acceso, reversión y modificación del trabajo a distancia,** regulada en el art. 138 bis LRJS y que tiene por objeto encauzar las reclamaciones del personal en esta materia cuando la empresa les ha comunicado la negativa o disconformidad con la propuesta realizada sobre el particular.

3.6.-En sexto lugar, la modalidad especial para el ejercicio de **los derechos de conciliación de la vida personal, familiar y laboral reconocidos legal o convencionalmente**, regulada en el art.139 LRJS y que permite resolver los conflictos que sobre tales cuestiones se planteen en relación con su concreción horaria y fijación de período de disfrute; también se rigen por estas previsiones las reclamaciones en materia de trabajo a distancia cuando la causa esté relacionada con el ejercicio de estos derechos.

1.2.2. Modalidades relacionadas con pretensiones de Derecho del Trabajo colectivo

4.-La LRJS también regula una pluralidad de modalidades procesales que están destinadas a servir para la tramitación de ciertos pleitos relacionados con aspectos colectivos de las relaciones laborales.

4.1.-En este sentido, en primer lugar, deben citarse las modalidades en materia de **elecciones a los representantes de los trabajadores** que son dos: por un lado, la que permite impugnar los laudos que se emiten en esta materia –los laudos electorales–, regulada en los arts. 127-132 LRJS; por otro, la creada para tramitar la impugnación de la resolución administrativa que deniega el registro del acta electoral, así como las acciones relacionadas con la impugnación de las certificaciones de representatividad, regulada en los arts. 133-136 LRJS.

4.2.-En segundo lugar, la modalidad especial de **conflicto colectivo**, regulada en los arts. 153-162 LRJS y que tiene por objeto resolver los conflictos de este tipo que sean jurídicos –esto es, que versen sobre la interpretación o aplicación de una norma–, nunca los económicos o de intereses –es decir, los que persigan crear, alterar o suprimir una norma–, pues estos últimos no pueden resolverse en sede judicial.

4.3.–En tercer lugar, también cuentan con una modalidad específica las pretensiones relativas a la **impugnación de convenios colectivos**, regulada en los arts. 163-166 LRJS.

4.4.–En cuarto lugar, la impugnación de las resoluciones administrativas que deniegan el depósito de los **estatutos sindicales**, impidiendo con ello la adquisición de la personalidad jurídica, o las acciones dirigidas a atacar algún aspecto de tales estatutos una vez ya han sido depositados, siguen igualmente un procedimiento específico: en el primer caso, se trata de la modalidad procesal regulada en los arts. 167-172 LRJS; en el segundo, la recogida en los arts. 173-175 LRJS.

4.5.–En fin, por su parte, el art. 176 LRJS alude a idénticas causas, pero en relación con las asociaciones empresariales, para indicar que seguirán la misma tramitación que la establecida en los artículos antes mencionados para los sindicatos.

1.2.3. Modalidades relacionadas con pretensiones de Seguridad Social

5.–Un tercer grupo de modalidades son aquéllas que están relacionadas con pretensiones de **Seguridad Social**, a las que se refieren los arts. 140 y ss. Estas modalidades sirven para encauzar algunas acciones de la materia en cuestión.

5.1.–En concreto, los arts. 140 y ss. LRJS regulan el ejercicio de las demandas formuladas en esta materia contra los organismos gestores y entidades colaboradoras en la gestión, incluida la impugnación de las altas médicas.

5.2.–Por su parte, el art. 146 LRJS regula otra "submodalidad" que permite llevar a cabo la revisión de los actos declarativos de derechos en perjuicio de los particulares.

5.3.–En fin, el art. 147 LRJS regula un específico procedimiento de oficio que puede iniciar la entidad gestora del desempleo cuando, en determinadas circunstancias, estime que se está produciendo una actuación fraudulenta a efectos de declarar responsable del pago de la prestación a la empresa.

1.2.4. Otras modalidades procesales

6.–El listado de modalidades procesales recogido en la LRJS no se agota en lo anterior, pues falta hacer referencia a algunas otras modalidades que presentan mayores dificultades de ubicación sistemática, ya que pueden entroncar con diferentes áreas del ordenamiento jurídico.

6.1.–Así, por un lado, cabe aludir a la modalidad especial de **tutela de los derechos fundamentales y libertades públicas,** regulada en los arts. 177-184 LRJS, pues puede relacionarse con aspectos tanto individuales como colectivos.

6.2.–Por otro lado, se encontraría la modalidad especial para los **procesos de oficio** que puede iniciar la autoridad laboral en determinadas circunstancias y que se regula en los arts. 148-150 LRJS.

6.3.–En fin, los arts. 151 y 152 LRJS se encargan de regular el procedimiento de **impugnación de actos administrativos** en **materia laboral y de Seguridad Social,** excluidos los prestacionales.

2. Los "procesos" por despido

7.–La LRJS prevé distintas modalidades procesales específicas a través de las cuales se tramitan ciertas acciones. Así sucede, por ejemplo, en los casos en que se pretende reclamar contra las decisiones empresariales extintivas. En efecto, en este punto, la normativa procesal habilita hasta tres cauces diferentes, en función del tipo de decisión extintiva de que se trate: por un lado, la modalidad procesal para impugnar contra el despido disciplinario; por otro, la modalidad procesal para impugnar las extinciones objetivas; finalmente, la modalidad procesal para impugnar las extinciones colectivas.

2.1. La modalidad especial para impugnar el despido disciplinario

2.1.1. El objeto de la modalidad especial y su regulación

8.–Esta modalidad, en principio, permite reclamar contra las decisiones extintivas empresariales basadas en motivos disciplinarios a efectos de que el órgano jurisdiccional declare esta decisión nula o improcedente. Asimismo, la jurisprudencia ha ido ampliando el objeto inicial de la modalidad hacia otras decisiones empresariales que, sin ser exactamente un despido disciplinario, producen unos efectos similares; así, por ejemplo, la negativa empresarial a permitir el reingreso de un trabajador excedente con reserva del puesto de trabajo; o la extinción de un contrato temporal por llegada del término final cuando por alguna circunstancia opera la presunción del carácter indefinido de la relación.

9.–La regulación de los trámites procesales para llegar a tales resultados se encuentra en los arts. 103 y siguientes LRJS. En lo no previsto en tales preceptos, se acudirá a las previsiones del procedimiento ordinario (art. 102 LRJS) y, en su caso, como siempre a la LEC (DF 4ª LRJS).

2.1.2. Las peculiaridades

10.–Las principales especialidades de esta modalidad afectan al inicio del proceso, en concreto, a la demanda; a ciertos aspectos del desarrollo; a la sentencia; y a la ejecución.

A) El inicio del proceso: el plazo para interponer demanda y su contenido

11.–La acción para impugnar el despido no puede interponerse en cualquier momento, sino que está sometida a un concreto **plazo de caducidad**, previsto en los arts. 59.3 ET y 103 LRJS, de veinte días hábiles a contar desde la fecha de efectos. Para el cómputo de este plazo, hay que descontar sábados, domingos, festivos de la localidad donde radique el órgano judicial y los días 24 y 31 de diciembre, según se deriva de los preceptos antes indicados y del art. 182 LOPJ; asimismo, debe tenerse en cuenta que el mes de agosto, habitualmente inhábil, a estos efectos tiene la consideración de hábil según dispone el artículo 43.4 LRJS. Este plazo plantea dos cuestiones de importancia.

11.1.–La primera cuestión es la relativa a la identificación del *dies a quo*, es decir, cuándo se inicia el cómputo. Pues bien, como regla general, se puede afirmar que dicho momento es el día siguiente a la fecha de efectos; con todo, se trata de una regla que admite matices y excepciones: así, por ejemplo, si el despido ha sido comunicado con anterioridad a su fecha de efectos, cabe un ejercicio anticipado de la acción, aunque los días no empiecen a transcurrir hasta la efectividad; igualmente, en aquellos casos en los que la comunicación tenga eficacia retroactiva, el cómputo no tendrá lugar hasta que se produzca la comunicación.

11.2.–El plazo previsto, al ser de caducidad, debe ser controlado de oficio por el órgano jurisdiccional, sin perjuicio de que además pueda ser alegado por la parte contraria. Al tratarse de un plazo de caducidad, no cabe su interrupción, sino que a lo sumo será posible su **suspensión** por distintas razones tasadas: en primer lugar, por presentación de la papeleta de conciliación o mediación, en los términos analizados en la lección cuarta (art. 65 LRJS); por suscripción de un compromiso arbitral (65.3 LRJS); por solicitud de designación de abogado de oficio (21.4 LRJS).

12.–El proceso sigue iniciándose mediante la presentación de la oportuna **demanda** por parte del trabajador, quien en este tipo de procesos siempre ocupa la posición de demandante. La demanda, además de ajustarse a las previsiones generales del artículo 80 LRJS, deberá contener las menciones específicas del artículo 104 LRJS:

12.1.–De entrada, la letra a) del artículo 104 LRJS exige que se incluyan una serie de aspectos relacionados con las condiciones de trabajo anteriores al despido: antigüedad, concretando los períodos de prestación de servicios; categoría profesional; salario, tiempo y forma de pago; lugar de trabajo; modalidad y duración del contrato; jornada; características peculiares del trabajo realizado.

12.2.–En segundo lugar, la letra b) se refiere a otros aspectos relativos a las circunstancias en que el despido se produjo: fecha de efectividad; forma; hechos alegados por el empresario, acompañando la comunicación recibida, en su caso, o haciendo mención suficiente de su contenido.

12.3.–Finalmente, las letras c) y d) del artículo 104 mencionan la necesidad de hacer referencia, en su caso, a ciertas circunstancias peculiares que pueden estar presentes en el trabajador despedido por cuanto van a tener importantes consecuencias en la valoración del acto empresarial: por un lado, si ostenta o ha ostentado durante el último año la condición de representante unitario o sindical; por otro, si se encuentra afiliado a algún sindicato; así como cualquier otra que pudiera tener relevancia en la declaración de improcedencia o nulidad o para la titularidad de la opción derivada (piénsese, p. e., en que se hubiera estado disfrutando de un permiso parental).

12.4.–Todos los requisitos señalados guardan relación con el contenido de la sentencia y con la calificación del despido. Al tratarse de requisitos esenciales, su ausencia debería ser controlada por el órgano jurisdiccional por la vía de lo previsto en el art. 81 LRJS (requerimiento de subsanación en cuatro días; archivo de las actuaciones si no se subsana).

B) El juicio oral: alteración en el orden de intervenciones y límites a la oposición

13.–Por lo que respecta al desarrollo del juicio oral, hay que destacar, básicamente, dos aspectos: el primero afecta a la alteración del orden de intervención de las partes; el segundo está relacionado con la oposición a la demanda y la actividad probatoria que debe desplegarse el juicio.

13.1.–En el proceso declarativo ordinario correspondía el turno de alegar, probar y formular conclusiones, en primer lugar, al demandante. Pues bien, en los procesos por despido, según el art. 105.1 LRJS, una vez ratificada o ampliada la demanda por el trabajador, el **orden de intervenciones se ve alterado,** de manera que en los tres momentos del mismo (alegaciones, práctica de la prueba y conclusiones) interviene, en primer lugar, el demandado y después el demandante.

13.2.–La segunda peculiaridad importante de este proceso afecta a la **intervención del empresario** en el mismo.

– Por un lado, según señala el art. 105.2 LRJS, a dicho sujeto no se le permitirá que trate de fundamentar el despido en hechos distintos a los alegados en la carta de despido.

– Por otro lado, el art. 105.1 *in fine* LRJS dispone que la carga de la prueba de la veracidad sobre los hechos imputados al trabajador en la carta de despido corresponde al empresario

C) La finalización del proceso: especialidades de la sentencia

14.–Finalmente, una de las especialidades más notables que presentan los procesos por despido es la relativa a la sentencia, no sólo por su contenido y estructura sino también por lo que atañe al fallo.

15.–De entrada, por lo que respecta a la **estructura y contenido**, junto al mandato previsto en el art. 97.2 LRJS, deben tenerse en cuenta las prescripciones del art. 107 LRJS. Este precepto señala que en la declaración de hechos probados en las sentencias dictadas en procesos por despido deben hacerse constar una serie de circunstancias que el propio artículo detalla y que coinciden con las previsiones del art. 104 LRJS.

16.–Por otra parte, en relación con **el fallo,** la sentencia con la que finalice el proceso por despido deberá calificar el mismo como procedente, improcedente o nulo. Así se afirma en el artículo 108.1 LRJS, precepto que, acto seguido se encarga de señalar en qué casos se optará por cada una de las posibles calificaciones.

16.1.–En primer lugar, puede suceder que la sentencia finalice calificando el despido como **procedente**.

a) El despido será declarado procedente cuando haya quedado acreditado el incumplimiento alegado por el empresario en el escrito de comunicación. Así se manifiesta el art. 108.1.II LRJS. Para ello, además, resulta necesario que la empresa haya cumplido con los requisitos formales, tanto los legales como, en su caso, los convencionales.

b) En cuanto a los efectos, el artículo 109 LRJS establece que la sentencia convalidará la extinción, sin derecho a indemnización ni a salarios de tramitación.

16.2.–En segundo lugar, puede suceder que la sentencia declare el despido **improcedente**.

a) El juez declarará la extinción como improcedente, según el artículo 108.1 LRJS, cuando no quede acreditado el incumplimiento alegado por el empresario en el escrito de comunicación, o el mismo no revistiera gravedad suficiente; en este último caso, el juez podrá autorizar la imposición de una sanción adecuada a la entidad de la falta en el plazo de diez días. Por otra parte, el despido también se calificará como improcedente cuando no se hubieran cumplido los requisitos formales fijados en el artículo 55.1 ET.

b) Los efectos de la sentencia que declare el despido improcedente aparecen en los arts. 56 ET y 110 LRJS:

– Por un lado, el empresario podrá optar entre readmitir al trabajador o extinguir la relación laboral con abono de la indemnización correspondiente (antaño, 45 días por año de servicio con un máximo de 42 mensualidades; en la actualidad, 33 días con un máximo de 24 mensualidades, con un complejo régimen transitorio recogido en la DT 11ª ET para los contratos suscritos con anterioridad al 12 de febrero de 2012), correspondiendo el ejercicio de la misma al trabajador cuando éste sea representante de los trabajadores o cuando así lo prevea el convenio colectivo. Aunque existen reglas especiales que permiten adelantar el sentido de la elección, la opción se ejercita mediante escrito o comparecencia ante el juzgado de lo social en los cinco días siguientes a la notificación de la sentencia y sin esperar a su firmeza (art. 110.3 LRJS). A falta de ejercicio tempestivo de la opción, se considera que el titular se ha decantado por la readmisión (cfr. art. 56.3 y 4 ET).

– Por otra parte, si el empresario optase por la readmisión, será preciso que abone los salarios de tramitación, esto es, los dejados de percibir entre el despido y la notificación de la sentencia, si bien existen distintos supuestos en los que resulta posible limitarlos; en el caso de los representantes de los trabajadores, cualquiera que sea el ejercicio de la opción, se genera el derecho a salarios de tramitación. Por lo demás, si la improcedencia derivase de motivos formales, una vez readmitido el trabajador, el empresario cuenta con un plazo de siete días para volver a despedirle con base en los mismos hechos (art. 110.4 LRJS).

16.3.–Finalmente, la sentencia podría declarar la **nulidad** del despido.

a) El juez declarará nulo el despido en los supuestos recogidos en el art. 108.2 LRJS:

– Así, por un lado, se encuentran los que vienen referidos a casos en los que la extinción se efectúa con móvil discriminatorio o violación de un derecho fundamental.

– Por otro lado, una declaración idéntica se anuda a ciertos casos en que se está disfrutando de determinados derechos relacionados con la maternidad, la lactancia o la conciliación de la vida familiar y no se declara la procedencia del despido.

b) Los efectos de la nulidad se encuentran en los arts. 55.6 ET y 113 LRJS, consistiendo, básicamente, en la readmisión obligatoria y abono de los salarios de tramitación. Además, si ha habido vulneración de un derecho fundamental, debe tenerse en cuenta la eventual indemnización adicional.

D) La ejecución provisional

17.–La sentencia que califica el despido puede ser impugnada ante el TSJ por medio del recurso de suplicación y tras éste, en ocasiones, todavía cabría interponer el recurso de casación para la unificación de la doctrina ante el Tribunal Supremo. Ello podría suponer que el trabajador que ya ha obtenido un fallo favorable de la jurisdicción viera retrasada la efectividad del mismo. Por ello, el ordenamiento laboral permite que durante la tramitación del recurso se pueda instar la **ejecución provisional** del fallo. La ejecución provisional de las sentencias por despido aparece regulada en los arts. 297 y ss. LRJS.

17.1.–**Estas previsiones se aplican**, a tenor de lo dispuesto en el 297 LRJS, en los casos siguientes:

– Por un lado, cuando la sentencia declaró el despido improcedente y, bien el empresario, bien el trabajador, optaron por la readmisión, siempre que la sentencia se haya recurrido por cualquiera de tales sujetos.

– Por otro, cuando la sentencia declaró el despido nulo (en cuyo caso, procede siempre la readmisión) y se ha interpuesto recurso contra la misma.

17.2.–Por el contrario, cuando la sentencia impugnada declaró el despido improcedente y ha habido una opción por la extinción indemnizada, la ejecución provisional, en principio, parece que no resulta posible; no obstante, en estos casos, el art. 301 LRJS permite ejecutarla por la vía de los anticipos reintegrables regulada, en los arts. 289 y ss. LRJS.

18.–La vía regulada en el art. 297 LRJS, que se emplea cuando estamos ante una sentencia impugnada que se ha resuelto en la obligación de readmitir, consiste en lo siguiente:

18.1.–Por un lado, en cuanto al **contenido**, el empresario continúa abonando los salarios; asimismo el trabajador sigue desarrollando su prestación laboral, eso sí, siempre que el empresario lo desee, pues podría renunciar a la prestación, pero, en todo caso, continuará abonando los salarios; finalmente, caso de ser representante de los trabajadores, se le debe permitir que siga desarrollando las funciones representativas.

18.2.–La ejecución provisional **finaliza** cuando la sentencia impugnada deviene firme. A partir de ahí, hay que diferenciar los efectos en función de cuál sea el contenido de la sentencia que resuelve el recurso.

– Si la sentencia confirma el fallo, se procede a la ejecución definitiva. Únicamente nos encontramos con la particularidad de descontar de los salarios de tramitación aquéllos que ya se hubieran abonado a resultas de la ejecución provisional.

– Si la sentencia impugnada fuera revocada, se estará a las previsiones del artículo 300 LRJS, de conformidad con el cual el trabajador no viene obligado a la devolución de los salarios percibidos durante la ejecución.

19.–La ejecución anterior no es posible en los casos en que la sentencia impugnada incorporaba un fallo de improcedencia y ha habido un ejercicio de la opción en favor de la extinción indemnizada. En estos casos, a pesar del tenor de los arts. 111.1.b) y 112.1.b) LRJS, parece aplicable lo previsto en el art. 301 LRJS, lo que llevaría a la ejecución provisional del fallo a través del sistema de los anticipos reintegrables regulado en los arts. 289 y ss. LRJS: el trabajador puede obtener una parte de la cantidad a la que se ha condenado al empresario, dentro de unos límites –el 50% del fallo, siempre que no supere el doble del salario mínimo interprofesional para mayores de18 años en cómputo anual–.

E) La ejecución definitiva de sentencias por despido

20.–El trabajador que ha obtenido un fallo favorable en un proceso por despido tiene reconocido el derecho a reingresar en el puesto de trabajo o, en algunos casos, a obtener una indemnización. A partir de ahí, puede suceder que el empresario no cumpla su obligación de readmitir o de abonar la indemnización; en tales casos, si la sentencia es firme y el trabajador quiere ver satisfecho su derecho, debe iniciar **la ejecución definitiva**. La ejecución de sentencias por despido aparece regulada en los arts. 278 y ss. LRJS, a modo de procedimiento ejecutivo especial.

20.1.–El objeto de esta modalidad ejecutiva persigue forzar al empresario a cumplir con los efectos derivados del despido, pero sólo en lo relativo a la readmisión, pues el pago de la indemnización se tramitaría como una ejecución ordinaria dineraria.

20.2.–La LRJS regula **dos tipos diferentes** de ejecución de sentencias por despido que obedecen a dos supuestos bien distintos:

– El primero de ellos se produce cuando el despido ha sido declarado improcedente y el empresario ha optado por la readmisión. En estos casos, lo veremos enseguida, la ejecución no se cumple *in natura*, sino por equivalente. Por ello se habla de **EJECUCIÓN POR EQUIVALENTE**.

– El segundo supuesto se relaciona con las situaciones en que la readmisión resulta obligada y se debe proceder a su cumplimiento en los propios términos. Por ello se habla de **EJECUCIÓN ESPECÍFICA**. Esta ejecución específica se produce en los casos siguientes: por un lado, cuando la sentencia declara la nulidad de la extinción; por otro, cuando se declaró la improcedencia del despido, el ejercicio de la opción correspondía al trabajador y éste optó por el reingreso.

21.–La **ejecución por equivalente** toma como primer presupuesto que el empresario haya optado por la readmisión en un despido improcedente; en segundo lugar, se requiere que haya incumplido esta obligación o la haya cumplido de manera defectuosa. Esta ejecución se resuelve a través del llamado incidente de no readmisión que se regula en los arts. 280 y 281 LRJS. El desarrollo del mismo conduce a que el juez dicte un auto cuyo contenido puede ser el siguiente:

21.1.–Por un lado, cabe que entienda que no ha habido ningún incumplimiento, en cuyo caso no adoptará ninguna medida específica.

21.2.–Por otro, puede llegar a la conclusión de que no ha habido readmisión o que ésta ha sido irregular, pues no se ha producido en el mismo puesto de trabajo y en las mismas condiciones existentes con anterioridad al despido. En tales casos, se adoptan las siguientes medidas (art. 281 LRJS): de entrada, se declara extinguida la relación laboral; por otra parte, se condena al abono de las cantidades previstas en el art. 56.1 y 2 ET –esto es, la indemnización y los salarios de tramitación–; asimismo, se condena al pago de los salarios que median entre la notificación de la sentencia ejecutada y la del auto extintivo; se puede –y es una mera posibilidad– condenar al pago de una indemnización adicional de 15 días por año de servicio con un máximo de 12 mensualidades.

22.–La **ejecución específica** (también denominada en sus propios términos o *in natura*) se produce en aquellos casos en que el despido se ha declarado nulo o, siendo improcedente, la opción por la readmisión ha sido ejercitada por el trabajador. Así se deduce del art. 282 LRJS. En estos casos, según el art. 282.2 LRJS, una vez solicitada la readmisión, el empresario debe reponer al trabajador en su puesto en el plazo de tres días; si no se cumpliere o se cumpliere de forma irregular, el trabajador puede iniciar el procedimiento de no readmisión.

22.1.–La tramitación, con algunas excepciones, es similar a la del incidente anterior. De hecho, el art. 283.2 LRJS efectúa una remisión a las previsiones de los arts. 280 y 281.1 LRJS; y también aquí el incidente finaliza con un auto, si bien se trata de un auto con un contenido distinto al que se dicta en los casos de ejecución por equivalente.

22.2.–En efecto, el precepto indicado (283.2 LPL) señala que si el juez aprecia que no ha habido readmisión, o que ésta ha sido irregular, ordenará reponer al trabajador en su puesto dentro de los cinco días siguientes a la fecha de dicha resolución, apercibiendo al empresario que si no lo hace, o si lo hace de forma indebida, se adoptarán las medidas previstas en el art. 284 LRJS: en primer lugar, que el trabajador continúe percibiendo los salarios a cuenta del empresario, adoptándose unas medidas específicas para garantizarlo; en segundo lugar, que continúe de alta en la Seguridad Social; finalmente, si el trabajador fuera representante de los trabajadores, que se le permita el ejercicio de sus funciones representativas, de modo que si se obstaculizara o impidiera dicha labor, se pondrán los hechos en conocimiento de la autoridad laboral a los efectos de que se sancione tal conducta de acuerdo con lo previsto en la LISOS. Estas medidas son acordadas por el letrado de la administración de justicia.

2.2. La modalidad especial para impugnar los despidos objetivos

2.2.1. *El objeto de la modalidad especial y su regulación*

23.–El objeto de esta modalidad se ciñe a la tramitación de la impugnación de las decisiones extintivas empresariales reguladas en los arts. 52 y 53 ET, esto es, los llamados despidos objetivos, con el objeto de que el juez competente emita un fallo en el que declare la improcedencia o la nulidad de la extinción.

24.–Las normas encargadas de regular esta modalidad se encuentran recogidas en los arts. 120 a 123 LRJS. Estas parcas previsiones deben ser completadas con otros preceptos de aplicación supletoria (art. 120 LRJS): en primer lugar, los arts. 103 y ss. LRJS (previsiones del proceso especial por despido); en segundo lugar, los arts. 80 y ss. LRJS (previsiones del procedimiento ordinario); finalmente, las previsiones de la LEC.

2.2.2. *Las peculiaridades*

25.–Las notas distintivas de esta modalidad afectan, fundamentalmente, a la interposición de la demanda –en concreto, al plazo de interposición– y al contenido de la sentencia –pues tanto la calificación del despido como los efectos derivados de tal calificación presentan algunas diferencias respecto a la calificación y efectos del despido disciplinario.

A) El inicio del proceso: el plazo para la interposición de la demanda

26.–El plazo para la interposición de la demanda es también aquí de veinte días hábiles a contar a partir de la fecha de efectos.

26.1.–En todo caso, dado que estas decisiones requieren de un preaviso de quince días, según previene el art. 53 ET, la LRJS prevé la posibilidad de anticipar el ejercicio de la acción. Así se recoge en el art. 121 LRJS.

26.2.–Por otra parte, dicho precepto añade dos previsiones relacionadas con las exigencias formales de dichas extinciones. Y es que, si se recuerda, además de la carta y el preaviso de quince días, en estos casos hay que poner a disposición del trabajador una indemnización y concederle una licencia semanal de seis horas que facilite al empleado la búsqueda de un nuevo empleo. Pues bien, el uso de dicha licencia o la aceptación de la indemnización por parte del afectado no implica aceptación de la extinción o renuncia al ejercicio de la acción.

B) La finalización del proceso: especialidades de la sentencia

27.–La sentencia que ponga fin a este proceso también declarará el despido procedente, improcedente o nulo.

27.1.–En primer lugar, el juez puede declarar la extinción **procedente**.

a) Esta declaración se efectuará cuando, según el art. 122.1 LRJS, queden demostradas las circunstancias alegadas por el empresario en la comunicación escrita y además se hayan cumplimentado las exigencias procedimentales previstas para estas extinciones en el art. 53.1 ET.

b) La sentencia que declare la procedencia del despido objetivo produce los efectos señalados en el art. 123.1 LRJS: la convalidación de la extinción empresarial; la consolidación de la indemnización correspondiente (20 días por año de servicio con el tope de 12 mensualidades o la superior que hubiere fijado el convenio aplicable); el pago de los salarios correspondientes al preaviso si éste se hubiese incumplido; obviamente, no hay salarios de tramitación.

27.2.–En segundo lugar, el juez puede calificar el despido como **improcedente**.

a) El juez declarará la extinción improcedente cuando la empresa no haya acreditado la concurrencia de la causa extintiva alegada en la comunicación escrita, según el art. 122.1 LRJS. Asimismo, de conformidad con el art. 122.3 LRJS, el incumplimiento de los requisitos establecidos en el art. 53.1 ET conducen a la misma calificación; con todo, el incumplimiento del plazo de preaviso o el error excusable en el cálculo de la indemnización no determinan esta calificación, sin perjuicio de que la empresa venga obligada a abonar los días de preaviso incumplidos o las diferencias en la cuantía indemnizatoria.

b) Por lo que respecta a los efectos (arts. 123.2, 123.3 y 123.4 LRJS), son similares a los del despido disciplinario declarado improcedente:

– De entrada, también en este caso la empresa –aunque podría ser el trabajador en el caso de que ostentase la condición de representante– puede optar entre la extinción indemnizada o la readmisión. La cuantía indemnizatoria es la misma que la fijada para los despidos disciplinarios

– Por otra parte, en principio y como sucede en el ámbito del despido disciplinario, sólo habrá salarios de tramitación si la empresa opta por la readmisión; no obstante, si se trata de un representante de los trabajadores los salarios de tramitación se generan en cualquier caso, tanto si se opta por la readmisión como por la extinción indemnizada. Y todo ello, al margen de los salarios que se pudieran deber por el incumplimiento del preaviso de quince días.

– En fin, por último, debe tenerse en cuenta lo siguiente: si se opta por la extinción indemnizada, habrá que compensar la indemnización con la parte que ya se entregó al comunicar la extinción; si se opta por la readmisión, el trabajador viene obligado a devolver la indemnización que se le había entregado.

27.3.–Finalmente, la sentencia podrá declarar la **nulidad** del despido.

a) Los supuestos de nulidad aparecen recogidos en el art. 122.2 LRJS. Así, además de los casos de nulidad previstos en los despidos disciplinarios (esto es, los relacionados con un móvil discriminatorio o que atenten contra un derecho fundamental y los que se encuentran relacionados con el ejercicio de los derechos vinculados a la conciliación de la vida familiar y laboral y la protección de la maternidad), hay otro supuesto más: los casos de fraude al artículo 51 ET –esto es, cuando se fragmenta artificialmente un despido colectivo para hacerlo pasar como individual o plural–.

b) La nulidad determina la readmisión obligatoria, el pago de salarios de tramitación, los días de preaviso incumplidos y la devolución de la indemnización si ésta había sido entregada en su momento (123.2 y 123.3 LRJS). Además, si ha habido vulneración de un derecho fundamental, debe tenerse en cuenta la eventual indemización adicional.

2.3. La modalidad especial para impugnar los despidos colectivos

2.3.1. El objeto de la modalidad especial y su regulación

28.–Los despidos colectivos aparecen regulados en el artículo 51 ET. La puesta en práctica de los mismos exige la apertura de un período de consultas con los representantes de los trabajadores, legales o sindicales, y una comunicación a la autoridad laboral, la cual vela por su efectividad, sin que desarrolle, hoy en día, un papel autorizante: es decir, aunque el período de consultas finalice sin acuerdo, la empresa puede adoptar la decisión extintiva, sin necesidad de recabar una autorización administrativa; el sistema es un tanto diverso en los casos de extinción por fuerza mayor, donde la autoridad laboral debe constatar la concurrencia de causa.

28.1.–Pues bien, precisamente el **objeto** de esta modalidad procesal consiste en la impugnación de las decisiones empresariales de llevar a cabo un despido colectivo con el objetivo de obtener un fallo judicial en el que se declare, bien que la decisión extintiva es nula, ajustada a derecho o no ajustada a derecho (impugnación colectiva), bien que la decisión es procedente, improcedente o nula (impugnación individual).

28.2.–La **regulación** de esta modalidad procesal se encuentra en el artículo 124 LRJS, donde, en realidad, se recogen dos vías procedimentales diversas:

– Por un lado, los doce primeros apartados del art. 124 LRJS regulan una impugnación colectiva a través de la cual los representantes de los trabajadores pueden atacar la decisión empresarial por entender que no concurren las causas justificativas, que no se han respetado las previsiones de los arts. 51.2 ó 51.7 ET o por apreciar que la decisión empresarial ha sido adoptada con fraude, dolo, coacción o abuso de derecho o vulnerando derechos fundamentales; en cambio, por esta vía, no se pueden cursar pretensiones relacionadas con la inaplicación de las reglas sobre preferencias. Asimismo, se prevé la posibilidad de que sea la autoridad laboral (art. 148.b LRJS) o el propio empresario quien proceda a impugnar el despido (art. 124.3 LRJS), posibilidad esta última que se conoce como acción de jactancia.

– Por otro lado, el art. 124.13 LRJS regula una vía de impugnación individual que se articula sobre el proceso de despido objetivo, cuyas previsiones (arts. 120-123 LRJS) declara aplicables, introduciendo ciertos matices respecto dicha regulación.

2.3.2. Las peculiaridades

29.–Al tiempo de analizar las peculiaridades de esta modalidad resulta preciso distinguir la impugnación individual de la impugnación colectiva, pues se rigen por previsiones diversas.

A) Las peculiaridades en la vía de impugnación colectiva

30.–En el caso de la impugnación colectiva, al margen de ciertas especialidades ya señaladas en lecciones anteriores, como las relativas a la competencia (el conocimiento de estas causas corresponde siempre a las salas de lo social, bien del TSJ, bien de la AN), a la legitimación (existencia en algunos casos de un litisconsorcio) o a los actos previos (no son necesarios), hay que destacar otros aspectos que afectan a diferentes cuestiones.

30.1.–De entrada, el proceso tiene un carácter urgente (así, por ejemplo, las resoluciones de tramitación que se dicten en su seno no son recurribles, excepto en el caso de la declaración de incompetencia) y cuenta con una preferencia absoluta sobre cualquier otro proceso, salvo los de tutela de los derechos fundamentales y libertades públicas.

30.2.–El inicio del mismo se efectuará mediante la interposición de la oportuna demanda. Al respecto, téngase en cuenta que la acción colectiva está sujeta al plazo de caducidad de 20 días hábiles a contar desde la fecha del acuerdo alcanzado en el período de consultas o desde la notificación por el empresario a los representantes de los trabajadores de su decisión de llevar a cabo el despido colectivo.

30.3.–Una vez admitida la demanda a trámite, el letrado de la administración de justicia adopta una serie de medidas: por un lado, requerirá al empresario para que en el plazo de cinco días aporte, preferiblemente en soporte informático, la documentación y actas del período de consultas, así como la comunicación a la autoridad laboral del resultado del mismo, y le exigirá que comunique a los trabajadores afectados la existencia del proceso, contando para ello con una serie de medidas que garantizan el cumplimiento de tales deberes; por otra parte, recabará de la autoridad laboral la remisión del expediente administrativo.

30.4.–El proceso finalizará con una sentencia que debe dictarse en el plazo de cinco días tras la celebración del juicio y cuyo contenido puede ser el siguiente:

a) Por un lado, declarará que la decisión empresarial es ajustada a derecho cuando, por un lado, la empresa haya cumplido las exigencias de los arts. 51.2 y 51.7 ET y, por otro, quede acreditada la existencia de la causa alegada.

b) Por otra parte, si la concurrencia de causa no queda acreditada, la sentencia declarará que la decisión no es ajustada a derecho.

c) En fin, la sentencia declarará que la decisión es nula, cuando no se hayan cumplido los requisitos de los arts. 51.2 ó 51.7 ET; cuando no se haya obtenido autorización del juez del concurso, si ello fuera necesario; cuando sea discriminatoria o vulnere algún derecho fundamental (art. 124.11.IV LRJS). Asimismo, aunque no lo indique el precepto, parece que éste debe ser el resultado si la decisión se adoptó con dolo, fraude, coacción o abuso de derecho.

30.5.–La sentencia es susceptible de ser recurrida en casación ante el TS. Una vez sea firme, se notifica a los sujetos que señala el art. 124.12 LRJS.

B) Las peculiaridades en la vía de impugnación individual

31.–Al margen de esta vía colectiva, los despidos colectivos pueden ser impugnados individualmente por los trabajadores afectados; en tal caso, habrá que estar a las previsiones del art. 124.13 LRJS y, en lo no previsto, a lo establecido en los arts. 120-123 LRJS. Las especialidades que introduce el art. 124.13 LRJS sobre el proceso de impugnación de los despidos objetivos son limitadas y se articulan sobre dos situaciones diversas, en función de que haya habido impugnación colectiva o no.

31.1.–Si el proceso no ha sido impugnado a través de la vía colectiva, las especialidades que fija el art. 124.13.a) LRJS son las siguientes:

a) En primer lugar, por lo que respecta al plazo de ejercicio de la acción sigue siendo de veinte días hábiles, si bien se establece un *dies a quo* diferente del general: el plazo comienza a correr cuando hayan transcurrido los veinte días hábiles que tienen los representantes de los trabajadores para ejercitar su acción.

b) En segundo lugar, se introduce una previsión específica en cuanto a la legitimación: si el debate versa sobre preferencias atribuidas a determinados trabajadores, éstos deberán ser demandados.

c) Finalmente, se añaden supuestos de nulidad a los previstos con carácter general: por un lado, la decisión será nula cuando no se haya cumplido con el período de consultas, entregado la documentación requerida en el art. 51.2 ET respetado el procedimiento previsto en el art. 51.7 ET, así como cuando no se haya obtenido autorización del juez del concurso siendo necesaria; por otro, también serán nulas las extinciones efectuadas sin respectar las eventuales preferencias, sean legales o pactadas.

31.2.–Las previsiones específicas son un tanto diversas cuando ha habido un proceso colectivo previo. A ellas alude la letra b) del art. 124.13 LRJS

a) En primer lugar, en estos casos, el plazo de caducidad con que cuentan los trabajadores para impugnar del despido (veinte días hábiles) tiene un *dies a quo* diverso. Así, se computa a partir de la firmeza de la sentencia colectiva o desde la fecha del acuerdo alcanzado en conciliación judicial.

b) En segundo lugar, al margen de los efectos de cosa juzgada que despliega el proceso colectivo respecto el individual y la limitación del objeto de la litis, también en este caso se prevé un supuesto de nulidad adicional a los comunes relativo a la vulneración de las prioridades de permanencia.

3. *La modalidad especial de conflicto colectivo*

3.1. El objeto de la modalidad especial y su regulación

32.–Esta modalidad permite resolver los conflictos colectivos que sean de **carácter jurídico**, es decir, aquéllos que afectan a intereses generales de un grupo genérico de trabajadores, o de un colectivo genérico susceptible de ser individualizado, y que versen sobre la interpretación o aplicación de una norma estatal, convenio colectivo cualquiera que sea su eficacia, pactos o acuerdos de empresa o de una decisión empresarial de efectos colectivos. Así pues, **no** permite la solución de los **conflictos colectivos de intereses**, esto es, los que persiguen la creación, modificación o supresión de una norma. Ahora bien, en ciertos casos, la impugnación de convenios o pactos colectivos se efectúa a través de estos trámites, concretamente, en los supuestos previstos por el art. 163 LRJS.

33.–La LRJS regula esta modalidad especial en los arts. 153 y ss., donde se configura un procedimiento de carácter **urgente** –lo que se manifiesta, por ejemplo, en el carácter irrecurrible que tienen las resoluciones que durante la tramitación del mismo se dicten, salvo el eventual auto inicial de declaración de incompetencia– y que, además, goza de **preferencia** absoluta respecto cualquier pleito, excepto los de tutela de los derechos fundamentales y libertades públicas –art. 159 LRJS–.

3.2. Las peculiaridades

34.–Las especialidades de este proceso se manifiestan no solo en su inicio, desarrollo y finalización, sino también en los actos previos. Asimismo, hay que recordar la existencia de especialidades en materia de **legitimación**, pues en estos casos nos encontramos ante procesos con pluralidad de partes (arts. 154 y 155 LRJS).

3.2.1. Los actos previos

35.–La tramitación del proceso exige como requisito previo necesario el intento de conciliación o mediación preprocesal en los términos previstos en el art. 63 LRJS. El acuerdo que se alcance en esta sede tiene la misma naturaleza que un convenio colectivo estatutario, siempre que los sujetos firmantes cumplan con los requisitos de legitimación establecidos en el ET (art. 156 LRJS).

3.2.2. El inicio del proceso: la demanda y su admisión

36.–Ante todo, hay que destacar la posibilidad de que el proceso se inicie no sólo a través de la demanda que presenten los sujetos mencionados en el art. 154 LRJS, sino también mediante la comunicación de la autoridad laboral a instancia de los mismos –art. 158 LRJS–.

36.1.–La demanda, además de los requisitos comunes que prevé el art. 80 LRJS, deberá contener los contenidos específicos que señala el art. 157 LRJS, como son la designación general de los trabajadores y empresas afectadas por el conflicto, la designación concreta del demandado o demandados, una sucinta referencia a los fundamentos jurídicos de la pretensión formulada, así como la concreción de ésta.

36.2.–La presentada por la autoridad laboral responde a las mismas exigencias; en estos casos, además, si se advierte la existencia de defectos, omisiones o imprecisiones en la comunicación, el letrado de la administración de justicia concede un plazo de diez días para proceder a la subsanación –frente al común de cuatro días que recoge el art. 81 LRJS–.

37.–Una vez recibida la demanda o la comunicación de la autoridad laboral, el órgano judicial citará a las partes para la celebración del juicio, que tendrá lugar dentro de los cinco días siguientes a la admisión a trámite de la demanda (art. 160.1 LRJS).

3.2.3. La finalización del proceso: especialidades en la sentencia

38.–La sentencia que se dicta en estos procesos también presenta ciertas particularidades (art. 160 LRJS).

38.1.–De entrada, debe destacarse que se dictará en el plazo de tres días, debiéndose de notificar no sólo a las partes, sino también, en su caso, a la autoridad laboral.

38.2.–Por otra parte, la sentencia resulta inmediatamente ejecutiva desde el momento en que se dicta, sin perjuicio de los recursos que puedan interponerse contra la misma.

38.3.–En fin, la sentencia firme produce efectos de cosa juzgada sobre los procesos individuales pendientes de solución o que puedan plantearse en el futuro con idéntico objeto o en relación de conexión directa, en los términos del art. 160 LRJS.

4. La modalidad especial de Seguridad Social

4.1. El objeto de la modalidad especial y su regulación

39.–El **objeto** de este proceso es **limitado**, pues no todas las reclamaciones en materia de Seguridad Social se tramitan por esta vía. En este sentido, resulta necesario efectuar una serie de matizaciones como punto de partida.

39.1.–La primera es que, evidentemente, no se tramitan por esta modalidad procesal todas aquellas reclamaciones en materia de Seguridad Social que no sean competencia del orden social. Al respecto, debe recordarse lo analizado en la lección primera sobre este particular: las letras o), q), r) y s) del art. 2 LRJS concretan la competencia del orden social en esta materia; por su parte, el art. 3.g) recoge ciertos aspectos de Seguridad Social que son competencia del orden contencioso. En este sentido, de forma simplificada, recuérdese que la línea divisoria se trazaba como línea de principio en función de que se estuviese ante los aspectos prestacionales (competencia del orden social) o los recaudatorios (competencia del orden contencioso).

39.2.–La segunda es que ni siquiera todas las reclamaciones en materia de Seguridad Social que son competencia del orden social se tramitan por esta modalidad especial, pues ciertas cuestiones siguen la vía del proceso ordinario. En este sentido, únicamente se sustancian por esta vía las pretensiones encuadrables en el artículo 2.o) LRJS, esto es, las relativas a la materia de Seguridad Social en las que se persiga lo siguiente:

a) Por un lado, las demandas formuladas contra los organismos gestores y entidades colaboradoras cuando se discute sobre prestaciones (reconocimiento; cuantificación, reintegro de gastos médicos); asimismo, las causas relativas a la impugnación de las altas médicas.

b) Por otro lado, las que recogen las solicitudes de revisión de los actos declarativos de derecho en perjuicio de los beneficiarios que pueden formular las entidades, órganos u organismos gestores o, en la actualidad, incluso el propio FOGASA.

– Y es que, una vez se ha reconocido una determinada prestación, no siempre resulta posible que dichos organismos se vuelvan atrás y revisen unilateralmente las prestaciones reconocidas.

– Así, cuando tal revisión pueda generar un perjuicio para el beneficiario, debe efectuarse normalmente garantizando unas determinadas garantías consistentes, básicamente, en la necesidad de acudir a la jurisdicción laboral para que sea en dicha sede –y no por la propia Seguridad Social o por el FOGASA– donde se lleve a cabo la revisión.

c) Finalmente, las acciones que puede entablar de oficio la entidad gestora del desempleo cuando constata que, en los cuatro años anteriores a la solicitud de prestaciones, el trabajador ha percibido prestaciones por finalización de varios contratos temporales con la misma empresa y éstos parecen abusivos o fraudulentos a efectos de hacer responsable a la empresa en el abono de las mismas, salvo la correspondiente al último contrato.

40.–La regulación se encuentra, en el primer caso, en los arts. 140 y ss. LRJS; en el segundo, debe acudirse al art. 146 LRJS; en el último, al art. 147 LRJS. Las cuestiones no reguladas en dichos preceptos se someten a las previsiones generales. Al respecto, recuérdese que estamos ante procesos en los que normalmente habrá una pluralidad de partes, necesaria o voluntaria, según los casos, según se analizó en la lección segunda.

4.2. Las peculiaridades

4.2.1. Las peculiaridades en los procesos contra los organismos gestores o entidades colaboradoras

41.–En el caso de que se vaya a demandar a los organismos gestores o a las entidades colaboradoras, el proceso presenta determinadas especialidades que afectan fundamentalmente al inicio y a la tramitación. Estas previsiones deben completarse con las singularidades que recoge el art. 71 LRJS, sobre la reclamación administrativa previa en estas causas.

A) El inicio del proceso: la demanda

42.–Por lo que respecta a la demanda, ninguna especialidad contiene esta modalidad procesal en lo relativo a su contenido.

42.1.–En consecuencia, la misma se ajustará a las previsiones establecidas en el artículo 80 LRJS.

42.2.–La única singularidad se refiere a la presentación de los documentos acreditativos de haber intentado el requisito de reclamación previa (art. 140.1 LRJS) y la indicación del plazo para subsanar, que será de cuatro días (140.2 LRJS).

B) Tramitación

43.–Una vez admitida a trámite, los arts. 142 y 143 LRJS introducen unas singularidades en la actividad a desarrollar por el juez.

43.1.–Así, con carácter general, el art. 143 LRJS exige que dicho sujeto reclame de oficio al organismo gestor o colaborador la remisión del expediente original o copia del mismo o de las actuaciones, y, en su caso, informe de los antecedentes que posea en relación con el contenido de la demanda en el plazo de diez días. En todo caso, esa remisión debe efectuarse antes de la celebración del juicio para que las partes puedan examinarlo. La ley regula detalladamente las actuaciones a seguir y los efectos en el caso de no remisión del expediente en los arts. 144 y 145 LRJS.

43.2.–Por su parte, en los procesos por contingencias profesionales, se interesará de la Inspección de Trabajo, si no obra en los autos, un informe relativo a las circunstancias en que sobrevino el accidente, trabajo que realizaba el accidentado, salario que percibía y base de cotización, que será expedido en el plazo de diez días.

4.2.2. Las peculiaridades en el proceso de impugnación de altas médicas

44.–Las reglas a las que deben ajustarse estas pretensiones aparecen en el art. 140.3 LRJS, que disciplina un proceso de carácter preferente y urgente, sujeto a unos plazos reducidos.

4.2.3. Las peculiaridades en el proceso del art. 146 LRJS

45.–El art. 146 LRJS, básicamente, se encarga de delimitar en qué consiste la revisión de oficio de actos declarativos de derecho en perjuicio de los particulares. La previsión más importante sobre la dinámica procedimental afecta a la sentencia. Al respecto, no existe ninguna indicación sobre la forma de la misma; ahora bien, el artículo 146.4 LPL precisa su carácter inmediatamente ejecutivo, sin necesidad, por tanto, de tener que esperar a la firmeza de la misma para proceder a su ejecución.

4.2.4. Las peculiaridades en el proceso del art. 147 LRJS

46.–Algo similar sucede con el art. 147 LRJS, si bien en estos casos las previsiones son algo más amplias: plazo de ejercicio de la acción; plazo de subsanación de la demanda de diez días; valor probatorio de la comunicación de la entidad gestora; y el carácter ejecutivo de la sentencia.

5. La modalidad especial de tutela de los derechos fundamentales

5.1. El objeto de la modalidad especial y su regulación

47.–La existencia de esta modalidad procesal deriva del art. 53 CE donde se exige que la tutela ante los tribunales ordinarios de los derechos fundamentales reconocidos en el art. 14 CE y los recogidos en la sección 1ª, capítulo 2º, del Título I (arts. 15 a 29 CE) se efectúe a través de un procedimiento basado en los principios de preferencia y sumariedad. Pues bien, en el ámbito laboral, dicho proceso se regula en los arts. 177 y ss. LRJS.

48.–El **objeto** del mismo debería ser tramitar cualquier pretensión laboral en la que se alegase la vulneración de un derecho fundamental. No obstante, la configuración del proceso que ha hecho el legislador resulta, en apariencia, más limitada.

48.1.–En principio, el art. 177 LRJS se refiere exclusivamente a las pretensiones de trabajadores y sindicatos en las que, invocando un derecho o interés legítimo, consideren lesionados los derechos de libertad sindical, huelga u otros derechos fundamentales o libertades públicas, siempre que se trate de una de las pretensiones atribuidas al orden social de la jurisdicción.

48.2.–Ahora bien, el legislador **excluye** de esta modalidad procesal el conocimiento de ciertas pretensiones, con independencia de cuál sea el derecho fundamental que se estime infringido.

– En este sentido, el art. 184 LRJS dispone que ciertas demandas se tramitarán inexcusablemente por su modalidad específica. Así sucede con las demandas por despido y por las demás causas de extinción; las de modificaciones sustanciales de condiciones de trabajo, suspensión o reducción de jornada por causas reorganizativas; las de vacaciones; las de materia electoral; las de impugnación de los estatutos sindicales y su modificación; las de derechos de conciliación; las de impugnación de los convenios colectivos; o las de impugnación de sanciones.

– Estas previsiones podrían ser cuestionadas, pues se alejan del mandato constitucional previsto en el art. 53 CE. Por ello, no es de extrañar que parte de la doctrina científica viniera propugnando que, en estos casos, efectivamente se debería aplicar la modalidad procesal correspondiente, pero corregida con las especialidades propias de la modalidad de tutela, algo que parecía haber asumido la jurisprudencia; pues bien, esta solución está hoy presente en el art. 178.2 LRJS que expresamente señala *"Cuando la tutela del derecho deba necesariamente realizarse a través de las modalidades procesales a que se refiere el artículo 184, se aplicarán en cuanto a las pretensiones de tutela de derechos fundamentales y libertades públicas las reglas y garantías previstas en este capítulo, incluida la citación como parte al Ministerio Fiscal"*.

49.–Las normas reguladoras de este proceso a las que se acaba de aludir, se preocupan por garantizar su **carácter preferente y sumario**.

49.1.–La **preferencia** se puede apreciar claramente en el art. 179.1 LRJS, donde se señala que estos procesos tendrán carácter urgente a todos los efectos, gozando de preferencia sobre cualquier otro que se tramite en el mismo juzgado o tribunal.

49.2.–La **sumariedad** se percibe, por ejemplo, en el art. 178 LRJS, al limitar el objeto de conocimiento a la constatación de la existencia de la violación alegada, sin posibilidad de acumular otras pretensiones o aportar fundamentos diversos a la vulneración alegada; o en la regulación de los plazos en el art. 181 LRJS, en general ciertamente breves; en la exclusión de la necesidad de realizar actos previos; en el hecho de que la sentencia sea inmediatamente ejecutiva.

5.2. Las peculiaridades

50.–Al margen de las especialidades en materia de legitimación que se recogen en el art. 177 LRJS, cabe aludir a tres grandes grupos de peculiaridades.

5.2.1. El inicio del proceso: la demanda y su control

51.–Un primer grupo de especialidades afectan a la demanda, respecto la cual deben destacarse los aspectos siguientes:

51.1.–En primer lugar, el **plazo** para la interposición coincidirá con el plazo de prescripción o caducidad de la acción previsto para las conductas o actos en los que se haya concretado la lesión (art. 179.2 LRJS).

51.2.–En segundo lugar, por lo que respecta a su **contenido**, el art. 179.3 LRJS señala que, además de los requisitos generales de toda demanda a los que se refiere el art. 80 LRJS, se deberá expresar con claridad los hechos constitutivos de la vulneración o violación alegada.

51.3.–En tercer lugar, el art. 179.4 LRJS establece un particular trámite de **control de oficio** por parte del órgano jurisdiccional: al margen de lo previsto en el art. 81 LRJS, el juez deberá controlar que no accedan al procedimiento acciones que se encuentren excluidas del mismo.

51.4.–Finalmente debe destacarse la posibilidad de solicitar en el mismo escrito de interposición de la demanda la adopción de concretas **medidas cautelares**. En este sentido, el art. 180 LRJS permite que el actor, en determinados casos, pueda solicitar no solo que se decrete la suspensión del acto impugnado, sino también la adopción de otras medidas específicas.

5.2.2. El juicio oral: la prueba

52.–Un segundo grupo de especialidades son las atinentes al desarrollo del juicio, donde además del acortamiento de plazos que impera en todas las fases del proceso, hay que aludir a la actividad probatoria. A esta cuestión hace referencia el art. 181.2 LRJS, precepto que introduce una **alteración en la carga probatoria**: el demandante sólo debe aportar indicios de que la conducta empresarial es discriminatoria o atentatoria de un derecho fundamental; a partir de ahí, será el demandado quien deba demostrar que no existen tales finalidades y que hay una justificación objetiva y razonable en su proceder.

5.2.3. La finalización del proceso: la sentencia

53.–Finalmente, debe hacerse referencia a la sentencia, algunas de cuyas peculiaridades ya se conocen:

53.1.–En primer lugar, la sentencia debe dictarse en el plazo de **tres días** desde la finalización del pleito (art. 181 LRJS).

53.2.–En segundo lugar, en cuanto a su **contenido**, debe resaltarse especialmente que, en caso de resultar estimatoria, además de ordenar el cese en la conducta y reponer las cosas al estado previo a la vulneración, incluyendo la reparación, puede imponer el pago de una indemnización compensatoria de los daños causados (arts. 182 y 183 LRJS).

II. CUESTIONARIO

1.- Sonia García ha sido despedida por motivos disciplinarios y ha presentado demanda impugnando dicho acto el día 15 de enero de este año. La Letrada de la Administración de Justicia (LAJ) se percata de que en la demanda no ha indicado el salario:

a) La LAJ admitirá provisionalmente la demanda y dará a la demandante un plazo de 15 para subsanar.

b) La LAJ advertirá a la demandante del defecto y le concederá un plazo de 4 días para subsanar la demanda.

c) La LAJ no admitirá la demanda a trámite, al no cumplirse los requisitos exigidos por la LRJS, sin que haya posibilidad de subsanar.

d) La LAJ admitirá a trámite la demanda pues no concurre ningún defecto en la misma, ya que no es necesario incluir dichos datos en la demanda.

2.- Jesús Artemil ha sido despedido por motivos disciplinarios y ha presentado demanda impugnando dicho acto el día 15 de febrero de este año. El Letrado de la Administración de Justicia (LAJ) se percata de que en la demanda no se ha indicado la antigüedad ni la categoría profesional.

a) El LAJ admitirá provisionalmente la demanda y dará al demandante un plazo de 15 para subsanar.

b) El LAJ advertirá al demandante del defecto y le concederá un plazo de 4 días para subsanar la demanda.

c) El LAJ no admitirá la demanda a trámite, al no cumplirse los requisitos exigidos por la LRJS, sin que haya posibilidad de subsanar.

d) El LAJ admitirá a trámite la demanda pues no concurre ningún defecto en la misma, ya que no es necesario incluir dichos datos en la demanda.

3.- Ana Ponce propinó un bofetón a su empresario el pasado 12 de febrero de este año quien, tras interponer una denuncia penal, le comunicó verbalmente que no volviese más por la empresa porque quedaba despedida. Ana impugnó el despido ante la jurisdicción social.

a) La sentencia que se dicte previsiblemente considerará este despido como procedente.

b) La sentencia que se dicte previsiblemente considerará este despido como nulo.

c) No se podrá dictar Sentencia hasta que se resuelva la denuncia penal interpuesta por el empresario.

d) La sentencia que se dicte previsiblemente considerará este despido como improcedente.

4.- **Rafael Noguera** venía disfrutando de una reducción de jornada por cuidado de un menor. El pasado 12 de febrero propinó un bofetón a su empresario quien, tras interponer una denuncia penal, le comunicó verbalmente que no volviese más por la empresa porque quedaba despedido. Rafael impugnó el despido ante la jurisdicción social.

a) La sentencia que se dicte previsiblemente considerará este despido como procedente.

b) La sentencia que se dicte previsiblemente considerará este despido como nulo.

c) La sentencia que se dicte previsiblemente considerará este despido como improcedente.

d) No se podrá dictar Sentencia hasta que se resuelva la denuncia penal interpuesta por el empresario.

5.- **María Rebollar**, delegada de personal, amenazó gravemente a un compañero de trabajo el pasado 11 de febrero. Ese mismo día, al tener conocimiento de los hechos, la empresa procedió de forma inmediata a su despido, sin más trámites que la mera entrega de la correspondiente carta de despido. María impugnó el despido ante la jurisdicción social.

a) La sentencia que se dicte previsiblemente considerará este despido como procedente.

b) La sentencia que se dicte previsiblemente considerará este despido como improcedente.

c) La sentencia que se dicte previsiblemente considerará este despido como nulo.

d) La sentencia declarará que el trabajador no puede ser despedido mientras sea representante legal de los trabajadores y durante el año siguiente a la finalización del cargo representativo.

6.- **Alberto Aguirre**, trabajador de la empresa OTIFESA, fue despedido el 11 de marzo de esta año. La empresa alegaba en la carta que Alberto detrajo fondos de la empresa entre enero y febrero del año pasado por valor de 7.900 €. La empresa, además, presentó una denuncia penal contra Alberto. Alberto ha impugnado el despido ante la jurisdicción social.

a) La sentencia que se dicte previsiblemente considerará este despido como improcedente.

b) La sentencia que se dicte previsiblemente considerará este despido como procedente.

c) La sentencia que se dicte previsiblemente considerará este despido como nulo.

d) No se podrá dictar sentencia hasta que se resuelva la denuncia penal interpuesta por el empresario.

7.- La empresa OFITESA SA entregó el pasado 11 de febrero una carta de despido a Dª Julia Pérez, una trabajadora al servicio de la misma. Dª Julia ha procedido a impugnar la decisión empresarial ante la jurisdicción social.

a) La carga de la prueba sobre la veracidad de los hechos imputados en la carta corresponde al empresario quien ha de exponer sus posiciones en primer lugar, algo que se repite en prueba y conclusiones.

b) La carga de la prueba sobre la veracidad de los hechos imputados corresponde al trabajador quien ha de exponer sus alegaciones en primer lugar, algo que se repite en prueba y conclusiones.

c) El juez decidirá el orden de intervención en función de los hechos que se imputen al trabajador.

d) Interviene en primer lugar el empresario para efectuar alegaciones, pero la proposición de prueba y las conclusiones se realizan en primer lugar por el trabajador.

8.- Ana Pérez, afiliada a un sindicato mayoritario, fue despedida por la empresa MAFESA, S.A. para la que venía prestando servicios desde 2012. El despido ha sido declarado improcedente por sentencia del Juzgado de lo Social.

a) La sentencia condenará a MAFESA S.A. a que readmita a Ana en su puesto, pagando salarios de tramitación, o le abone la indemnización correspondiente, siendo la opción de Ana por estar afiliada.

b) La sentencia condenará a MAFESA S.A. a la readmisión obligatoria de Ana y al pago de salarios de tramitación, sin que haya derecho de opción.

c) La sentencia condenará a MAFESA S.A. a que opte entre readmitir a Ana en su puesto, pagando salarios de tramitación, o abonarle la indemnización correspondiente.

d) La sentencia condenará a MAFESA S.A. a que readmita a Ana en su puesto, pagando salarios de tramitación, o le abone la indemnización correspondiente, siendo la opción tanto de Ana como del sindicato.

9.- Jorge Santos, miembro del Comité de Empresa en RALOMIR, S.L., fue despedido por su empresa. El despido ha sido declarado improcedente por sentencia del Juzgado de lo Social.

a) La sentencia condenará a RALOMIR, S.L. a abonar la indemnización correspondiente a Jorge o a readmitirle en su puesto, pagando salarios de tramitación en todo caso y correspondiendo la opción a Jorge.

b) La sentencia condenará a RALOMIR, S.L. a que opte entre readmitir a Jorge en su puesto o abonarle la indemnización correspondiente, pagando salarios de tramitación en todo caso.

c) La sentencia condenará a RALOMIR, S.L. a la readmisión obligatoria de Jorge y al pago de salarios de tramitación, sin que haya derecho de opción.

d) La sentencia condenará a RALOMIR, S.L. a que readmita a Jorge en su puesto, pagando salarios de tramitación, o le abone la indemnización correspondiente, siendo la opción tanto de Jorge como del sindicato.

10.- Luis Matías, delegado de personal en MURIDOR, S.L., fue despedido por su empresa. El despido ha sido declarado improcedente por sentencia del Juzgado de lo Social nº 2 de Madrid.

a) La sentencia condenará a MURIDOR, S.L. a abonar la indemnización correspondiente a Luis o a readmitirle en su puesto, pagando salarios de tramitación en todo caso y correspondiendo la opción a Luis.

b) La sentencia condenará a MURIDOR, S.L. a que opte entre readmitir a Luis en su puesto o abonarle la indemnización correspondiente, pagando salarios de tramitación en todo caso.

c) La sentencia condenará a MURIDOR, S.L. a la readmisión obligatoria de Luis y al pago de salarios de tramitación, sin que haya derecho de opción.

d) La sentencia condenará a MURIDOR, S.L. a que readmita a Luis en su puesto, pagando salarios de tramitación, o le abone la indemnización correspondiente, siendo la opción tanto de Luis como del sindicato.

11.- Ana Pérez, delegada sindical por UGT en INTROPIO, S.L., fue despedida por su empresa. El despido ha sido declarado improcedente por sentencia del Juzgado de lo Social nº 2 de Albacete.

a) La sentencia condenará a INTROPIO, S.L a que opte entre readmitir a Ana en su puesto o abonarle la indemnización correspondiente, pagando salarios de tramitación en todo caso.

b) La sentencia condenará a INTROPIO, S.L a la readmisión obligatoria de Ana y al pago de salarios de tramitación, sin que haya derecho de opción.

c) La sentencia condenará a INTROPIO, S.L. a que readmita a Ana en su puesto, pagando salarios de tramitación, o le abone la indemnización correspondiente, siendo la opción tanto de Ana como del sindicato.

d) La sentencia condenará a INTROPIO, S.L. a abonar la indemnización correspondiente a Ana o a readmitirla en su puesto, pagando salarios de tramitación en todo caso y correspondiendo la opción a Ana.

12.- Pablo Mármol trabajador de la empresa MURIDOR, S.L., que no ostenta la condición de representante de los trabajadores, fue despedido verbalmente por su empresa al entender ésta que Pablo había descendido voluntariamente en su rendimiento. El despido ha sido declarado improcedente por sentencia del Juzgado de lo social.

a) Pablo debe optar entre su readmisión con pago de salarios de tramitación o que se le abone una indemnización; en el primer caso, MURIDOR S.L. podría efectuar un nuevo despido subsanando los defectos formales en el plazo de 7 días.

b) MURIDOR, S.L. debe optar entre readmitir a Pablo con pago de salarios de tramitación o abonarle una indemnización; en el primer caso, podría efectuar un nuevo despido subsanando los defectos formales en el plazo de 20 días.

c) Pablo debe optar entre su readmisión con pago de salarios de tramitación o que se le abone una indemnización; en el primer caso, MURIDOR S.L. podría efectuar un nuevo despido subsanando los defectos formales en el plazo de 20 días.

d) MURIDOR, S.L. debe optar entre readmitir a Pablo con pago de salarios de tramitación o abonarle una indemnización; en el primer caso, podría efectuar un nuevo despido subsanando los defectos formales en el plazo de 7 días.

13.- Evelio Corchuelo, trabajador de la empresa RIVENDER, S.L., que no ostenta la condición de representante de los trabajadores, fue despedido por su empresa sin cumplir con los requisitos formales previstos en el convenio aplicable. El Juzgado de lo Social ha considerado el despido como improcedente por defecto de forma.

a) Evelio debe optar entre su readmisión con pago de salarios de tramitación o que se le abone una indemnización; en el primer caso, RIVENDER S.L. podría efectuar un nuevo despido subsanando los defectos formales en el plazo de 7 días.

b) RIVENDER, S.L. debe optar entre readmitir a Evelio con pago de salarios de tramitación o abonarle una indemnización; en el primer caso, podría efectuar un nuevo despido subsanando los defectos formales en el plazo de 7 días.

c) RIVENDER, S.L. debe optar entre readmitir a Evelio con pago de salarios de tramitación o abonarle una indemnización; en el primer caso, podría efectuar un nuevo despido subsanando los defectos formales en el plazo de 20 días.

d) Evelio debe optar entre su readmisión con pago de salarios de tramitación o que se le abone una indemnización; en el primer caso, RIVENDER

S.L. podría efectuar un nuevo despido subsanando los defectos formales en el plazo de 20 días.

14.- Amelia Gutiérrez fue despedida por su empresa (METRIKA, S.L.) con fundamento en razones disciplinarias. Amelia impugnó el despido y el Juzgado de lo social de Palma lo ha declarado nulo. METRIKA, S.L. ha interpuesto recurso de suplicación.

a) Amelia no puede solicitar la ejecución de la sentencia hasta que la misma sea firme.

b) Amelia puede solicitar la ejecución provisional de la sentencia y, en este caso, consistirá en la percepción de anticipos reintegrables que serán como máximo del 50% del importe de los salarios que debería percibir y sin rebasar el doble del SMI para mayores de 18 años.

c) Amelia no puede solicitar la ejecución provisional de la sentencia ya que ésta únicamente puede instarse cuando el despido se declara improcedente y se opta por la indemnización.

d) Amelia puede solicitar la ejecución provisional de la sentencia, lo que determinará que, en principio, Amelia se reincorpore a la empresa perciba su retribución y siga de alta en la Seguridad Social.

15.- María Pérez fue despedida y, tras interponer demanda, el Juzgado de lo Social de Oviedo ha declarado el despido improcedente. El ejercicio de la opción corresponde a la empresa, que lo ha hecho por la indemnización de la trabajadora y, además, ha recurrido la sentencia en suplicación.

a) María no puede solicitar la ejecución de la sentencia hasta que la misma sea firme.

b) María puede solicitar la ejecución provisional de la sentencia que consistirá en su reincorporación a la empresa con el abono de los salarios mientras dure la tramitación del recurso.

c) María no puede solicitar la ejecución provisional de la sentencia ya que ésta únicamente procede cuando el despido se declara improcedente y la empresa opta por la readmisión.

d) María puede solicitar la ejecución provisional de la sentencia, que consistirá en la percepción de anticipos reintegrables, limitados a un 50% del importe de la indemnización y sin que pueda exceder del doble del SMI en cómputo anual, incluida la parte proporcional de pagas extraordinarias.

16.- María Pérez fue despedida y, tras interponer demanda, el Juzgado de lo Social de Oviedo ha declarado el despido improcedente. El ejercicio de la opción corresponde a la trabajadora, que lo ha hecho por la reincorporación en el puesto de trabajo, mientras la empresa ha recurrido la sentencia en suplicación.

a) María puede solicitar la ejecución provisional de la sentencia, que consistirá en la percepción de anticipos reintegrables, limitados a un 50% del importe de sus salarios y sin que pueda exceder del doble del SMI en cómputo anual, incluida la parte proporcional de pagas extraordinarias.

b) María no puede solicitar la ejecución de la sentencia hasta que la misma sea firme.

c) María puede solicitar la ejecución provisional de la sentencia que consistirá, entre otras cosas, en su reincorporación a la empresa con el abono de los salarios mientras dure la tramitación del recurso.

d) María no puede solicitar la ejecución provisional de la sentencia ya que ésta únicamente procede cuando el despido se declara nulo.

17.- Waltrina López fue despedida y, tras interponer demanda, el Juzgado de lo Social de Castellón ha declarado el despido improcedente. El ejercicio de la opción corresponde a la empresa, que lo ha hecho por la readmisión y, además, ha recurrido la sentencia en suplicación.

a) Waltrina puede solicitar la ejecución provisional de la sentencia, que consistirá en la percepción de anticipos reintegrables, limitados a un 50% del importe de sus salarios y sin que pueda exceder del doble del SMI en cómputo anual, incluida la parte proporcional de pagas extraordinarias.

b) Waltrina no puede solicitar la ejecución de la sentencia hasta que la misma sea firme.

c) Waltrina puede solicitar la ejecución provisional de la sentencia que consistirá, entre otras cosas, en su reincorporación a la empresa con el abono de los salarios mientras dure la tramitación del recurso.

d) Waltrina no puede solicitar la ejecución provisional de la sentencia ya que ésta únicamente procede cuando el despido se declara nulo.

18.- D. Alfredo Cortés suscribió un contrato de trabajo con la empresa BRUNILSA, S.L. como jefe de ventas de la zona Levante. El trabajador fue despedido y ha recaído sentencia del Juzgado de lo Social de Elche declarando la nulidad del despido, algo que ha confirmado al TSJ de la Comunidad Valenciana. La empresa, siendo ya firme la sentencia, ha readmitido a Alfredo, pero en la categoría de oficial administrativo y en un centro de trabajo de Pontevedra.

a) Se trata de una readmisión irregular y Alfredo puede instar la ejecución definitiva de sentencia que se llevará a cabo en sus propios términos o *in natura*.

b) Se trata de una readmisión irregular y Alfredo puede instar la ejecución definitiva de sentencia que se llevará a cabo por equivalente, esto es, procediendo a extinguir el contrato y fijando una indemnización.

c) Se trata de una readmisión irregular y Alfredo tiene como única opción instar la ejecución provisional de la sentencia, mientras prepara nueva demanda.

d) BRUNILSA ha procedido a readmitir al trabajador correctamente y Alfredo sólo tiene ahora como salida presentar una nueva demanda declarativa de clasificación profesional y acumularla a otra de impugnación de movilidad geográfica.

19.- D. Guzmán Alfarache suscribió un contrato de trabajo con la empresa VERNASA, S.L. como jefe de ventas de la zona Levante. El trabajador fue despedido y ha recaído sentencia del Juzgado de lo Social de Castellón declarando la improcedencia del despido, algo que ha confirmado al TSJ de la Comunidad Valenciana. La empresa optó por la readmisión; no obstante, siendo ya firme la sentencia, lo cierto es que no ha permitido la reincorporación de Guzmán.

a) Guzmán puede instar la ejecución definitiva de sentencia que se llevará a cabo en sus propios términos o *in natura*.

b) Guzmán tiene como única opción instar la ejecución provisional de la sentencia.

c) Guzmán puede instar la ejecución definitiva de sentencia que se llevará a cabo por equivalente, lo que determina, entre otras cosas, que se extinga el contrato y se fije una indemnización.

d) Guzmán debe presentar una nueva demanda por despido ante el juzgado competente.

20. Pedro Gálvez fue contratado en 2008 por la empresa Puertas Pérez S.L. como oficial primero. En 2018 fue elegido delegado de personal, condición que ostenta en la actualidad. Puertas Pérez le despidió por transgresión de la buena fe contractual y el Juzgado de lo Social nº 2 de Valencia declaró el despido improcedente, habiendo optado Pedro por su readmisión con abono de salarios de tramitación. La sentencia ha adquirido firmeza y la empresa no ha cumplido con esta obligación.

a) D. Pedro puede instar la ejecución definitiva de la sentencia y ésta se llevará a cabo por equivalente, lo que determina, entre otras cosas, que se extinga el contrato y se fije una indemnización.

b) D. Pedro puede instar la ejecución provisional de la sentencia, lo cual le permitirá seguir trabajando y percibiendo el salario hasta que se interponga y resuelva el recurso de revisión.

c) D. Pedro puede instar la ejecución definitiva de la sentencia y ésta se llevará a cabo en sus propios términos o *in natura*, adoptándose una serie de medidas por el juez, como la orden de seguir abonando salarios, mantenimiento del alta en Seguridad Social, ejercicio labores representativas, etc., que fuerzan a la readmisión.

d) D. Pedro puede instar la ejecución definitiva de la sentencia y ésta se llevará a cabo en sus propios términos o in natura, procediéndose a la extinción del contrato y al pago de una indemnización.

21.- La sentencia del juzgado de lo Social nº 4 de Madrid ha considerado el despido de Tomás García, trabajador de la empresa NATALZERA, SA, como nulo y ha condenado a la empresa a la readmisión del trabajador con abono de salarios de tramitación. NATALZERA, SA ha interpuesto recurso de suplicación ante el TSJ y éste aún no se ha resuelto.

a) La sentencia del Juzgado de lo Social de Madrid es susceptible de ejecución provisional.

b) La sentencia del Juzgado de lo Social de Madrid es susceptible de ejecución definitiva en sus propios términos o *in natura*.

c) La sentencia del Juzgado de lo Social de Madrid no es susceptible de ejecución porque no es firme.

d) La sentencia del Juzgado de lo Social de Madrid es susceptible de ejecución definitiva por equivalente.

22.-. Dª Ariadna López suscribió un contrato de trabajo con la empresa PERPIRPAR, S.L. como jefe de ventas de la zona Centro. La trabajadora fue despedida y la sentencia del Juzgado de lo Social de Toledo declaró la improcedencia del despido, habiendo devenido firme. La empresa ejerció el derecho de opción y eligió la readmisión de Ariadna, algo que ha cumplido, pero en un centro de trabajo de Levante y con jornada diversa.

a) Ariadna puede instar la ejecución definitiva de sentencia que se llevará a cabo en sus propios términos o *in natura*, adoptando una serie de medidas para que la readmisión sea verdaderamente efectiva.

b) Ariadna puede instar la ejecución definitiva de sentencia que se llevará a cabo por equivalente, lo que determina, entre otras cosas, que se extinga el contrato y se fije una indemnización.

c) Ariadna tiene como única opción instar la ejecución provisional de la sentencia, mientras prepara nueva demanda.

d) PERPIRPAR ha procedido correctamente y Ariadna sólo tiene ahora como salida presentar una nueva demanda declarativa de clasificación profesional y acumularla a otra de impugnación de movilidad geográfica.

23.- Ana García fue objeto de un despido por causas económicas que le fue notificado el 10 de febrero, con efectos de 25 de febrero. Ese mismo día, Ana ingresó en su cuenta corriente la indemnización de 20 días por año de servicio que la empresa puso a su disposición y acto seguido decidió impugnar la decisión empresarial ante la jurisdicción competente.

a) La acción está sujeta a un plazo de caducidad de 20 días hábiles a contar a partir del 10 de febrero.

b) La acción está sujeta a un plazo de caducidad de 20 días naturales a contar a partir del 25 de febrero, pudiéndose anticipar el ejercicio de la acción a partir 10 de febrero.

c) La acción está sujeta a un plazo de caducidad de 20 días hábiles a contar a partir del 25 de febrero, pudiéndose anticipar el ejercicio de la acción a partir 10 de febrero.

d) Ana carece de acción por haber aceptado la indemnización que la empresa puso a su disposición.

24.- Sandra Palafox, jefa de ventas de la empresa MARCELECA, SA, fue despedida por causas económicas, para lo que la empresa puso a su disposición una indemnización de 20 días por año de servicio. Sandra impugnó la decisión empresarial y el Juzgado ha declarado el despido nulo, aunque no ha apreciado la existencia de vulneración de derechos fundamentales.

a) La empresa será condenada a la readmisión obligatoria y al abono de los salarios de tramitación; Sandra no tiene que devolver la indemnización de 20 días que se le había entregado.

b) La empresa será condenada a la readmisión obligatoria y al abono de los salarios de tramitación; Sandra no tiene que devolver la indemnización de 20 días que se le había entregado y además se le abonará una indemnización adicional.

c) La empresa será condenada a que opte entre readmitir a Sandra, abonándole los salarios de tramitación, o le entregue una indemnización, si bien habrá que compensar tales cantidades con la indemnización de 20 días ya entregada.

d) La empresa será condenada a la readmisión obligatoria y al abono de los salarios de tramitación; Sandra viene obligada a devolver la indemnización de 20 días que se le había entregado.

25.- Ana García, técnico informático en la empresa GRIFITUSA, S.L., fue despedida por causas económicas, para lo que la empresa puso a su disposición una indemnización de 20 días por año de servicio. Ana impugnó la decisión empresarial y el Juzgado competente ha declarado el despido nulo, aunque no ha apreciado la existencia de vulneración de derechos fundamentales.

a) La empresa será condenada a la readmisión obligatoria y al abono de los salarios de tramitación; Ana viene obligada a devolver la indemnización de 20 días que se le había entregado.

b) La empresa será condenada a la readmisión obligatoria y al abono de los salarios de tramitación; Ana no tiene que devolver la indemnización de 20 días que se le había entregado.

c) La empresa será condenada a la readmisión obligatoria y al abono de los salarios de tramitación; Ana no tiene que devolver la indemnización de 20 días que se le había entregado y además se le abonará una indemnización adicional.

d) La empresa será condenada a que opte entre readmitir a Ana, abonándole los salarios de tramitación, o le entregue una indemnización, si bien habrá que compensar tales cantidades con la indemnización de 20 días ya entregada.

26.- La empresa GRIFITUSA, S.L. atravesaba serias dificultades económicas y decidió despedir a cinco trabajadores de su plantilla. Aunque cumplió con todas las formalidades legales, adoptó su decisión de un día para otro, sin cumplir con el preaviso exigido por el ET de quince días.

a) Este hecho no influye en la calificación judicial del despido en el caso de que sea impugnado en sede judicial, si bien habrá que abonar los salarios correspondientes a los días de preaviso incumplidos.

b) Este hecho determina por sí solo que el despido se declare improcedente en el caso de que sea impugnado en sede judicial, siempre que se trate de un incumplimiento total del plazo.

c) Este hecho determina por sí solo que el despido se declare nulo en el caso de que sea impugnado en sede judicial.

d) Este hecho determina por sí solo que el despido se declare improcedente en el caso de que sea impugnado en sede judicial, con independencia de que se trate de un incumplimiento total o parcial del plazo.

27.- La empresa PELÁEZ, S.L. atravesaba serias dificultades económicas y decidió despedir a parte de su plantilla. Aunque cumplió con todas las formalidades legales, puso a disposición de los trabajadores afectados una indemnización en cuantía inferior a la que estos tenían derecho.

a) Este incumplimiento determinará siempre que el despido se considere improcedente, con independencia de que el error sea excusable o no.

b) Este incumplimiento determinará siempre que el despido se considere nulo con independencia de que el error sea excusable o no.

c) Este incumplimiento impide que el despido pueda considerarse procedente, con independencia de que el error sea excusable o no.

   d) Este incumplimiento no impide que el despido pueda considerarse procedente, siempre que se trate de un error excusable.

28.- Víctor Morte solicitó una prestación por viudedad que ha sido denegada por el INSS. Tras interponer demanda ante el Juzgado de lo Social, el Letrado de la Administración de Justicia (LAJ) se percata de que el demandante no acredita haber efectuado la reclamación administrativa previa.

   a) El LAJ admitirá provisionalmente la demanda y le dará un plazo de 15 días para subsanar.

   b) El LAJ inadmitirá la demanda a trámite, sin posibilidad de subsanar.

   c) El LAJ advertirá a la parte del defecto y le concederá un plazo de 4 días para subsanar la demanda.

   d) El LAJ admitirá a trámite la demanda puesto que este proceso no requiere de reclamación administrativa previa.

29.- La empresa BATULATE, SA, debido a su situación económica, ha adoptado un despido colectivo que afecta a 20 trabajadores de los 100 de su plantilla. El Comité de Empresa ha interpuesto demanda ante el TSJ competente ejercitando acción colectiva.

   a) El ejercicio de la acción colectiva no impide que se planteen acciones individuales sobre cualquier aspecto, incluso los discutidos en el proceso colectivo.

   b) El ejercicio de la acción colectiva no impide que se planteen acciones individuales, si bien las cuestiones ya discutidas en el proceso colectivo no pueden plantearse en el proceso individual, pues la sentencia firme colectiva despliega eficacia de cosa juzgada en los procesos individuales.

   c) El ejercicio de la acción colectiva impide que se plantee cualquier tipo de acción individual, incluso aquellas que no se hayan discutido en el proceso colectivo, pues la sentencia firme colectiva despliega eficacia de cosa juzgada en los procesos individuales.

   d) El ejercicio de la acción colectiva no incide en ningún de tipo de acción que puedan ejercitar eventualmente los trabajadores a título individual o el propio empresario.

30.- Mauricia Peláez trabaja como jefa de ventas en la empresa PERTINAZ, S.L., siendo la única mujer que ostenta un puesto de mando en la misma. Todos los jefes de venta perciben mensualmente un complemento de productividad, salvo Mauricia. La trabajadora pretende interponer una demanda en reclamación de cantidad.

   a) Mauricia podría interponer una demanda de tutela de derechos fundamentales, un proceso que se caracteriza, entre otras cosas, por su preferencia y sumariedad.

b) Mauricia podría interponer una demanda de tutela de derechos fundamentales, un proceso que carece de previsiones específicas en materia probatoria.

c) Mauricia podría interponer una demanda de tutela de derechos fundamentales, un proceso sujeto a un específico plazo de prescripción de seis meses desde el momento en que se produce la vulneración denunciada.

d) Mauricia podría interponer una demanda de tutela de derechos fundamentales, un proceso en el que puede intervenir como coadyuvante cualquier miembro de la representación unitaria en la empresa.

III. SOLUCIONES AL CUESTIONARIO

1: B	2: B	3: D	4: B	5: B	6: A	7: A	8: C	9: A	10: A
11: D	12: D	13: B	14: D	15: D	16: C	17: C	18: A	19: C	20: C
21: A	22: B	23: C	24: D	25: A	26: A	27: D	28: C	29: B	30: A

IV. ACTIVIDADES PROPUESTAS

1. Análisis de las modalidades procesales

La LRJS regula diferentes modalidades procesales y en este módulo tan sólo han sido objeto de análisis algunas de las que resultan más frecuentes. Pues bien, con ayuda del texto de la LRJS trate de esquematizar las especialidades que presenta cada una de las modalidades procesales no tratadas respecto el proceso ordinario; para ello intente seguir el siguiente esquema: en primer lugar, delimite el objeto de la modalidad –es decir, qué cuestiones se resuelven a través de la misma– y sus fuentes reguladoras; en segundo lugar, indique las peculiaridades que presenta en relación con el inicio del proceso –escrito de demanda y control de la misma–, el desarrollo –alegaciones, prueba y conclusiones– y finalización –la sentencia y las posibilidades de recurso–.

2. Caso práctico

Trate de resolver el siguiente supuesto relativo a una extinción que debe tramitarse a través del proceso de despido disciplinario; para ello, lea atentamente los hechos que se relatan para, a continuación, responder a las cuestiones que se formulan.

2.1. Supuesto primero

Hechos:

Primero. D. Maruja Pérez Morales, con DNI 12112100, mayor de edad, domiciliada en Murcia, C/ Mayor nº 7, fue contratada el 10 de febrero de 2010 por la empresa "Hornos Atelier", cuyo domicilio social radica en Alicante, Avd. Alfonso X, para prestar servicios como dependienta en un espacio comercial que la empresa en cuestión tiene alquilado en el interior de una tienda de conveniencia sita en la ciudad de Elche.

Segundo. El contrato de trabajo suscrito entre las partes señalaba que el salario mensual de la trabajadora sería algo superior al fijado en el convenio colectivo aplicable (convenio de la Comunidad Valenciana de panadería y pastelería) para los trabajadores de su categoría profesional, en concreto, percibiría 1250 euros al mes, incluida la parte proporcional de las pagas extraordinarias.

Tercero. Así las cosas, el segundo lunes del mes de mayo de este año, cuando Dª Maruja llegaba a su puesto de trabajo, la encargada del establecimiento le comunicó verbalmente que la dirección de la empresa "Hornos Atelier", debido a su comportamiento, había decidido prescindir de sus servicios por motivos disciplinarios, por lo que se le rogaba recoger sus efectos personales y abandonar el recinto a la mayor brevedad posible en ese mismo día.

Cuarto. La explicación ofrecida por la encargada de "Hornos Atelier" fue que el día anterior se había constatado como la trabajadora, contraviniendo las previsiones fijadas en la normativa interna, al finalizar su jornada de trabajo y pasar por caja presentó justificante de compra de dos panecillos tipo Viena, cuando en realidad en la bolsa se apreciaba claramente que el número de panes era sensiblemente superior (hasta seis).

Quinto. La trabajadora fue elegida miembro del Comité de Empresa en el año 2012, condición que mantenía al tiempo del despido.

Sexto. Dª Maruja pretende impugnar la decisión extintiva adoptada por la empresa "Hornos Atelier".

Cuestiones:

1ª. Determine:

- En primer lugar, qué tipo de acto preprocesal debe seguirse con anterioridad al ejercicio de la acción judicial de despido y cuál será el órgano competente para dicho trámite.
- En segundo lugar, qué consecuencias tendría el hecho de que la trabajadora no acreditase al tiempo de presentar la demanda judicial el cumplimiento del trámite anterior.

2ª. Plazos

– Imagine que el escrito al que hace referencia la cuestión anterior, se presenta el primer miércoles posterior al despido y el acto preprocesal se celebra justo una semana después a la presentación, sin que se alcance ninguna solución. Calcule cuál sería el último día para interponer la demanda judicial.

– Realice la misma operación, pero teniendo en cuenta que el escrito se presenta el primer jueves posterior al despido y que, tras la presentación, a principios del mes de julio todavía no se ha celebrado.

– Asimismo, reflexione sobre la posibilidad de presentarlo en la oficina de correos y los efectos que ello produciría.

3ª. Redacte la demanda judicial.

4ª. Imagine que la trabajadora, para fundamentar sus alegaciones, le interesase valerse de una prueba testifical, siendo para ello necesario citar al testigo en cuestión.

– ¿Hasta qué momento podría solicitar la práctica de esta prueba?

– Imagine que el juez deniega la práctica de este medio probatorio. Determine qué podría hacer la actora si se encuentra disconforme con esta resolución.

– Imagine que la prueba, por el contrario, se admite, pero el día del juicio el testigo no comparece. Determine, en tal supuesto, qué podría hacer el proponente para sortear tal inconveniente.

5ª. A la luz de los hechos relatados, señale:

– En primer lugar, cómo calificará, previsiblemente, el juez este despido, especificando las razones que le conducirán a dicha calificación.

– En segundo lugar, cuál será, en consecuencia, el contenido del fallo que se incluya en la sentencia.

6ª. Imagine que la sentencia declara el despido improcedente.

– ¿Sería posible interponer algún tipo de recurso? En caso afirmativo, especifique cuál, los sujetos legitimados para su interposición y el órgano competente para su resolución.

– Imagine que la sentencia es firme y el empresario readmite a Dª Maruja, pero en un centro de trabajo distinto y le asigna funciones diversas, con un salario inferior al que tenía. Así las cosas, ¿qué instrumentos tiene la trabajadora a su disposición para hacer efectivo el fallo? ¿qué medidas adoptaría el juez para ello?

7ª. Imagine que se ha abierto un proceso penal contra la trabajadora por la sustracción

– Determine si ello supondría la suspensión del proceso laboral.

– Imagine que una vez la sentencia por despido deviene firme, resulta que la trabajadora resulta absuelta en sede penal, pues en dicho proceso se demuestra que las pruebas presentadas –testificales y documentales– eran falsas. ¿Habría alguna posibilidad de recurrir la sentencia firme de despido? En caso afirmativo, especifique el medio de impugnación y el órgano competente.

8ª. Señale en qué actuaciones de las aparecidas hasta el momento (trámites preprocesales; interposición de la demanda; recursos) resulta necesaria la intervención letrada o de graduado social.

2.2. Supuesto segundo

Hechos:

Primero: Una empresa ha tenido conocimiento de que un trabajador a su servicio ha estado participando en diferentes eventos deportivos (una media-maratón, dos 15K y una carrera popular) mientras se encontraba con el contrato suspendido por incapacidad temporal. Ello lo ha sabido a través de los perfiles públicos que dicho sujeto tiene en redes sociales.

Segundo: Así las cosas, ha decidido proceder a su despido, pues entiende que tal conducta constituye una clara transgresión de la buena fe contractual. Una vez despedido, el trabajador ha interpuesto una demanda por despido ante el órgano competente que ha sido admitida a trámite, habiendo llegado la fecha de celebración.

Cuestiones:

1ª. En primer lugar, imagine que la empresa quiere aportar como prueba las publicaciones del trabajador en las redes sociales y que el órgano jurisdiccional le deniega la práctica de esta prueba porque la considera simplemente inadmisible:

– ¿qué podría hacer frente a esta decisión?

– ¿cómo podría justificar que esta prueba es admisible?

2ª. En segundo lugar, imagine que, por el contrario, el órgano jurisdiccional admite la prueba; en tal caso, ¿cómo la aportaría al proceso?

3ª. En tercer lugar, una vez admitida y aportada, imagine que la otra parte considera que se ha obtenido violando derechos fundamentales, en concreto, el derecho a la intimidad:

  – ¿qué sucedería en tales circunstancias?

  – teniendo en cuenta los pocos datos aportados en el supuesto… ¿considera que ha habido esa vulneración?; si la hubiese habido, ¿qué consecuencias tendría el hecho de que efectivamente se hubiesen vulnerado derechos fundamentales?

4ª. Imagine que la parte demandante niega ser autor de los comentarios aportados ni ser el sujeto que allí aparece, que ni siquiera es el "propietario" del perfil ¿Cómo trataría de demostrarlo?

5ª. ¿Qué naturaleza jurídica cabría asignar a estas pruebas?

6ª. ¿En qué otros aspectos del proceso puede influir o repercutir la naturaleza jurídica que se asigne a una prueba determinada?

V. GLOSARIO

– *Conflicto colectivo de intereses*: Aquéllos en los que se plantea la creación de una norma que ha de regular las relaciones de trabajo, su modificación o su sustitución.

– *Conflicto colectivo jurídico*: Aquéllos en los que la discrepancia entre las partes se plantea respecto la aplicación o interpretación de una norma legal, reglamentaria o convencional.

– *Dies a quo*: El primer día de un plazo –día a partir del cual–.

– *Dies ad quem*: El último día de un plazo –día hacia el cual–.

– *Ejecución específica o in natura*: La que se efectúa en sus propios términos.

– *Ejecución por equivalente*: La que se al no realizarse en sus propios términos se traduce en una compensación económica.

– *Preferencia*: Nota de ciertos procesos que determina que sean tramitados antes que otros.

– *Sumariedad*: Nota de ciertos procesos que determina, por un lado, el carácter limitado del objeto de cognición; por otro, un acortamiento de plazos, términos y actuaciones.

LOS MEDIOS DE IMPUGNACIÓN

CONTENIDO GENERAL

El objetivo esencial perseguido con esta lección se relaciona con la revisión de las resoluciones de los órganos encargados de administrar justicia. La actividad jurisdiccional es humana y, por tanto, falible. Así las cosas, en evitación de eventuales errores, el ordenamiento jurídico procesal predispone un sistema de recursos que permite a las partes cuestionar las decisiones judiciales y, en su caso, obtener su modificación o anulación. Esta posibilidad, sin embargo, no puede ser ilimitada, puesto que en tal caso se generarían dilaciones e inseguridad jurídica; por ello, las normas procesales dedican un buen esfuerzo a determinar qué resoluciones son recurribles y en qué modo pueden serlo.

OBJETIVOS PERSEGUIDOS

– Conocer los principios generales que inspiran el sistema de recursos.

– Ser capaz de determinar el recurso procedente contra las diligencias, decretos, providencias y autos, así como los principales elementos de su tramitación.

– Ser capaz de saber qué sentencias y autos son recurribles y cuáles no, así como cuál es el recurso procedente.

– Conocer las principales cuestiones relacionadas con su tramitación.

– Adquirir destreza en la redacción de los escritos procesales correspondientes.

SUMARIO: I. DESARROLLO. 1. Introducción. 1.1. Los medios de impugnación: cuestiones generales. 1.1.1. Noción. 1.1.2. Finalidad y fundamento. 1.1.3. Los criterios de ordenación. 1.2. Clasificación. 1.2.1. Los medios de impugnación en sentido estricto. 1.2.2. Los medios de impugnación en sentido amplio. 2. Los medios de impugnación en sentido estricto. 2.1. Los recursos no devolutivos. 2.1.1. El recurso de reposición. A) Resoluciones recurribles. B) Tramitación. 2.1.2. ¿El recurso directo de revisión?. A) Resoluciones recurribles. B) Tramitación. 2.2. Los recursos devolutivos. 2.2.1. Algunas cuestiones generales. A) Caracteres. B) Elementos subjetivos. 2.2.2. El recurso de suplicación. A) Resoluciones recurribles. B) El objeto del recurso: motivos. C) Tramitación. 2.2.3. El recurso de casación. A) Resoluciones recurribles. B) Los motivos del recurso. C) Tramitación. 2.2.4. El recurso de casación para la unificación de la doctrina. A) Finalidad y modalidades. B) Resoluciones recurribles y requisitos de admisión del recurso. C) Motivos de impugnación. D) Tramitación. 2.2.5. Las disposiciones comunes a los recursos de suplicación y casación. A) Los depósitos y consignaciones. B) La necesidad de asistencia técnica y las costas. C) La acumulación de recursos. D) La aportación de documentos nuevos. E) La finalización por acuerdo transaccional. 2.2.6. El recurso de queja. A) Resoluciones recurribles. B) Tramitación. 3. Los medios de impugnación en sentido amplio:

recursos contra sentencias firmes. 3.1. La audiencia al demandado rebelde. 3.2. La revisión de sentencias firmes. 3.3. El proceso por error judicial. II. CUESTIONARIO. III. SOLUCIONES AL CUESTIONARIO. IV. ACTIVIDADES PROPUESTAS. V. GLOSARIO.

I. DESARROLLO

1. Introducción

1.1. Los medios de impugnación: cuestiones generales

1.1.1. Noción

1.–Los medios de impugnación son los mecanismos legales puestos a disposición de las partes –y eventualmente del Ministerio Fiscal, aun cuando éste carezca de tal condición– tendentes a la obtención de una reforma o anulación de las resoluciones judiciales. Las partes pueden, en efecto, utilizar los medios de impugnación en aquellos casos en los que las resoluciones judiciales les resulten, total o parcialmente, desfavorables. Esta afectación se conoce como requisito de gravamen (art. 448.1 LEC) y su alcance viene concretado en el proceso laboral por el art. 17.5 LRJS.

1.1.2. Finalidad y fundamento

2.–La **finalidad** de los medios de impugnación es examinar de nuevo un aspecto parcial del proceso o su totalidad, pues en el mismo se pueden haber cometido equivocaciones. Y es que, en este sentido, los medios de impugnación hallan su **fundamento** básico, para la mayor parte de la doctrina científica, en la necesidad de evitar la posibilidad de que el error de un órgano jurisdiccional ocasione una resolución injusta.

2.1.–En efecto, en este sentido resulta evidente la conexión de tales mecanismos con el valor "justicia". Y es que, razones vinculadas a la misma aconsejan la existencia de unos cauces que permitan depurar los eventuales errores en que puedan haber incurrido los titulares de los órganos jurisdiccionales en el ejercicio de su actividad. Esta posibilidad, obviamente, ha de estar limitada en el tiempo, y ello por razones vinculadas con otro principio esencial como es el de "seguridad jurídica". Así, en atención a la misma, resulta conveniente que a partir de un determinado momento las resoluciones jurisdiccionales devenguen en inatacables, algo que sucede cuando adquieren la condición de firmes. Con todo, nuevamente por razones de "justicia", incluso las resoluciones firmes pueden ser impugnadas en determinadas circunstancias excepcionales, bien que de manera limitada en el tiempo. En definitiva, ello evidencia la existencia en esta materia de una tensión permanente entre ambos principios (justicia y seguridad jurídica) que el ordenamiento trata de equilibrar.

2.2.–Por otra parte, en este contexto, también resulta evidente la importancia que los medios de impugnación desempeñan en el acceso por parte de los ciudadanos a la **tutela judicial efectiva**.

Por ello, el TC tiene señalado que el derecho al recurso se integra en su contenido. Ello no obstante, con la excepción de la materia penal –en la que los tratados internacionales garantizan el derecho a la revisión de las sentencias condenatorias–, el sistema de recursos (la existencia de los mismos y su configuración concreta) es fruto de una decisión legal. De ahí que la jurisprudencia constitucional sostenga que, dentro del art. 24.1 CE, se encuentra únicamente **el derecho al recurso legalmente establecido**.

Este matiz tiene unas consecuencias relevantes puesto que supone que no es necesario constitucionalmente que el legislador prevea que todas las resoluciones judiciales sean recurribles o que lo sean de una cierta manera; y que, si bien jueces y tribunales están sujetos a los imperativos del art. 24.1 CE a la hora de decidir sobre procedencia y admisión de los recursos, las decisiones al respecto serán respetuosas con el contenido del derecho fundamental siempre que sean motivadas de forma no arbitraria.

1.1.3. Los criterios de ordenación

3.–La expresión "medios de impugnación" engloba una pluralidad de sistemas que sirven para controlar las distintas resoluciones emanadas de los órganos jurisdiccionales. La indicada pluralidad aconseja que se fijen unos criterios de ordenación que permitan, por un lado, proceder a su clasificación y, por otro, introducir una serie de términos técnicos que posteriormente nos ayuden a describirlos con mayor rapidez y sencillez. A tales efectos, pueden emplearse diferentes criterios de ordenación, entre los que destacan los tres siguientes:

3.1.–En primer lugar, cabe diferenciar entre **medios de impugnación ordinarios y extraordinarios**: los primeros no requieren para su admisión la concurrencia de unos motivos de impugnación y permiten un reexamen completo de la resolución impugnada; los segundos, por el contrario, requieren para su admisión de la concurrencia de unos motivos de impugnación determinados y además los poderes del juez se encuentran limitados, pues no pueden introducirse nuevos hechos ni practicarse nuevas pruebas.

3.2.–En segundo lugar, cabe diferenciar entre **recursos no devolutivos** (o remedios) **y recursos devolutivos** (o recursos propiamente dichos): los primeros son aquéllos que se tramitan y resuelven por el mismo órgano que dictó la resolución impugnada; los segundos, en cambio, se tramitan y resuelven por un órgano superior y distinto al que dictó la resolución que se impugna.

3.3.–Finalmente, cabe diferenciar entre medios de impugnación contra resoluciones definitivas y medios de impugnación contra resoluciones firmes. Los primeros (medios de impugnación en sentido estricto) resuelven, dentro de los límites correspondientes, las cuestiones previamente decididas por la resolución que se impugna que, precisamente por su existencia, no gana firmeza. Por su parte, los segundos (medios de impugnación en sentido amplio) permiten, en casos excepcionales, atacar la excepcional eficacia que, por razones de seguridad jurídica, el ordenamiento asigna a la cosa juzgada.

1.2. Clasificación

4.–Los medios de impugnación dentro del proceso laboral se encuentran regulados en los arts. 186 ss. LRJS.

4.1.–De entrada, resulta posible diferenciar entre los medios de impugnación en sentido estricto (frente a resoluciones definitivas) y medios de impugnación en sentido amplio (frente a resoluciones firmes).

4.2.–A su vez, dentro de los primeros, se puede distinguir entre los que presentan un carácter no devolutivo (también denominados remedios) y los que, diversamente, son devolutivos (recursos).

5.–El esquema resultante podría ser el siguiente:

Resoluciones definitivas	NO DEV.	Reposición	ORDINARIO	Diligencias/decretos no definitivos/ providencias/autos
	¿ND/DEV?	Recurso de revisión		Decretos definitivos
	DEV.	Queja	EXTRAOR.	Autos
		Suplicación		Sentencias y algunos autos
		Casación		Sentencias y algunos autos
		RCUD		Sentencias
Resoluciones firmes	NO DEV.	Nulidad de actuaciones	EXTRAOR.	Todas
	DEV.	Audiencia al demandado rebelde Revisión de sentencias		Sentencias
		Error judicial	RESARC.	Sentencias

1.2.1. Los medios de impugnación en sentido estricto

6.–En primer lugar, y en sentido estricto, los medios de impugnación deben quedar referidos a resoluciones que no participan del efecto de cosa juzgada, es decir, que no han adquirido firmeza todavía. El género contiene dos especies distintas:

6.1.–De un lado, se encuentran aquellos medios de impugnación en los que el segundo examen pretendido queda confiado al órgano judicial que dictó la resolución que se revisa, motivo por el cual son denominados "**recursos no devolutivos**". También se denominan REMEDIOS. En el ámbito del proceso laboral, podríamos considerar como tales dos medios de impugnación que aparecen regulados en los artículos 186 a 188 LRJS:

– El primero es el **recurso de reposición**, al que se refieren los arts. 186 a 188 LRJS. La reposición se interpone frente a determinadas resoluciones del letrado de la administración de justicia (diligencias de ordenación y decretos no definitivos) o del juez o tribunal (providencias y autos), resolviendo el mismo órgano que dictó la resolución impugnada. Es un recurso ordinario.

– El segundo es el **recurso directo de revisión**, al que se refiere el art. 188 LRJS. Este recurso puede interponerse contra ciertos decretos dictados por el letrado de la administración de justicia, resolviendo el juez o tribunal del mismo órgano jurisdiccional, por ello su naturaleza como devolutivo o no devolutivo resulta discutible; en todo caso, se trata de un recurso ordinario.

6.2.–De otro lado, junto a los remedios o recursos no devolutivos, se encuentran los "**recursos devolutivos**", es decir, aquéllos cuyo conocimiento compete a un órgano jurisdiccional superior y distinto a aquél que ha dictado la resolución impugnada. Los recursos existentes en el proceso laboral aparecen regulados en los artículos 189 y ss. LRJS donde se encuentran las siguientes previsiones:

– En primer lugar, el art. 189 LRJS se refiere al **recurso de queja**. El recurso de queja presenta un carácter instrumental, como tendremos la ocasión de comprobar, pues permite atacar en el seno de los recursos devolutivos la resolución del órgano *a quo* por la que se impide acceder al órgano *ad quem*, esto es, la resolución que cierra la puerta del recurso.

– En segundo lugar, los arts. 190 a 204 LRJS regulan el **recurso de suplicación** que se puede interponer ante el Tribunal Superior de Justicia contra sentencias y algunos autos procedentes de los juzgados de lo social de su circunscripción. Tiene carácter extraordinario.

– En tercer lugar, los arts. 205 a 217 LRJS, regulan el **recurso de casación** que se puede interponer ante el TS para impugnar sentencias y ciertos autos dictados por los TSJ o la Audiencia Nacional en aquellas materias que tales órganos tienen atribuidas en primera y única instancia. Tiene carácter extraordinario.

– En cuarto lugar, los arts. 218 a 228 LRJS regulan el **recurso de casación para la unificación de la doctrina** que se puede interponer ante el TS contra ciertas sentencias dictadas en suplicación por los TSJ. Tiene también un carácter extraordinario.

– En fin, los arts. 229 a 235 LRJS contienen un conjunto de disposiciones que resultan comunes a los recursos de casación, de casación para la unificación de la doctrina y de suplicación.

1.2.2. Los medios de impugnación en sentido amplio

7.–En sentido amplio, la impugnación comprende también a las sentencias que han alcanzado firmeza, abriéndose un nuevo proceso a partir de una pretensión distinta a la decidida por la resolución impugnada.

7.1.–De entrada, en este apartado, hay que mencionar el **recurso de audiencia al demandado rebelde** que se regula en el art. 185 LRJS, el cual nos remite a las previsiones que al respecto contiene la LEC –arts. 496 a 508–, bien que estableciendo unas particularidades.

7.2.–Por otra parte, el art. 236 LRJS se refiere al **recurso de revisión**. Los vacíos de este precepto se colman con las previsiones de la LEC que se encuentran en los arts. 509 y ss. LEC

7.3.–En fin, el panorama quedaría incompleto sin referirse a la **nulidad de actuaciones,** cuya regulación se encuentra en los arts. 238 y ss. LOPJ, y **al error judicial** a la que se refiere el art. 236.2 LRJS que debe completarse con lo establecido en los arts. 292 y ss. LOPJ, si bien la primera ya fue analizada en la lección tercera.

2. Los medios de impugnación en sentido estricto

8.–Una vez "presentados" los distintos medios de impugnación, el punto de partida para proceder al análisis de cada uno de ellos en concreto debe ser, por razones sistemáticas, el de aquéllos que se encuentran previstos para impugnar resoluciones que no han adquirido la condición de firmes, esto es, los que se conocen como medios de impugnación en sentido estricto. Y dentro de los mismos, a su vez, ya hemos indicado que existen unos que se tramitan y resuelven por el mismo órgano que dictó la resolución atacada (recursos no devolutivos o remedios) y otros que se plantean y resuelven por un órgano superior jerárquicamente (recursos devolutivos). Por lo demás, antes de descender al análisis de los diferentes recursos en concreto, una idea que puede guiarnos en el entendimiento de su lógica es la relativa a que para las resoluciones de menor importancia se prevén los primeros, mientras que para las de mayor relevancia estarían los segundos.

2.1. Los recursos no devolutivos

9.–Los recursos no devolutivos o remedios son aquellos medios de impugnación en los que se produce una coincidencia entre el órgano que dictó la resolución impugnada y el que debe conocer de la impugnación.

9.1.–Así las cosas, claramente pertenece a tal categoría el recurso de reposición. Por su parte, el recurso directo de revisión frente a determinadas resoluciones del letrado de la administración de justicia se podría catalogar en este apartado o en el de los devolutivos, pues lo resuelve el juez o tribunal del mismo órgano jurisdiccional. Así pues, aunque la decisión la adopta un sujeto distinto, lo que permitiría entender que se trata de un recurso devolutivo, lo cierto es que se adopta en el seno del mismo órgano y, desde dicha perspectiva, tampoco resulta incorrecto considerarlo como no devolutivo.

9.2.–En principio, como regla general, los remedios quedan reservados para propiciar la revisión de resoluciones dictadas en cuestiones incidentales o bien en la ordenación del procedimiento o en la resolución de cuestiones puramente procedimentales que puedan incidir de forma más o menos intensa en los derechos materiales o adjetivos de las partes. Con ello se permite que el órgano jurisdiccional pueda volver sobre la decisión adoptada, modificándola si considera que la misma es ilícita o injusta

9.3.–La parca regulación que de los remedios ofrece la LRJS debe colmarse con las previsiones contenidas en la LEC, en concreto, en los arts. 451 a 454 de dicho texto normativo.

2.1.1. El recurso de reposición

10.–El primero de los remedios que debe ser analizado es el recurso de reposición, al cual se refieren los arts. 186 a 188 LRJS.

10.1.–La reposición es un medio de impugnación ordinario que puede plantearse contra ciertas resoluciones de dirección procesal dictadas por los letrados de la administración de justicia o por los jueces o tribunales que se interpone ante tales sujetos, resolviéndose por el mismo órgano que dictó la resolución impugnada. Así pues, carece de efecto devolutivo.

10.2.–Igualmente, tampoco cuenta con efecto suspensivo, según recuerda el art. 186.3 LRJS.

A) Resoluciones recurribles

11.–En principio, como se acaba de indicar, la reposición está prevista para impugnar las resoluciones de dirección procesal dictadas por el letrado de la administración de justicia o por los jueces y tribunales.

11.1.–Por lo que respecta a las resoluciones del letrado de la administración de justicia, se recurren en reposición las diligencias de ordenación y los decretos no definitivos, salvo que la ley prevea recurso directo de revisión (art. 186.1 LRJS).

11.2.–Por lo que respecta a las resoluciones de los segundos, según el art. 186.2 LRJS, la regla general es que cabe reposición contra todas las providencias y autos; así pues, nunca contra sentencias.

12.–Con todo, algunas de estas resoluciones (diligencias de ordenación, decretos, providencias y autos) no son susceptibles de reposición:

12.1.–En primer lugar, el arts. 186.4 LRJS señala que no procederá la reposición contra las resoluciones de este tipo que se puedan dictar en determinados procedimientos, en concreto, los de conflicto colectivo, los de materia electoral, los de conciliación de la vida personal y familiar y laboral o los de impugnación de convenios; asimismo, el mismo límite se impone en la impugnación colectiva de los despidos colectivos (art. 124.8 LRJS). Esta limitación no afecta al auto inicial de declaración de incompetencia, siempre recurrible en reposición, incluso en estas modalidades procesales.

12.2.–En segundo lugar, tampoco resulta posible la reposición cuando expresamente la vede la propia normativa. En este sentido, la LRJS niega la reposición respecto determinadas resoluciones recaídas en distintos momentos del proceso previos al juicio oral, coetáneas o posteriores al mismo:

a) En efecto, en el caso de resoluciones previas al juicio oral, así sucede con las diligencias preliminares relativas al interrogatorio de partes y testigos –art. 76.6 LRJS–, o con la práctica anticipada de la prueba –art. 78.2 LRJS–.

b) Por lo que se refiere a resoluciones coetáneas que no admiten reposición, el ejemplo nos lo brinda el art. 87.2 LRJS relativo a la continuación de la práctica de la prueba renunciada por la parte proponente.

c) Finalmente, en cuanto resoluciones posteriores a la finalización del juicio oral que no sean susceptibles de ser recurridas en reposición, pueden mencionarse las incidencias que surjan en relación con la redacción del acta final (art. 89.5 LRJS).

12.3.–En tercer lugar, no procede la reposición contra aquellas resoluciones respecto las cuales se puede interponer otro recurso de manera directa:

a) En este sentido, un primer ejemplo lo brinda el propio art. 186.1 LRJS respecto las resoluciones del letrado de la administración de justicia, cuando alude a que no se recurren en reposición los decretos que tienen reconocido recurso directo de revisión, algo que debe completarse con lo previsto en el art. 188.1 LRJS, ya que determina los casos en que se interpone el mencionado recurso.

b) Un segundo ejemplo nos lo brindan los arts. 195.2 y 230.4 LRJS: el auto del JS por el que se tiene no anunciado el recurso de suplicación es recurrible en queja ante la sala de lo social del TSJ correspondiente; o en relación con la casación, los arts. 209.2 y 230.4 LRJS).

12.4.–En fin, debe señalarse que el recurso de reposición habitualmente finalizará con un decreto (si se recurre una resolución del letrado del letrado de la administración de justicia) o un auto (si es el del juez o tribunal). Pues bien, contra tales decretos y autos que resuelven la reposición no cabe interponer una nueva reposición; es más, los arts. 188.1 y 187.5 LRJS prevén la irrecurribilidad general de tales resoluciones.

a) En el caso de los decretos que resuelven la reposición (es decir, la interpuesta contra las diligencias de ordenación y decretos), la previsión contenida en el art. 188.1 LRJS por la que se establecía que "contra el decreto resolutivo de la reposición no se dará recurso alguno" ha sido declarada inconstitucional por la STC 72/2018, de 21 de junio.

b) Por su parte, en relación con el auto que resuelve la reposición, el art. 187.5 LRJS, al prever su carácter no recurrible, matiza "salvo en los supuestos expresamente previstos en la presente ley", pues, en algunos casos, tales autos se pueden recurrir en suplicación (art. 191.4 LRJS) o casación (arts. 206.3 y 206.4 LRJS) según se comprobará en el lugar correspondiente.

B) Tramitación

13.–La tramitación de la reposición resulta relativamente sencilla y se contempla en el art. 187 LRJS, un precepto que debe completarse con las previsiones contenidas en los arts. 452 a 454 LEC.

13.1.–La interposición del recurso, que no tendrá efectos suspensivos (art. 186.3 LRJS), debe producirse en los tres o cinco días siguientes a dictarse la resolución impugnada, según se trate de un órgano unipersonal o colegiado, expresándose la infracción en que hubiera incurrido la resolución impugnada (art. 187.1 LRJS). En caso de que no se cumplan estos requisitos, el letrado de la administración de justicia dicta un decreto inadmitiendo el recurso –decisión que es susceptible de recurso de revisión ante el Juez (art. 187.2 LRJS)–.

13.2.–Una vez admitido el recurso, se da traslado a las partes por plazo común de tres o cinco días, debiéndose resolver en los tres o cinco siguientes, siempre en función del tipo de órgano, haya habido o no alegaciones (art. 187.3 LRJS).

13.3.–El recurso se resuelve mediante decreto o auto, según se trate de una resolución del letrado de la administración de justicia o del juez o tribunal.

a) El decreto que da solución a la reposición no es susceptible de ulteriores recursos, sin perjuicio de que la cuestión pueda ser suscitada, si es procedente, en el momento de dictarse la resolución definitiva (art. 188.1 LRJS). Con todo, ya se ha indicado que la irrecurribilidad de este decreto ha sido declarada inconstitucional.

b) Por lo que respecta al auto que resuelve la reposición, el art. 187.5 LRJS también prevé que no cabe recurso, si bien anuncia la existencia de excepciones. Y es que en algunos casos, aún será posible interponer suplicación o casación, en función del órgano que lo haya dictado (arts. 191.4, 206.3 y 206.4 LRJS).

2.1.2. ¿El recurso directo de revisión?

14.–El recurso directo de revisión aparece regulado en el art. 187 LRJS. Al igual que la reposición, se trata de un medio de impugnación ordinario que puede plantearse contra ciertas resoluciones del letrado de la administración de justicia.

14.1.–El recurso se resuelve por el juez o tribunal del mismo órgano jurisdiccional en el que se haya dictado la resolución recurrida (art. 188.2 LRJS). Por ello, su carácter devolutivo o no resulta discutible.

14.2.–Por otra parte, carece de efecto suspensivo, según recuerda el art. 188.1.II LRJS, subrayando que en ningún caso se podrá actuar en sentido contrario a lo que se hubiera resuelto.

A) Resoluciones recurribles

15.–El recurso directo de revisión queda abierto frente a decretos del letrado de la administración de justicia en dos supuestos.

15.1.–Por un lado, cuando éstos "pongan fin al procedimiento o impidan su continuación" (art. 188.1.II LRJS). Tal ocurre, por ejemplo, en el caso contemplado en el art. 83.2 LRJS.

15.2.–Por otro lado, también se admite la revisión en los casos en los que la ley expresamente lo prevea, como ocurre, entre otros, en el supuesto del art. 187.2 LRJS o se presupone en los casos de los arts. 191.4.c) y d) ó 206.3 y 4 LRJS respecto de las incidencias ejecutivas.

B) Tramitación

16.–Las previsiones sobre tramitación son muy parcas y se recogen en el propio art. 188.2 LRJS.

16.1.–La interposición del recurso, que no tendrá efectos suspensivos, debe realizarse en los tres o cinco días siguientes, según el órgano judicial, por escrito en el que se aduzca la infracción cometida por la resolución combatida (art. 188. 1 y 2 LRJS).

16.2.–La eventual inadmisión por incumplimiento de los requisitos compete al juez o tribunal y, una vez admitido, el órgano judicial dispone de tres o cinco días para resolverlo (art. 188.2 LRJS).

16.3.–El recurso se resuelve mediante auto contra el cual ya no cabe ulterior recurso, salvo los casos en los que la ley lo prevé expresamente (art. 188.3 LRJS). Y es que, en ocasiones, dicho auto se puede recurrir en suplicación (art. 191.4.c) y d) LRJS) o casación (arts. 206.3 y 206.4 LRJS).

2.2. Los recursos devolutivos

17.–Los recursos devolutivos son aquéllos en los que la competencia para su conocimiento y resolución está atribuida al órgano jurisdiccional superior en grado al que dictó la resolución impugnada. A los mismos se refieren los arts. 189 y ss. LRJS.

17.1.–El sistema de recursos devolutivos laborales se articula del modo siguiente:

a) En primer lugar, contra las sentencias –y algunos autos– dictados por el Juzgado de lo Social en primera instancia, en determinados casos, procede el **recurso de suplicación** ante el TSJ (arts. 190-204 LRJS).

b) En segundo lugar, contra las sentencias –y algunos autos– dictados por las salas de lo social de los TTSSJJ o de la Audiencia Nacional, a veces, procede el **recurso de casación ordinario** ante el Tribunal Supremo (arts. 205-217 LRJS).

c) En tercer lugar, contra determinadas resoluciones dictadas por las salas de los social de los TTSSJJ en suplicación, en ocasiones, procede interponer el **recurso de casación en unificación de doctrina** ante el Tribunal Supremo (arts. 218-228 LRJS).

d) En fin, todos estos recursos siguen una tramitación que se articula en dos fases sucesivas: la primera ante el tribunal "*a quo*" –el que dictó la resolución impugnada– de preparación; la segunda ante el tribunal *"ad quem"*, normalmente, de sustanciación. Pues bien, para recurrir ciertas resoluciones del órgano *a quo* que impiden la presentación del recurso, existe el **recurso de queja,** que se configura como un medio de impugnación instrumental y se regula en el art. 189 LRJS.

17.2.–Así pues, la procedencia de un tipo de recurso u otro depende del órgano que emitió la resolución impugnada y el título por el que lo hizo, como se aprecia esquemáticamente en el cuadro que sigue.

Órgano a quo	Tipo de actuación	Recurso	Órgano ad quem
JJSS	Instancia	Suplicación	TSJ
TSJ	Instancia	Casación	TS
AN	Instancia	Casación	TS
TSJ	Suplicación	Casación unificación doctrina	TS

2.2.1. Algunas cuestiones generales

A) Caracteres

18.–Por lo que respecta a los caracteres más importantes de los recursos devolutivos laborales, hay que destacar lo siguiente:

18.1.–De entrada, interesa resaltar que los mismos no constituyen una segunda instancia del tipo de la apelación civil. En efecto, en el proceso laboral no existe la segunda instancia: finalizada la primera instancia, las partes pueden utilizar los medios de impugnación previstos en la ley para atacar solo ciertas resoluciones y en la medida en que concurran determinados motivos.

18.2.–Por ello, y en íntima conexión con lo anterior, cabe señalar que los tres recursos típicos del derecho procesal laboral tienen como carácter común su naturaleza de **recursos extraordinarios**. Ello implica que las cuestiones de hecho y derecho que pueden plantear las partes se encuentran limitadas. En este sentido, en principio, no pueden introducirse nuevos hechos, ni practicarse nuevas pruebas.

B) Elementos subjetivos

19.–Por lo que respecta a los elementos subjetivos, deben ponerse de relieve dos cuestiones principales.

19.1.–De entrada, en relación con el órgano jurisdiccional, al tratarse de recursos devolutivos, siempre van a concurrir dos órganos actuantes. Así, como ya se ha avanzado, hay que diferenciar el **órgano** *a quo* y el órgano *ad quem*:

a) El órgano *a quo* es aquél que ha dictado la resolución que se impugna y ante el cual se va a desarrollar la primera fase de la tramitación del recurso: en suplicación, el órgano *a quo* es el juzgado de lo social y en casación el TSJ o la Audiencia Nacional.

b) El órgano *ad quem* es el que se encarga de la sustanciación del recurso y su resolución: en suplicación, el órgano *ad quem* es el TSJ y en casación el Tribunal Supremo.

19.2.–Por otra parte, en cuanto a los legitimados para su interposición, debe señalarse que habitualmente serán aquellos sujetos que han sido parte en el proceso de instancia, pero en la medida en que concurra en ellos la peculiaridad de haber resultado perjudicados por la resolución que se impugna. Esto es lo que se conoce como el "**requisito de gravamen**", al que alude el art. 448 LEC.

a) Con independencia de la posición que ocuparan en la instancia, el sujeto que interpone el recurso se denomina recurrente, mientras que la otra parte será el recurrido. Asimismo, debe tenerse en cuenta la posibilidad de que ambas partes recurran.

b) Por lo demás, a diferencia de lo que ocurre en la instancia –en la que, como sabemos, las partes pueden comparecer por sí mismas–, en sede de recurso las partes deben actuar siempre asistidas por graduado social colegiado o letrado –o únicamente por este último en los recursos de casación–. En caso de que no se designara por la parte, se procedería a su designación de oficio, siempre que se trate de un trabajador o beneficiario de prestaciones o, en otro caso, tenga reconocido el derecho de asistencia jurídica gratuita (arts. 231 y 232 LRJS).

2.2.2. El recurso de suplicación

20.–El recurso de suplicación, regulado en los arts. 190 y ss. LRJS, es un medio de impugnación extraordinario y devolutivo que se puede interponer ante las salas de lo social de los TSJ contra ciertas resoluciones normalmente dictadas por los JS de su circunscripción, siempre que concurran unos motivos predeterminados por la ley.

A) Resoluciones recurribles

21.–Como regla general, "las sentencias que dicten los Juzgados de lo Social en los procesos que ante ellos se tramiten, cualquiera que sea la naturaleza del asunto" son recurribles en suplicación (art. 191.1 LRJS). Sin embargo, el precepto advierte igualmente que algunas sentencias quedan excluidas del recurso. Y además existe la posibilidad de que ciertos autos accedan a él.

22.–En cuanto a las **sentencias**, la **regla general** es que sólo resultan recurribles en suplicación aquellas sentencias dictadas por los juzgados de lo social cuando la cuantía litigiosa del asunto supere los 3.000 euros (art. 191.2.g) LRJS).

22.1.–El art. 192 LRJS establece algunos criterios normativos específicos para la cuantificación de las pretensiones cuando ha habido una acumulación objetiva o subjetiva de acciones. Asimismo, hay que tener en cuenta la existencia de un conjunto de reglas diferenciadas para determinar la cuantía litigiosa a estos efectos cuando se trata de impugnar actos administrativos (192.4 LRJS), en cuyo caso, además, hay reglas de recurribilidad específicas (191.3.g) LRJS).

22.2.–En fin, esta regla general presenta una serie de **excepciones**:

a) Así, por un lado, hay sentencias que son recurribles con independencia de su cuantía.

– En ciertos casos ello se debe a que se trata de materias de particular relevancia para los trabajadores o beneficiarios de protección social (procesos por despido o extinción de contrato, reconocimiento o denegación de prestaciones de la seguridad social, tutela de derechos fundamentales) o por su carácter colectivo (impugnación de convenios, conflicto colectivo, impugnación estatutos, etc.).

– En otros casos, aun sin reunir esta condición, los asuntos son recurribles por su importancia cuantitativa: tal es el sentido de la regla que posibilita el recurso en los casos en que del objeto litigioso pueda predicarse su "afectación general", siempre que ello sea notorio o haya sido acreditado y probado (cfr. art. 191.3.b) LRJS).

– En fin, la recurribilidad con independencia de la cuantía puede derivar de la importancia procesal del asunto. Tal ocurre en los casos de quebrantamiento de forma (art. 191.3.d) LRJS) o en las sentencias que aborden cuestiones competenciales (art. 191.3.e) LRJS). En estos casos, la recurribilidad es limitada: afecta sólo al punto procesal en cuestión y no al fondo del asunto.

b) Por otro, hay sentencias que, con independencia de la cuantía, no se podrán recurrir en suplicación (art. 191.2 LRJS), normalmente por su carácter sumario o muy apegado a los aspectos de hecho –cuyo análisis en un recurso extraordinario resultaría sumamente problemático–.

23.–Junto a las sentencias, el art. 191.4 LRJS permite que ciertos **autos** puedan ser recurridos en suplicación. Tales autos son:

23.1.–El auto que resuelve el recurso de reposición interpuesto contra el auto inicial de declaración de incompetencia.

23.2.–Los autos dictados por los juzgados de lo mercantil cuando resuelvan en el seno del concurso de acreedores cuestiones de carácter laboral.

23.3.–Determinados autos que resuelven el recurso de reposición o de revisión interpuesto contra resoluciones que determinen la terminación anticipada del proceso.

23.4.–Los autos que resuelven recursos de reposición o revisión interpuestos contra autos o decretos dictados en ejecución de sentencias cuando resuelven puntos sustanciales no controvertidos en el pleito, no decididos en la sentencia o que contradigan lo ejecutoriado.

B) El objeto del recurso: motivos

24.–El recurso de suplicación no puede ser interpuesto en cualquier caso y por cualquier razón, sino que tiene un objeto muy concreto, previsto en el artículo 193 LRJS:

24.1.–De entrada, el objeto del recurso puede encaminarse a eliminar las eventuales **infracciones procedimentales** que hayan generado indefensión. La procedencia de este motivo exige de la concurrencia de una serie de requisitos:

a) En primer lugar, debe tratarse de una norma procesal, no material, alegada por el recurrente con claridad y precisión. Esta violación, obviamente, no puede ser invocada por aquél que la haya provocado.

b) En segundo lugar, la norma infringida debe ser esencial y haber originado indefensión en quien la alega, pues de lo contrario no procederá el recurso por esta vía.

c) En fin, en tercer lugar, la parte que interponga recurso por esta vía debe haber formulado protesta en tiempo y forma pidiendo la subsanación de la falta.

24.2.–Asimismo, el recurso puede tener por objeto **la revisión de los hechos declarados probados**, a la vista de pruebas documentales y periciales practicadas. Al respecto debe señalarse que la regla general conforme a la cual la relación de hechos declarados probados corresponde al órgano de instancia conoce aquí de una excepción. Así, a través de esta vía, se va a poder introducir una alteración de los mismos, bien que de forma limitada.

Por lo que respecta a las notas más relevantes sobre este motivo, debe señalarse lo siguiente:

a) En primer lugar, el error puede ser positivo (declarar como probados hechos que no aparecen recogidos por la resolución recurrida) o negativo (no admitir como probados hechos fijados en la instancia).

b) En segundo lugar, deben ser invocados por el recurrente con expresión del sentido en que pretende su modificación. Por otra parte, únicamente procederá si, además, se trata de un error evidente y que tenga trascendencia en el fallo.

c) Finalmente, el error ha de ponerse de manifiesto por la prueba documental o pericial practicada en la instancia. Ello supone, de entrada, excluir el resto de pruebas practicadas, que no tienen virtualidad revisora. Por otra parte, el documento o pericia debe obrar en autos y debe ser identificado de manera precisa, sin que quepa una invocación genérica a la prueba practicada o a la documental o pericial. En fin, el documento o pericia invocado debe evidenciar de forma clara el error del juzgador, de manera que, singularmente, no se desdiga con otras pruebas practicadas.

24.3– Finalmente, el recurso puede estar encaminado a examinar las **infracciones sustantivas o de la jurisprudencia** en las que haya podido incurrir el juzgador de instancia.

a) Las normas sustantivas deben ser entendidas como todas aquéllas que resultan aplicables al fondo del asunto, debiendo el recurrente citar las concretas normas que considera infringidas o, en su caso, de la jurisprudencia, así como razonar la pertinencia del recurso e indicar el modo en que deberían haberse interpretado o aplicado (art. 196.2 LRJS).

b) Por otra parte, en relación con la jurisprudencia, ésta se entiende en sentido estricto, esto es, referida a las sentencias emanadas del Tribunal Supremo en un sentido reiterado, siendo nuevamente deber del recurrente identificar las sentencias en cuestión.

C) Tramitación

25.–Por lo que respecta a la tramitación, con carácter general, merece la pena destacar la existencia de dos fases bien diferenciadas.

25.1.–La primera se desarrolla ante el órgano *a quo* (Juzgado de lo Social) y consiste en el anuncio del recurso; dicho órgano, en su caso, elevará los autos a la sala.

25.2.–La segunda se desarrolla ante el tribunal *ad quem* (TSJ), que es el encargado de resolver.

26.–En la fase desarrollada ante el Juzgado de lo social, destacan los siguientes trámites:

26.1.–El anuncio es una manifestación de voluntad de recurrir la resolución de que se trate, emitida por la parte interesada que debe hacerse, en los modos prevenidos en el art. 194 LRJS, en los cinco días siguientes a su notificación; en su caso, el anuncio debe ir acompañado de los depósitos, consignaciones u otras medidas de aseguramiento de la condena a las que se hará referencia después.

26.2.–Se desarrolla un análisis preliminar del cumplimiento de todos los requisitos exigibles de acuerdo con los arts. 195 y 230 LRJS.

– Si se observa incumplimiento que admite subsanación, se concede por el letrado de la administración de justicia término para llevarla a cabo (art. 230.5 LRJS).

– Si observa incumplimiento insubsanable o se incumple el requerimiento de subsanación, se inadmite por el JS el recurso en auto –que podrá ser recurrido en queja– (arts. 195.2 y 230.6 LRJS).

26.3.–Una vez admitido el recurso, se entregan los autos a la parte para interponerlo, dentro del plazo de diez días (art. 195.1 LRJS), pudiendo retirar los autos a estos efectos. El escrito debe formalizarse en los términos del art. 196 LRJS.

a) La parte recurrida tiene la posibilidad de formalizar impugnación del recurso (art. 197 LRJS), siendo posible tanto discutir las alegaciones de la parte recurrente, como cuestionar la admisibilidad del recurso o, incluso, formular rectificaciones de hecho o cuestiones subsidiarias de fondo como si del recurso se tratara.

b) De la impugnación se dará traslado a las demás partes que podrán formular alegaciones en los dos días siguientes.

c) Ambas partes, recurrente y recurrido deben fijar un domicilio en la sede de la Sala a efectos de notificaciones (art. 198 LRJS).

27.–Una vez concluida esta fase, los autos son elevados al TSJ. Este dispone de la posibilidad de analizar la admisibilidad o no del recurso, así como en su caso requerir la subsanación (arts. 199 y 200 LRJS). En caso de no formularse cuestión, procede a dictar la sentencia que podrá ser estimatoria o desestimatoria, con los efectos recogidos en los arts. 201 y ss. LRJS, los cuales presentan algunas diferencias en función de cuál haya sido el objeto del recurso.

2.2.3. El recurso de casación

28.–El recurso de casación es un medio de impugnación de carácter extraordinario y devolutivo, que se puede interponer ante la sala de lo social del

TS contra ciertas resoluciones dictadas por los TTSSJJ o por la AN, siempre que concurran unos motivos predeterminados por la ley (art. 205.1 LRJS).

A) Resoluciones recurribles

29.–La concreción de las resoluciones recurribles aparece en el art. 206 LRJS, que menciona sentencias y ciertos autos.

29.1.–En primer lugar, por lo que respecta a las **sentencias,** el art. 206.1 LRJS se refiere a aquellas dictadas en única instancia por las Salas de los TTSSJJ o de la AN. La única salvedad viene constituida por las sentencias relacionadas con la impugnación de actos de las Administraciones Públicas susceptibles de valoración económica que sólo acceden al recurso en caso de que la cuantía litigiosa exceda de 150.000 euros.

29.2.–En segundo lugar, en cuanto a los **autos,** el art. 206 LRJS admite el recurso en tres supuestos:

– Autos que resuelvan el recurso de reposición interpuesto contra la resolución en que la Sala, acto seguido a la presentación de la demanda, se declare incompetente por razón de la materia.

– Autos que resuelvan el recurso de reposición o de revisión frente a decisiones que supongan la terminación anticipada del proceso en los casos prevenidos en el art. 206.3 LRJS.

– Autos que decidan el recurso de reposición o de revisión frente a resoluciones dictadas en ejecución por dichas salas, cuando resuelven puntos no controvertidos en el pleito, no decididos en la sentencia o que contradigan lo ejecutoriado.

B) Los motivos del recurso

30.–El recurso de casación, además, no puede interponerse en cualquier caso y por cualquier razón contra estas resoluciones, sino únicamente alegando alguno de los motivos expresamente recogidos por la ley, en concreto, los señalados por el art. 207 LRJS.

30.1.–En primer lugar, el art. 207 LRJS se refiere a un conjunto de motivos que podríamos englobar bajo la denominación "**infracciones procedimentales**". Se trata de las previsiones contenidas en las letras a) b) y c) del precepto en cuestión: la letra a) hace referencia al "abuso, exceso o defecto en el ejercicio de la jurisdicción"; la letra b) menciona, como segundo motivo, la "incompetencia o inadecuación de procedimiento"; la letra c) se refiere al quebrantamiento de las formas esenciales de las normas que regulan la sentencia o de las normas reguladoras de los actos y garantías procesales, siempre que hayan provocado indefensión en la parte que los alega.

30.2.–En segundo lugar, el art. 207 LRJS se refiere al "**error en la apreciación de la prueba** basado en documentos que obren en autos que demuestren la equivocación del juzgador, sin resultar contradichos por otros elementos probatorios".

30.3.–Finalmente, el artículo 207 LRJS menciona "la **infracción de las normas del ordenamiento jurídico o de la jurisprudencia** que fueren aplicables para resolver las cuestiones objeto de debate".

C) Tramitación

31.–La tramitación del recurso de casación ordinaria se regula en los arts. 208 y ss. LRJS y también se desarrolla en dos fases: la primera de preparación del recurso ante el TSJ o la AN (arts. 208 a 212 LRJS); la segunda, de sustanciación y resolución, ante el propio TS (arts. 213 a 217 LRJS). Aunque guardan cierta relación y paralelismo con la que hemos visto para la suplicación, las normas aplicables no son estrictamente idénticas.

2.2.4. *El recurso de casación para la unificación de la doctrina*

32.–El Recurso de Casación para la Unificación de la Doctrina (arts. 218 y ss. LRJS) es un medio de impugnación extraordinario y de carácter devolutivo que se interpone ante el TS contra ciertas resoluciones dictadas por los TSJ al resolver el recurso de suplicación.

A) Finalidad y modalidades

33.–La **finalidad** de este particular recurso se relaciona con un hecho: la actual planta de los órganos jurisdiccionales laborales determina que el conocimiento de la generalidad de los asuntos corresponda en instancia a los juzgados de lo social, al tiempo que la mayoría de resoluciones dictadas por estos últimos sean recurribles en suplicación ante los Tribunales Superiores de Justicia. Pues bien, para **impedir la dispersión jurisprudencial** entre las 21 salas de lo social, se instituye el RCUD, cuya única finalidad es conocer de la impugnación de las sentencias de los TTSSJJ que resuelven un recurso de suplicación y resultan contradictorias con otras resoluciones judiciales determinadas.

33.1.–Con ello se da cumplimiento a distintos principios y criterios constitucionales: el principio de unidad jurisdiccional consagrado por el art. 117.5. CE; el papel asignado por la CE al TS (art. 123 CE); la efectividad del principio constitucional de seguridad jurídica (art. 9.3 CE); la plenitud del principio de igualdad (art. 14 CE).

33.2.–El coste del cumplimiento de esta finalidad es añadir un nuevo grado a la jurisdicción social, con el consiguiente riesgo de que los asuntos se prolonguen indebidamente. Por ello, el recurso de unificación está sujeto a rígidos requisitos de admisión que, además, han sido interpretados de manera muy estricta por el TS.

34.–Por supuesto, esta rígida interpretación ha tenido como consecuencia que materias de elevado interés no puedan acceder o accedan de forma excepcional o tardía a conocimiento del TS, con el consiguiente detrimento de la finalidad institucional del RCUD. Por ello, desde la reforma del proceso laboral del año 2011, existen **dos modalidades** de este recurso:

34.1.–De entrada, el art. 219.3 LRJS prevé un recurso de casación para la unificación de doctrina «en defensa de la legalidad». Sólo el ministerio fiscal está legitimado para interponerlo. Ello no obstante su actuación puede ser instada por las entidades representativas aludidas en el precepto y las partes del litigio pueden personarse en su tramitación.

La principal diferencia entre esta modalidad de recurso y el ordinario está vinculada a los requisitos para su admisión: se suaviza el requisito de la contradicción que será examinado después e, incluso, se admite que el recurso se interponga en caso de que se constaten dificultades para que se produzca o para normas que hayan entrado en vigor en los cinco años anteriores.

34.2.–Por su parte, el RCUD «ordinario» queda abierto tanto a las partes como al Ministerio Fiscal (art. 220 LRJS), si bien queda sujeto a requisitos mucho más estrictos como se verá a continuación.

B) Resoluciones recurribles y requisitos de admisión del recurso

35.–Por lo que respecta a las resoluciones recurribles, el art. 218 LRJS se refiere a las sentencias dictadas en suplicación por las salas de lo social de los Tribunales Superiores de Justicia. Ahora bien, como matiza el art. 219.1 LRJS, además se precisan dos cosas:

35.1.–En primer lugar, que la sentencia que se pretende recurrir resulte **contradictoria** con otra, llamada sentencia de contraste, emanada de la misma sala, de una sala distinta –del propio TSJ o de otro TSJ– o, incluso de la sala del TS. En definitiva, de otro órgano colegiado del orden social a excepción de la AN. Excepcionalmente se admite aducir la contradicción con sentencias dictadas por el TC, el TJUE o el TEDH, en las materias de sus competencias respectivas (art. 219.2 LRJS).

35.2.–En segundo lugar, que entre las sentencias contradictorias exista una **perfecta identidad** de hechos, fundamentos y pretensiones. Aunque la identidad no alcanza a los elementos subjetivos, el resto de los extremos son valorados de forma muy estricta por el TS: no basta acreditar la existencia de doctrinas contradictorias en situaciones parecidas sino que es preciso mostrar soluciones distintas en supuestos iguales.

C) Motivos de impugnación

36.–El recurso de casación para la unificación de doctrina debe fundarse en la existencia de una "infracción legal" en la sentencia impugnada (art. 224.1.b) LRJS). Por tanto, a diferencia de la suplicación y la casación ordinaria, no tienen cabida en él las cuestiones de hecho. Las infracciones legales pueden ser sustantivas o procesales, si bien sólo pueden ser enjuiciadas en los límites de la contradicción.

D) Tramitación

37.–Por lo que respecta a la tramitación de este recurso, regulada en los arts. 220 y ss. LRJS, interesa destacar nuevamente que se trata de un recurso que se articula en dos fases: una primera, de preparación ante el TSJ; una segunda, de resolución ante el TS. Las reglas se asemejan a las vigentes en suplicación y casación, pero no son exactamente iguales y, sobre todo, debe tenerse en cuenta que el TS ha hecho, como se ha indicado, una interpretación estricta de la literalidad legal en muchos puntos.

2.2.5. Las disposiciones comunes a los recursos de suplicación y casación

38.–Los arts. 229 y ss. LRJS regulan una serie de disposiciones comunes a los recursos antes señalados, de las cuales deben destacarse las relativas a los depósitos y consignaciones, a la necesidad de defensa técnica, las reglas sobre acumulación de recursos, las relacionadas con la posibilidad de introducir documentos nuevos, así como las que prevén la finalización por acuerdo transaccional.

A) Los depósitos y consignaciones

39– En primer lugar, hay que hacer referencia a las disposiciones relativas a la necesidad de proceder a realizar o constituir **depósitos y consignaciones** para poder recurrir.

39.1.–Los depósitos son cantidades fijas que están obligados a abonar los sujetos que pretendan recurrir. La cuantía del mismo varía en función del recurso en cuestión: 300 euros en suplicación y 600 euros en casación; en todo caso, el modo de pago será en metálico, sin que se acepten fórmulas diversas. Hay una serie de sujetos sobre los que no pesa esta obligación: los entes públicos; los beneficiarios del beneficio de justicia gratuita (art. 229.4 LRJS).

39.2.–Las consignaciones se exigen en aquellos casos en los que se van a recurrir sentencias de condena a cantidad (art. 230 LRJS). La cuantía dependerá de la que tenga la condena; igualmente, también en este caso, hay una serie de sujetos sobre los que no pesa la obligación señalada.

B) La necesidad de asistencia técnica y las costas

40.–En segundo lugar, ya sabemos que la **defensa o representación técnica** mediante letrado o graduado social colegiado –salvo en casación, donde necesariamente será un abogado– es obligada en estos procesos. A su designación se refieren los arts. 231 y 232 LRJS. Por otro lado, a diferencia de lo que ocurre en la instancia, los recursos devengan **costas**, relacionadas con la intervención de estos. De hecho, el art. 235 LRJS obliga a imponerlas, en la cuantía que se especifica, al recurrente cuyo recurso sea íntegramente desestimado, siempre que no tenga reconocido el beneficio de justicia gratuita.

C) La acumulación de recursos

41.–En tercer lugar, hay que mencionar la **acumulación de recursos**, institución a la que se refiere el art. 234 LRJS. De conformidad con el precepto señalado, cualquiera de las Salas de lo Social (TTSSJJ y TS) puede acordar, de oficio o a instancia de parte, la acumulación de recursos pendientes, siempre que exista identidad de objeto y de alguna de las partes.

D) La aportación de documentos nuevos

42.–En cuarto lugar, el art. 233 LRJS impide la presentación de pruebas o documentos nuevos en fase de recurso, si bien reconoce algunas excepciones: sentencia o resolución judicial o administrativa firmes o documentos decisivos para la resolución del recurso que no hubieran podido aportarse anteriormente al proceso por causas no imputables y en general cuando pudieran dar lugar a un ulterior recurso de revisión.

E) La finalización por acuerdo transaccional

43.–En fin, debe tenerse en cuenta que el art. 235.4 LRJS admite la posibilidad de que las partes alcancen un acuerdo transaccional durante la sustanciación de los recursos. En este caso, previo análisis de la legitimidad del acuerdo en los términos del precepto, el órgano judicial que lo esté conociendo dictará auto en el que lo homologará. Este auto sustituye a la sentencia recurrida y constituye título ejecutivo.

2.2.6. El recurso de queja

44.–El recurso de queja es un medio de impugnación devolutivo y accesorio o instrumental a los anteriores puesto que está a su servicio.

44.1.–Su existencia presupone un recurso principal (suplicación, casación, casación para la unificación de doctrina) ante un tribunal de grado superior (órgano *ad quem*), cuya fase preliminar se desarrolla ante el órgano judicial *a quo* (inferior). Queda en manos de éste último en muchos casos la decisión de abrir o no el recurso ante aquél. Pues bien, el recurso de queja permite que el órgano *ad quem* revise las decisiones de inadmisión del recurso dictadas por el órgano *a quo* y, en su caso, las reconsidere.

44.2.–La LRJS (art. 189) se limita a remitir en su tramitación a la LEC (arts. 494 y 495) y conforme a ésta, se aplican las siguientes reglas.

A) Resoluciones recurribles

45.–La **resolución recurrible** ha de ser un auto en el que el órgano que haya dictado la resolución denegare la tramitación de un recurso devolutivo ante un tribunal superior (art. 494 LEC).

B) Tramitación

46.–La **competencia** para resolverlo es del "órgano al que corresponda resolver del recurso no tramitado" (art. 494 LEC). Por lo que respecta a la **tramitación**, que tiene carácter preferente (art. 494 LEC), hay que estar a lo dispuesto en el art. 495 LEC:

46.1.–De entada, se interpone directamente ante el órgano superior, acompañando copia de la resolución recurrida, dentro de los diez días siguientes a su notificación (art. 495.1 LEC).

46.2.–Por otra parte, el órgano *ad quem* decidirá lo que proceda en los cinco días siguientes (art. 495.2 LEC), sin que el auto que dicte pueda ser objeto de recurso ulterior (art. 495.3 LEC).

3. Los medios de impugnación en sentido amplio: recursos contra sentencias firmes

47.–El análisis de los medios de impugnación resultaría incompleto sin la referencia a ciertos recursos extraordinarios que pueden interponerse contra las sentencias firmes. A pesar de que las resoluciones firmes, en principio, se caracterizan porque contra ellas no procede la interposición de un recurso, lo cierto es que frente a las mismas, por razones de justicia, se admite en determinadas circunstancias la interposición de un recurso, bien que de forma ciertamente restringida, tanto en sus requisitos legales como en su interpretación judicial.

47.1.–En este sentido, la legislación procesal laboral alude los cuatro siguientes: el incidente de nulidad de actuaciones, la audiencia al demandado rebelde, el recurso de revisión y el proceso de error judicial.

47.2.–Ahora bien, en la medida en que la nulidad de actuaciones ya ha sido objeto de tratamiento en la lección tercera, ahora nos centraremos en los otros tres. Con todo, debe tenerse en cuenta que la nulidad de actuaciones resulta ser la vía más genérica en relación con las eventuales infracciones de la tutela judicial efectiva o de la prohibición de indefensión (cfr. arts. 185.7 y 236.2 *in fine* LRJS).

3.1. La audiencia al demandado rebelde

48.–La incomparecencia del demandado al juicio no impide que éste se pueda celebrar en su ausencia, en rebeldía, sin necesidad de declararlo expresamente en dicho estado (art. 185.1 LRJS). Pues bien, razones relacionadas con el principio de contradicción o audiencia avalan la necesidad de posibilitar que el demandado rebelde pueda ser oído cuando no tuvo conocimiento de la existencia del proceso o, aun teniéndolo, no pudo comparecer por fuerza mayor. La LRJS prevé esta posibilidad en el art. 185, donde se efectúa una remisión a las previsiones contenidas en la LEC, en concreto, a los arts. 501 y ss., bien que con algunas alteraciones del régimen general.

Las previsiones más destacables de esta normativa son las siguientes:

48.1.–En primer lugar, la audiencia al rebelde procede sólo en el caso de sentencias firmes, según se deduce claramente de la LEC –si fuera definitiva, podría interponer los recursos restantes–; en cuanto al plazo, hay que estar a lo establecido en el art. 185.3 LRJS (20 días desde la notificación de la sentencia o su conocimiento; en todo caso, cuatro meses desde su notificación en el boletín oficial correspondiente)

48.2.–En segundo lugar, se requiere que concurran unas circunstancias: fuerza mayor ininterrumpida; desconocimiento de la demanda y del pleito cuando la citación o emplazamiento se hubiera practicado por cédula y ésta no llegó al demandado; también cuando se efectuó por edictos estando ausente del lugar donde el mismo se publicó. Otras posibles causas de indefensión deben llevarse a la nulidad de actuaciones (art. 185. 7 LRJS).

3.2. La revisión de sentencias firmes

49.–La revisión es un medio de impugnación extraordinario que procede en aquellos casos en los que la actividad de las partes o del juzgador ha estado condicionada por una serie de circunstancias que pudieron hacer que se dictara una sentencia con contenido posiblemente distinto del que hubiera tenido de no concurrir aquellas influencias anómalas.

49.1.–La LRJS se refiere a esta posibilidad en su art. 236, que efectúa una remisión en punto a las causas y tramitación a la LEC, tras aclarar que se interpondrá siempre ante el TS. Igualmente aclara que el depósito para recurrir será el previsto en la LRJS para el recurso de casación.

49.2.–Esta remisión a la LEC determina que las causas que abren la posibilidad del juicio revisorio sean las previstas en el art. 510 LEC, unas causas ciertamente excepcionales y que además son objeto de interpretación restrictiva: recuperación u obtención de documentos decisivos de los que no se hubiese podido disponer por fuerza mayor o por obra de la parte en que cuyo favor se dictó la sentencia; constancia de que la sentencia se dictó en virtud de documentos respecto los cuales, en dicho momento, se ignoraba la existencia de un sentencia penal declarándolos nulos o también en el caso de que dicha declaración apareciese con posterioridad; constancia de que el testimonio ofrecido por peritos o testigos era falso, pues existe una sentencia penal en que así se reconoce –siempre que tales declaraciones hubieran sido determinantes en la convicción del juzgador–; existencia de cohecho, violencia o maquinación fraudulenta que han determinado que se gane injustamente el pleito.

49.3.–A partir de ahí, el plazo para la interposición del recurso es de tres meses desde del conocimiento de tales circunstancias; por otra parte, tras cinco años desde la publicación de la sentencia impugnada, tampoco procederá la revisión (art. 512 LEC).

3.3. El proceso por error judicial

50.–El proceso por error judicial, aludido en el art. 236.2 LRJS, no es propiamente un recurso puesto que no permite obtener la revocación o rescisión de la resolución firme. Tiene una finalidad meramente resarcitoria: reparar los daños producidos por una resolución judicial errónea, cuando no existe posibilidad de rectificar el error mediante los recursos. Su tramitación se ha de ajustar a las previsiones de los arts. 292 ss. LOPJ.

José María Goerlich Peset - Luis Enrique Nores Torres - Amparo Esteve Segarra

II. CUESTIONARIO

1. La existencia de medios de impugnación:

a) Al integrar el contenido esencial del derecho a la tutela judicial efectiva, resulta obligada en todos los órdenes jurisdiccionales.

b) No integra el contenido esencial del derecho a la tutela judicial efectiva, salvo en materia laboral; en consecuencia sólo en este orden resulta obligada su existencia.

c) No resulta obligado en materia social; ahora bien, una vez creados integran el contenido del derecho fundamental.

d) Son ciertas todas las respuestas anteriores.

2. Los medios de impugnación extraordinarios son aquéllos...

a) ... que no requieren para su admisión la concurrencia de unos motivos de impugnación determinados y permiten un reexamen completo de la resolución impugnada.

b) ... que no requieren para su admisión la concurrencia de unos motivos de impugnación determinados, si bien permiten un reexamen completo de la resolución impugnada.

c) ... que requieren para su admisión la concurrencia de unos motivos de impugnación determinados, si bien los poderes del juez se encuentran limitados, pues, en general, no pueden introducirse nuevos hechos ni practicarse nuevas pruebas.

d) ... ninguna de las respuestas anteriores es correcta

3. La reposición es un medio de impugnación

a) devolutivo y extraordinario.

b) devolutivo y ordinario.

c) no devolutivo y ordinario.

d) no devolutivo y extraordinario.

4. En relación con la reposición...

a) Es un remedio que permite impugnar resoluciones de órganos tanto unipersonales, como colegiados.

b) Se admite, salvo excepciones, frente a diligencias, decretos, providencias y autos.

c) Se resuelve por el mismo órgano que dictó la resolución recurrida.

d) Son ciertas todas las respuestas anteriores.

5. El recurso directo de revisión permite impugnar:

a) Las diligencias de ordenación del letrado de la administración de justicia.

b) Las providencias.

c) Algunos decretos del letrado de la administración de justicia.

d) Los autos.

6. El recurso de suplicación procede:

a) Contra todas las sentencias dictadas en instancia por los JJSS.

b) Solo contra sentencias dictadas en instancia por los JJSS, así como contra algunos autos dictados por ellos.

c) Contra sentencias y algunos autos dictados por los JJSS así como contra algunos autos dictados por los Jueces de lo Mercantil.

d) Contra providencias y autos dictados por cualquier órgano del orden social.

7. En cuanto a la tramitación del recurso de suplicación:

a) la parte interesada debe personarse, desde el primer momento, ante el TSJ.

b) la parte interesada debe anunciar el recurso ante el JS pero, a continuación, todas las actuaciones se desarrollan ante el TSJ.

c) la parte interesada anuncia el recurso, realiza todas sus actividades preparatorias y formaliza la impugnación ante el JS, correspondiendo luego su resolución al TSJ.

d) no es cierta ninguna de las respuestas anteriores.

8. La casación ordinaria ante el Tribunal Supremo procede frente a:

a) Las sentencias dictadas por los JS cuando el objeto procesal afecte a una pluralidad de trabajadores o beneficiarios de la Seguridad Social.

b) Las sentencias y algunos autos dictados en instancia por las Salas de lo Social de los TTSSJJ o la AN.

c) Las sentencias dictadas en suplicación por un TSJ cuando las mismas, al ser contradictorias con otras dictadas por otros TTSSJJ o por el TS, quebrantan la interpretación uniforme del derecho.

d) Las sentencias firmes ganadas injustamente por concurrir algunas de las causas prevenidas en la Ley de Enjuiciamiento Civil.

9. Las sentencias dictadas por un Tribunal Superior de Justicia, resolviendo un recurso de suplicación…

a) … nunca pueden ser recurridas.

b) … pueden ser recurridas, en algunos casos, ante el Tribunal Supremo mediante el recurso de casación en unificación de doctrina.

c) ... pueden ser recurridas, en algunos casos, ante el Tribunal Supremo mediante el recurso de casación ordinario.

d) ... pueden ser recurridas, en algunos casos, ante el Tribunal Supremo mediante el recurso de reposición.

10. Las sentencias firmes ganadas injustamente por concurrir algunas de las causas prevenidas en la LEC

a) ... se pueden recurrir en suplicación.

b) ... se pueden recurrir en casación.

c) ... se pueden recurrir en casación para la unificación de doctrina.

d) ... se pueden recurrir en revisión.

11. Para recurrir diligencias, decretos, providencias y autos, el medio de impugnación previsto por la LRJS con carácter general es:

a) Reposición.

b) Suplicación.

c) Casación.

d) Queja.

12. El Juzgado de lo social nº 2 de Elche ha dictado una sentencia por la que se declara un despido disciplinario improcedente y la empresa CASTILLEJO, SL pretende recurrirla cuando se le notifica.

a) La sentencia no es recurrible.

b) La sentencia es recurrible en suplicación y el órgano competente para resolverlo es la Sala Social del Tribunal Supremo.

c) La sentencia es recurrible en suplicación y el órgano competente para resolverlo es la Sala Social del Tribunal Superior de Justicia de la Comunidad Valenciana.

d) La sentencia es recurrible en suplicación y el órgano competente para resolverlo es el Juzgado Social de Elche.

13. Una sentencia definitiva dictada por el Juzgado de lo social nº 4 de Valencia en proceso de reclamación de cantidad condena a TECNILITICS, S.L. al pago de 1.300 euros que habían sido reclamados por Evaristo Ruiz, trabajador de dicha empresa. TECNILITICS, S.L. no está conforme y pretende recurrir la sentencia:

a) Esta sentencia es recurrible en suplicación.

b) Esta sentencia no es recurrible por razón de la cuantía.

c) Esta sentencia es recurrible en reposición.

d) Esta sentencia es recurrible en revisión.

14. El Tribunal Superior de Justicia de la Comunidad Valenciana ha dictado una sentencia resolviendo un conflicto colectivo en un asunto del que ha conocido en instancia. El sindicato que había planteado el conflicto colectivo ha visto desestimada su pretensión y estando disconforme pretende recurrir.

a) La sentencia es recurrible en casación para la unificación de la doctrina ante la sala de lo social del Tribunal Supremo.

b) La sentencia es recurrible en casación ordinaria ante la sala de lo social de la Audiencia Nacional.

c) La sentencia es recurrible en casación ordinaria ante la sala de lo social del Tribunal Supremo.

d) La sentencia no es recurrible pues las resoluciones que se dictan en materia de conflicto colectivo son siempre firmes.

15. Pedro Timón, responsable de ventas en ARTICLASSIC, S.A., planteó demanda en reclamación de cantidad suplicando el pago de 4.200 euros. La sentencia del Juzgado de lo social nº 2 de Castellón de la Plana ha condenado a la empresa al pago de 1.300 euros, absolviéndola de los 2.900 restantes al entender que respondían a deudas prescritas. Pedro pretende recurrir la sentencia de instancia.

a) Pedro no puede recurrir porque la sentencia sólo le ha reconocido 1.300 euros y no alcanza la cuantía litigiosa de 3.000 euros.

b) Pedro no puede recurrir porque los procesos de reclamación de cantidad nunca tienen posibilidad de recurso.

c) Pedro no puede recurrir porque la sentencia ha estimado parcialmente su pretensión y por consiguiente no le perjudica del todo.

d) Pedro puede recurrir porque la demanda planteaba una reclamación de una cuantía litigiosa superior a 3.000 euros.

16. La sala social del TSJ de Andalucía ha dictado sentencia resolviendo un recurso de suplicación, interpuesto contra una sentencia emanada del Juzgado de lo social de Sevilla en materia de impugnación de convenios. La solución del TSJ andaluz contradice una sentencia del TSJ de Cataluña. Así las cosas, se plantea cómo recurrirla.

a) Puede ser recurrida en casación ordinaria para que sea solventado el recurso por la sala de lo social del Tribunal Supremo.

b) Puede ser recurrida en casación para la unificación de doctrina para que sea solventado el recurso por el Tribunal Supremo.

c) Puede ser recurrida en casación ordinaria para que sea solventado el recurso por la sala de los social de la Audiencia Nacional.

d) Puede ser recurrida en casación para la unificación de doctrina para que sea solventado el recurso por la sala de lo social de la Audiencia Nacional.

17. El Juzgado de lo social nº 17 de Madrid ha dictado una sentencia por la que se revoca una sanción muy grave, impuesta sobre un determinado trabajador, consistente en suspensión de empleo y sueldo por seis meses. La empresa está disconforme con la sentencia y pretende recurrirla.

a) La sentencia no es recurrible en suplicación.

b) La sentencia es recurrible en suplicación.

c) La sentencia es recurrible en casación.

d) La sentencia es recurrible en reposición.

18. El Juzgado de lo social nº 17 de Madrid ha dictado una sentencia por la que se confirma una sanción muy grave, impuesta sobre un determinado trabajador, consistente en suspensión de empleo y sueldo por seis meses. El trabajador está disconforme con la sentencia y pretende recurrirla.

a) La sentencia no es recurrible en suplicación.

b) La sentencia es recurrible en casación.

c) La sentencia es recurrible en reposición.

d) La sentencia es recurrible en suplicación.

19. El Juzgado de lo social nº 2 de Burgos ha dictado una sentencia por la que se revoca una sanción grave impuesta sobre un determinado trabajador por su empresario. El empresario está disconforme con la sentencia y pretende recurrirla.

a) La sentencia no es recurrible en suplicación.

b) La sentencia es recurrible en suplicación.

c) La sentencia es recurrible en casación.

d) La sentencia es recurrible en reposición.

20. El Juzgado de lo social nº 2 de Burgos ha dictado una sentencia por la que se confirma una sanción grave impuesta sobre un determinado trabajador por su empresario. El trabajador está disconforme con la sentencia y pretende recurrirla.

a) La sentencia es recurrible en suplicación.

b) La sentencia es recurrible en casación.

c) La sentencia no es recurrible en suplicación.

d) La sentencia es recurrible en reposición.

21. Dª Rafaela Ortiz instó el reconocimiento de pensión de viudedad que le fue denegado por el INSS. Tras interponer la oportuna demanda, la sentencia del Juzgado de lo social nº 2 de Pontevedra revocó tal resolución y el INSS se plantea ahora qué recurso debe interponer y quién lo resolverá.

a) Recurso de suplicación y lo resolvería la sala de lo social del Tribunal Superior de Justicia de Galicia.

b) Recurso de casación y lo resolvería la sala de lo social de la Audiencia Nacional.

c) Recurso de suplicación y lo resolvería el propio Juzgado de lo Social nº 2 de Pontevedra.

d) Reposición y lo resolvería la sala de lo social del Tribunal Superior de Justicia de Galicia.

22. Manuel Sabonis demandó a su empresa al entender que su clasificación profesional no era correcta, acumulando a su demanda la pretensión de unas diferencias salariales por valor de 3.500 euros entre la categoría que formalmente tiene reconocida y la que él estimaba tener derecho. El Juzgado de lo social nº 1 de Reus desestimó sus reclamaciones. Manuel no está conforme y pretende recurrir esta decisión judicial.

a) Manuel puede interponer un recurso de casación ordinario.

b) Manuel no puede recurrir esta sentencia pues se trata de una resolución irrecurrible a pesar de la acumulación.

c) Manuel puede interponer un recurso de casación para la unificación de doctrina.

d) Manuel puede interponer recurso de suplicación al haber acumulado a la acción de clasificación profesional una reclamación por diferencias salariales de importe superior a 3.000 euros.

23. María Granados ha reclamado el derecho a disfrutar sus vacaciones durante el mes de agosto. La sentencia dictada por el Juzgado de lo social nº 1 de Castellón ha estimado su pretensión y ahora la empresa pretende recurrir esta resolución.

a) La empresa no puede recurrir esta resolución pues la LRJS considera que las sentencias dictadas en materia de disfrute de vacaciones no son recurribles.

b) La empresa puede recurrir en reposición ante el mismo Juzgado de lo social de Castellón.

c) La empresa puede recurrir en queja ante la Sala de lo Social del Tribunal Superior de Justicia de la Comunidad Valenciana.

d) La empresa puede recurrir en suplicación ante la Sala de lo Social del Tribunal Superior de Justicia de la Comunidad Valenciana.

24. Dª. María Pineda ha impugnado el despido del que ha sido objeto su cliente. La sentencia del Juzgado de lo Social nº 1 de Valencia ha declarado el despido procedente. María está disconforme y pretende que su abogado recurra la sentencia en suplicación, planteándose ante que órgano debe prepararse (anuncio e interposición) el recurso y quién lo resolverá:

a) El recurso se preparará ante el Juzgado de lo Social número 1 de Valencia que, además será el encargado de su sustanciación y resolución.

b) El recurso se preparará ante el Juzgado de lo Social número 1 de Valencia, si bien su sustanciación y resolución del recurso corresponderá al Tribunal Superior de Justicia de la Comunidad Valenciana

c) El recurso se preparará ante el Tribunal Superior de Justicia de la Comunidad Valenciana que, además, se encargará de su sustanciación y resolución.

d) El recurso se preparará ante el Juzgado de lo Social número 1 de Valencia, si bien su sustanciación y resolución corresponderá a la Audiencia Provincial.

25. D. Juan, Dª Inés y D. Crispín presentaron demanda acumulada contra su empresa, TORREFOSA, S.L., en reclamación de cantidad, por valor de 1.600 € el primero, 1.700 € la segunda y 1.450 € el tercero. La sentencia del Juzgado de lo social de nº 1 de Gijón ha absuelto a la empresa a la empresa demandada y los trabajadores se plantean el interponer recurso de suplicación.

a) La sentencia es recurrible pues si sumamos las cantidades reclamadas por cada uno de los tres trabajadores, se supera la cuantía litigiosa de 3.000 euros.

b) La sentencia es recurrible sólo por Dª. Inés.

c) La sentencia no es recurrible porque al ser varios los demandantes, la cuantía litigiosa a efectos de la procedencia del recurso, viene determinada por la reclamación cuantitativamente mayor y ésta no alcanza los 3.000 euros.

d) La sentencia es recurrible sólo si reclaman los tres trabajadores conjuntamente.

26. D. Enrique Valle. interpuso demanda de reclamación de cantidad contra la empresa Cristalería Raimon, S.L. La sentencia dictada por el Juzgado de lo Social º 1 de Alicante estimó la pretensión del trabajador y condenó a la empresa a pagar 5.000 euros. La empresa condenada, disconforme con esta decisión, anunció a través de su letrado la decisión de recurrir en suplicación. El Juzgado

de lo Social nº 1 de Alicante dictó auto teniendo por no anunciado el recurso de suplicación y la empresa se plantea ahora que recurso puede interponer frente a dicho auto.

a) Recurso de queja que resolverá el Juzgado de lo Social nº 1 de Alicante.

b) Recurso de queja que resolverá la sala de lo social del Tribunal Superior de Justicia de la Comunidad Valenciana.

c) Recurso de suplicación que resolverá la sala de lo social del Tribunal Superior de Justicia de la Comunidad Valenciana.

d) Recurso de reposición que resolverá el Juzgado de lo Social nº 1 de Alicante.

27. Pedro Jiménez interpuso demanda por despido contra su empresa, ECONTECNICS, S.L. El juzgado de lo social nº 3 de Sevilla ha declarado la procedencia del despido y fijado en los hechos probados que el salario mensual de Pedro ascendía a 1.320 € mensuales. Pedro pretende interponer recurso de suplicación por dos motivos, uno de ellos, la revisión de los hechos probados a efectos de que se fije su salario en 1.545 € al mes. Indique cuál de las siguientes pruebas podría servir para fundamentar dicho motivo.

a) Unos comprobantes bancarios en los que constan transferencias mensuales por dicho valor.

b) La grabación del acta del juicio donde puede visionarse todo el desarrollo del juicio.

c) La declaración oral del propio actor en el interrogatorio de parte.

d) La declaración de un par de testigos que declararon en juicio en tal sentido.

28. La empresa TURMELINK, S.L. despidió a Pedro Jiménez por considerar que estaba fingiendo una enfermedad para permanecer de baja. El Juzgado de lo Social nº 4 de Oviedo ha declarado el despido improcedente y la empresa, disconforme con esta calificación, pretende recurrir en suplicación; entre otros motivos, plantea la modificación de los hechos declarados probados. Indique cuál de las siguientes pruebas podría resultarle hábil para fundar dicha petición.

a) La declaración de un detective privado que testificó en juicio tras el seguimiento del trabajador.

b) La grabación del acta del juicio donde puede visionarse la totalidad del desarrollo del juicio.

c) La declaración de un testigo aportado por el actor al proceso que afirmó que D. Pedro le había llamado por teléfono y comentado que en realidad se encontraba perfectamente.

d) El informe de un perito médico que dictaminó que la patología del trabajador era incompatible con la realización de determinadas actividades.

29. D. Gabriel Buendía interpuso demanda en reclamación de reconocimiento de una prestación de seguridad social. El Juzgado de lo social nº 4 de Madrid ha dictado sentencia denegando el derecho a la prestación. La representación de D. Gabriel pretende recurrir en suplicación la sentencia porque no se le permitió practicar determinadas pruebas el día del juicio, si bien duda sobre cuál sería el motivo que permitiría fundar el recurso.

a) El motivo debe ser el de revisión de los hechos probados.

b) El motivo debe ser el de infracción de las normas sustantivas o de la jurisprudencia

c) El motivo debería ser el de infracción de normas o garantías del procedimiento que le hayan generado indefensión, pero para ello resulta preciso que haya protestado en el momento de la denegación.

d) El motivo debe ser el de la infracción de las normas o garantías del procedimiento que le hayan generado indefensión, pudiendo plantear ahora tal cuestión, aunque no protestase en su momento.

30. Un sindicato interpuso demanda por conflicto colectivo persiguiendo el reconocimiento de un plus de toxicidad para los trabajadores del sector granjas porcinas de Extremadura. La competencia correspondió en la instancia a la sala social del TSJ de Extremadura que ha dictado sentencia desestimatoria. El sindicato pretende recurrir la sentencia en casación por dos motivos, uno de ellos, instando la revisión de los hechos probados a efectos de que se modifiquen los índices de exposición a un determinado componente químico. Indique cuál de las siguientes pruebas podría servir para fundamentar dicho motivo.

a) Unos certificados del Servicio Extremeño de Toxicología

b) La grabación del acta del juicio donde puede visionarse todo el desarrollo del juicio.

c) Una prueba pericial aportada por la parte demandada.

d) La declaración de un par de testigos que declararon en juicio en tal sentido.

III. SOLUCIONES AL CUESTIONARIO

1: C	2: C	3: C	4: D	5: C
6: C	7: C	8: B	9: B	10: D
11: A	12: C	13: B	14: C	15:D
16: B	17: A	18: D	19: A	20: C
21:A	22: D	23: A	24: B	25: C
26: B	27: A	28: D	29: C	30: A

IV. ACTIVIDADES PROPUESTAS

1. La tutela judicial y y los medios de impugnación

Como se ha indicado en los materiales, el derecho al recurso legalmente establecido forma parte del derecho a la tutela judicial efectiva del art. 24.1 CE. A efectos de comprender el alcance de esta faceta del derecho, sería interesante que localizara, leyera y trabajara tres sentencias del Tribunal Constitucional sobre derecho al recurso legalmente establecido, en concreto en el proceso laboral.

2. Caso práctico

2.1. Supuesto primero

Determine si es posible recurrir o no y, en su caso, cuál es el recurso procedente contra las siguientes resoluciones y cuál es el órgano judicial que debe resolverlo. Indique asimismo cuál es el precepto en el que apoya su respuesta.

1. Juan E. impugnó la asignación de vacaciones que se le hizo en la empresa. Acaba de recaer sentencia del JS desestimando su pretensión. Juan E. no está conforme y piensa recurrir.

2. María R. había obtenido sentencia de un JS, que adquirió firmeza, condenado a su empresa a reconocer su derecho a usar las pistas deportivas de la empresa. Comoquiera que la empresa no cumplió espontáneamente la sentencia, el juzgado, en el trámite del art. 241 LRJS, dictó auto imponiéndole apremio pecuniario. La empresa no está conforme con esta decisión y quiere recurrirla.

3. Una empresa plantea demanda ante el JS para impugnar una resolución de la autoridad laboral por la que se le imponía una sanción muy grave derivada de la contratación de trabajadores extranjeros

sin contar con el preceptivo permiso de trabajo. El JS, vista la temática, dicta auto declarándose incompetente por razón de la materia. La empresa pretende recurrir esta decisión.

4. Luis P. demandó a su empresa un complemento salarial previsto en el convenio colectivo cuyo valor anual es de 1.200 euros. Ha obtenido sentencia favorable del JS, pero la empresa piensa recurrir en atención a que existen otros pleitos, de la misma y otras empresas, que no siempre se han ajustado a la misma solución.

5. Juana R. obtuvo del JS sentencia por despido en el que se condenaba a la empresa a elegir entre la readmisión o el pago de una indemnización de 1.200 euros. La empresa pretende recurrirla.

6. El sindicato A instó procedimiento de conflicto colectivo sobre la interpretación del convenio colectivo provincial de Teruel. Recaída sentencia, una organización empresarial se plantea recurrirla.

7. Una empresa había sido condenada por sentencia del JS al pago de 2.486 euros. Al realizar el anuncio, aporta como consignación justificante de la existencia de un aval bancario solidario por cuantía de 2.468 euros. El juez, advirtiendo que la consignación de la condena es incompleta, dicta auto teniendo el recurso por inadmitido.

8. Tras una actuación inspectora, una empresa fue sancionada con una multa de 20.000 euros, por infracción muy grave. La sentencia del JS ha entendido que la infracción debía ser calificada como grave, procediendo la imposición de una multa de hasta 6.250 euros. La empresa considera que no procede ni una ni otra.

9. El sindicato B impugnó el convenio colectivo nacional de artes gráficas, siendo desestimada su demanda por sentencia de la AN. Se plantea recurrirla.

10. Habiendo sido condenada por el JS en procedimiento de reclamación de cantidad, la empresa planteó un recurso de suplicación ante el TSJ. La sentencia dictada por éste es desestimatoria. La empresa, que tiene centros de trabajo en otras Comunidades Autónomas, sabe que en otros TTSSJJ ha ganado pleitos similares.

2.2. Supuesto segundo

Hechos:

Único: Un trabajador planteó demanda contra su empresa en reclamación de tres meses de salario que no le habían sido abonados. La sentencia le fue favorable. El fallo, en efecto, estimaba la demanda, y declaraba el derecho del actor a percibir la cantidad de 3.927,50 euros.

Cuestiones:

1ª. Suponga que la empresa recurre esta decisión y que el trabajador tiene necesidad acuciante del dinero al no tener otras fuentes de ingresos. ¿Cree Vd. que existe alguna solución?

2ª. Suponga que la empresa no recurre y que pasan dos meses sin que haya dado cumplimiento a la sentencia.

– ¿A quién habría de dirigirse el trabajador para obtener satisfacción de su pretensión?

– Redacte un escrito dirigido al indicado órgano con la finalidad de que se de cumplimiento a la sentencia.

– ¿Qué pasará en caso de qué el empresario sea titular de bienes suficientes para pagar la deuda? ¿Y en caso contrario?

3ª. Imagine que el asunto que nos ocupa no llegó a juicio sino que trabajador y empresario alcanzaron un acuerdo en la conciliación administrativa previa, reconociendo éste adeudar a aquel la cantidad de € 3.927,50. ¿Cómo incidiría esta circunstancia en la respuesta a las cuestiones anteriores?

2.3. Supuesto tercero

Hechos:

Primero. Dª. Antonia Martínez, natural de Torrelodones y residente en Valencia, se presentó en enero de 2017 a unas pruebas convocadas por el Ayuntamiento de Museros para cubrir unas plazas de personal laboral al servicio del mencionado consistorio.

Segundo. Una vez realizadas las pruebas, Dª. Antonia pasó una integrar una bolsa de trabajo con el puesto número tres.

Tercero. El 17 de febrero de este año, el Ayuntamiento en cuestión llamó a un total de siete trabajadores para cubrir temporalmente unas vacantes, sin que entre las personas llamadas se encontrase Dª. Antonia.

Cuarto. Dª. Antonia dedujo demanda ante los juzgados de lo social de Valencia en tiempo y forma, recayendo el asunto en el juzgado de lo social número siete de los de Valencia que mediante auto de 5 de noviembre de este año se declaró incompetente.

Quinto. La resolución fue recurrida en reposición por Dª. Antonia y el juzgado confirmó su resolución inicial el pasado lunes.

Cuestiones:

1ª. Determine qué tipo de resolución habrá dictado el juzgado de lo social para resolver el recurso de reposición, así como si dicha resolución resulta recurrible.

2ª. En caso afirmativo, identifique el tipo de recurso y proceda a redactar los escritos correspondientes; a tal efecto, para la fundamentación, le resultará de interés repasar la lección primera sobre las competencias del orden social.

2.4. Supuesto cuarto

Hechos:

Primero. El 7 de enero de 2014, D. Miguel Jiménez Ordesa, natural de Madrid y residente en Elche, instó ante la Delegación territorial de Alicante de la Consellería de Bienestar el reconocimiento de una discapacidad, siendo esta valorada en la Resolución de 5 de febrero con un porcentaje del 30 %.

Segundo. El 12 de marzo de 2014 interpuso RAP, pues entendía que, en atención a sus dolencias, el grado que le correspondía era del 67 %. La RAP fue desestimada el 4 de abril de 2014. Así las cosas, interpuso demanda judicial ante los juzgados de lo social de Elche el 18 de abril de 2014. Tras la celebración del correspondiente juicio el 20 de mayo de 2016, la sentencia dictada por el juzgado de lo social de Elche el 21 de mayo de 2016 reconoció al solicitante el grado de discapacidad pretendido (el 67 %), con efectos desde el 7 de enero de 2014.

Tercero. El 28 de mayo de 2016 solicitó prestación no contributiva de invalidez que le fue reconocida por la Consellería el 2 de julio de 2016 con efectos 1 de junio de 2016. D Miguel interpuso RAP contra esta decisión el 7 de julio de 2016, que fue desestimada por Resolución de 24 de julio de 2016, ya que entendía que los efectos deberían retrotraerse al 7 de enero de 2014.

Cuarto. Así las cosas, el 26 de julio de 2016, dedujo demanda ante los juzgados de lo social de Elche, siendo su pretensión desestimada en la sentencia de 26 de noviembre de 2018, confirmándose, en consecuencia, la resolución administrativa.

Cuestiones:

Única: Proceda a leer el escrito de formalización que aparece a continuación e intente identificar los defectos en los que el mismo incurre; una vez identificados, proceda a redactar el escrito de impugnación del recurso.

Autos nº 324/2016

Sentencia nº 89/2018

Recurso nº 56/17

Juzgado de lo Social nº 1 de Elche

FORMALIZACIÓN RECURSO DE SUPLICACIÓN

AL JUZGADO DE LO SOCIAL Nº 1 DE ELCHE PARA ANTE LA SALA DE LO SOCIAL DEL TRIBUNAL SUPERIOR DE JUSTICIA DE MURCIA.

Dª Pilar Torres Monzón, Letrado en ejercicio del Ilustre Colegio de Elche, con domicilio a efectos de citaciones y notificaciones en **Avda. Manuel Martínez Valero 3, 03208,** Elche, en nombre y representación de **D. MIGUEL JIMÉNEZ ORDESA,** según consta acreditado en los autos seguidos en materia de RECLAMACION DE PRESTACIÓN NO CONTRIBUTIVA DE INVALIDEZ, ante el Juzgado de lo Social nº 1 de Elche para ante la Sala de lo Social del Tribunal Superior de Justicia de Murcia, comparezco y como mejor proceda en derecho **DIGO:**

Que en fecha 3 de diciembre de 2018 me ha sido notificada Diligencia de Ordenación mediante la cual se tiene por anunciado el recurso de suplicación instado por esta parte contra la Sentencia 89/2018 dictada por el Juzgado de lo Social número 1 de Elche, en fecha 26 de noviembre de 2018, concediéndome el plazo legal para su formalización, por lo que mediante el presente escrito vengo a **FORMALIZAR EL RECURSO DE SUPLICACIÓN,** basándome para ello en los siguientes:

MOTIVOS:

PRIMER MOTIVO.–Al amparo de lo dispuesto en el apartado b del artículo 193 de la Ley Reguladora de la Jurisdicción Social tiene por objeto la revisión de los hechos declarados probados en la sentencia a la vista de las pruebas documentales y periciales practicadas.

A su tenor, esta parte interesa la modificación del hecho probado número cuarto, donde se indica que solicitó la prestación de invalidez no contributiva el 28 de junio, pues claramente no fue en esa fecha.

Asimismo, pretende la adición de un nuevo hecho probado, con el ordinal cinco a efectos de que se recoja que el solicitante se encuentra en una situación de indigencia extrema, según refirieron dos testigos en el juicio.

SEGUNDO MOTIVO.–Al amparo de lo dispuesto en el apartado c del artículo 193 de la Ley Reguladora de la Jurisdicción Social tiene por objeto examinar las infracciones de las normas sustantivas y de la jurisprudencia.

Al amparo de este motivo de recurso se alega la infracción, por errónea aplicación del art 365 LGSS y de la LOPJ. Los efectos de la prestación solicitada deben retrotraerse al 7 de enero de 2014.

TERCER MOTIVO.–Nuevamente, al amparo de lo dispuesto en el apartado c del artículo 193 de la Ley Reguladora de la Jurisdicción Social, se denuncia una infracción por parte de la sentencia de instancia de la jurisprudencia aplicable al caso.

En efecto, en este sentido es criterio asentado de la sala a la que me dirijo el de que en los casos de prestaciones de invalidez no contributivas, los efectos deben retrotraerse a la fecha del reconocimiento del grado de discapacidad.

En su virtud,

SUPLICO A LA SALA DE LO SOCIAL DEL TRIBUNAL SUPERIOR DE JUSTICIA DE MURCIA que teniendo por presentado este escrito, con sus copias y por devueltos los autos, se sirva admitirlo a trámite, tenga por interpuesto en tiempo y forma **RECURSO DE SUPLICACIÓN** contra la Sentencia nº 89/2018, de 26 de noviembre de 2018, dictada por el Juzgado de lo Social nº 3 de Elche, en los autos 324/16 y, previos los trámites oportunos, dicte en su momento Sentencia por la que, con estimación del recurso, se revoque la sentencia de instancia, con estimación íntegra de la demanda, con todo cuento más proceda en Derecho.

PRIMER OTROSÍ DIGO: Que en cumplimiento de lo dispuesto en el artículo 198 de la Ley Reguladora de la Jurisdicción Social, esta parte designa como domicilio a efectos de notificaciones el del letrado que encabeza el presente escrito:

Dª Pilar Torres Monzón

Avda. Manuel Martínez Valero 3

03208, *Elche*

SEGUNDO OTROSÍ DIGO: Que se devuelven los autos.

En su virtud,

SUPLICO A LA SALA, tenga por efectuada la anterior designación y manifestación a los efectos legales oportunos.

En Elche a 7 de diciembre de dos mil dieciocho.

V. GLOSARIO

– *A quo:* Órgano judicial inferior en grado, cuya resolución es objeto de recurso.

– *Ad quem:* Órgano judicial superior en grado, llamado a resolver el recurso frente a la resolución dictada por un órgano inferior.

– *Audiencia al demandado rebelde:* Instrumento rescisorio de una sentencia firme a disposición del demandado que no pudo comparecer en la instancia por las razones legalmente previstas.

– *Casación ordinaria*: Recurso que permite impugnar ciertas resoluciones dictadas por las salas de lo social de los TTSSJJ o de la Audiencia Nacional y que se encarga de resolver la sala de lo social del Tribunal Supremo.

– *Casación para la unificación de la doctrina*: Recurso que permite impugnar ciertas resoluciones dictadas en suplicación por los TTSSJJ, cuando concurren ciertas circunstancias, y que resuelve el Tribunal Supremo.

– *Consignación del importe de la condena:* Cantidad variable, equivalente al importe por el que haya sido condenado, que los sujetos que no ostente derecho a justicia gratuita deben poner a disposición del órgano judicial, en metálico o por medio equivalente, a efectos de asegurar que el recurso no tiene finalidad dilatoria.

– *Depósito:* Cantidad determinada, variable en función del recurso de que se trate, que debe ser puesta a disposición del órgano judicial con la finalidad de garantizar la seriedad de la impugnación.

– *Gravamen:* Situación en la que se encuentra una parte cuando es perjudicada, total o parcialmente, por una determinada resolución y que constituye un requisito para poder impugnarla.

– *Proceso de error judicial:* Proceso que, si bien no permite revisar el contenido de una resolución errónea, posibilita obtener reparación por los daños derivados de ella.

– *Queja:* Recurso devolutivo instrumental y accesorio a uno principal igualmente devolutivo, cuyo objetivo es verificar por el órgano *ad quem* si el órgano *a quo* ha actuado correctamente al rechazar el principal.

– *Recurrente:* Parte perjudicada por una resolución que interpone el recurso contra ella.

– *Recurrido:* Parte beneficiada por una resolución que, por tanto, defiende su corrección frente a la impugnación interpuesta por la otra.

– *Recurso devolutivo:* Aquel que se resuelve por un órgano distinto y superior en grado al que dictó la resolución que se impugna.

– *Recurso extraordinario:* Aquel que requiere para su admisión la concurrencia de unos motivos de impugnación determinados y en el que los poderes del juez se encuentran limitados por ellos y porque no pueden introducirse nuevos hechos ni practicar nuevas pruebas.

– *Recurso no devolutivo:* Aquel que se resuelve por el mismo órgano que dictó la resolución que se impugna.

– *Recurso ordinario:* Aquel que no requiere para su admisión la concurrencia de unos motivos de impugnación y permite un reexamen completo de la resolución impugnada.

– *Recurso:* En general, medio de impugnación. En contraposición a remedio, recurso devolutivo.

– *Remedio:* Recurso no devolutivo.

– *Reposición*: Remedio contra determinados resoluciones dictadas por órganos judiciales que resuelve el propio órgano que dictó la resolución.

– *Revisión*: Recurso que se puede plantear contra determinadas resoluciones del secretario judicial

– *Revisión de sentencias:* Instrumento rescisorio de una sentencia firme a disposición del perjudicado por determinados supuestos legalmente previstos cuya concurrencia permite suponer que aquella se ganó injustamente

– *Sentencia de contraste:* Sentencia que se utiliza para fundamentar la existencia de contradicción con la que se impugna a efectos de permitir la formulación de casación para la unificación de doctrina.

– *Suplicación*: Recurso que permite impugnar ciertas resoluciones dictadas por los juzgados de lo social y que se encarga de resolver el TSJ.

Lección Octava
LA EJECUCIÓN

CONTENIDO GENERAL

La tutela judicial efectiva no se logra solamente con la declaración judicial, sino que integra también el derecho a que se cumpla lo declarado. Pues bien, la última lección nos introduce en la temática de la ejecución. De entrada, se abordan cuestiones generales sobre los títulos ejecutivos, los principios que la ordenan, las partes y el órgano judicial competente. Por otra parte, se exponen los diferentes tipos de ejecución regulados en el Libro IV de la LRJS: la ejecución provisional, la ejecución definitiva ordinaria, distinguiendo entre la dineraria y la no dineraria, y, finalmente, las ejecuciones especiales.

OBJETIVOS PERSEGUIDOS

– Comprender los principios que ordenan la ejecución, su alcance y su trascendencia práctica.

– Ser capaz de distinguir los diferentes tipos de ejecución a efectos de asignarles el régimen jurídico correspondiente.

– Conocer y ser capaz de aplicar los sistemas para hacer efectivos los títulos ejecutivos.

I. DESARROLLO

1. Cuestiones generales

1.1. El marco normativo

1.–El artículo 117.3 CE encomienda a los jueces y tribunales la función de juzgar, pero también la de hacer ejecutar lo juzgado. Así pues, corresponde a los jueces decidir si sus decisiones se han cumplido correctamente y, si no es así, hacerlas cumplir. Y es que, una vez declarado un derecho, no siempre se produce una satisfacción del mismo, a pesar de que se haya reconocido su existencia por el deudor o por un tercero, sea órgano jurisdiccional o no; pues bien, cuando no se procede a un cumplimiento voluntario de las obligaciones, el ordenamiento jurídico habilita unos cauces procesales para lograr dicho cumplimiento. Tales cauces se conocen como procedimientos ejecutivos.

2.–La ejecución laboral se regula en los arts. 237 a 305 LRJS. Estos preceptos deberán ser completados con otras previsiones procedentes de distintos textos normativos.

2.1.–Por un lado, las recogidas en la LEC (art. 237.1 LRJS), lo que nos lleva a los arts. 517 y ss. del texto procesal civil.

2.2.–Por otro, para el caso de ejecuciones frente a entes públicos, resultan igualmente aplicables de forma supletoria las reglas de la LJCA contenidas en los arts. 103 a 113 LJCA.

1.2. Títulos ejecutivos

3.–Estas previsiones, tanto las del derecho común, como las laborales, toman como punto de partida para el inicio de la ejecución la existencia de un título ejecutivo.

3.1.–El título ejecutivo se podría **definir** como el documento que refleja la existencia de una obligación que un sujeto debe cumplir en favor de otro, pudiendo este último exigir su cumplimiento y determinando el deber del órgano jurisdiccional de adoptar una serie de medidas conducentes a la satisfacción del titular.

3.2.–Los títulos ejecutivos son muy variados; aunque se tiende a equiparar éstos con las sentencias, lo cierto es que ni todas las sentencias son títulos ejecutivos, ni sólo las sentencias son títulos ejecutivos. Ello aconseja llevar a cabo un intento sistematizador (Blasco, 2015).

1.2.1. Los títulos jurisdiccionales

4.–En primer lugar, hay títulos de carácter jurisdiccional. Pertenecen a esta categoría todos aquellos títulos en cuya formación ha intervenido un órgano jurisdiccional ejercitando la función de juzgar. Dentro de los mismos se encuentran:

4.1.–Por un lado, las sentencias. Ahora bien, no cualquier sentencia constituye un título ejecutivo, sino que, como regla general debe tratarse de una sentencia firme de condena; con todo, existen excepciones a esta afirmación, como sucede con la ejecución parcial prevista en el art. 242 LRJS y con la ejecución provisional de sentencias definitivas (arts. 289 a 305 LRJS).

4.2.–Por otro lado, existen otras resoluciones judiciales que, sin ser sentencias, son susceptibles de ser ejecutadas y constituyen título ejecutivo. Es el caso de determinados autos y resoluciones como el auto de tasación de costas y el que aprueba la Jura de Cuentas de abogados, procuradores o graduados (art. 269 LRJS); o la previsión del art. 293.1 LRJS. También del auto aprobatorio del allanamiento parcial (art. 85.7 LRJS), el auto dictado en el proceso monitorio respecto a las cantidades reconocidas como adeudadas (art. 101 LRJS) y el convenio transaccional alcanzado durante la tramitación de un recurso (art. 235.4 LRJS).

1.2.2. Los títulos no jurisdiccionales

5.–En segundo lugar, existe otro tipo de títulos en cuya constitución no ha intervenido un órgano jurisdiccional o, aun interviniendo, ésta se ha producido sin ejercitar la función de juzgar.

5.1.–En primer lugar, cabe mencionar el acuerdo alcanzado en la conciliación ante el letrado de la administración de justicia o durante el juicio, al que les reconoce fuerza ejecutiva el art. 84.5 LRJS. Este título puede constituirse también previamente, siempre que las partes comparezcan ante la oficina judicial (art. 82.3 LRJS).

5.2.–En segundo lugar, los acuerdos alcanzados en conciliación extrajudicial también tienen reconocida fuerza ejecutiva (art. 68.1 LRJS).

5.3.–En tercer lugar, los laudos arbitrales, es decir, los actos que ponen fin a un procedimiento arbitral también gozan de fuerza ejecutiva (art. 68.1 LRJS).

5.4.–En fin, los acuerdos transaccionales alcanzados durante la sustanciación del recurso o la propia ejecución, una vez homologados por el órgano judicial competente (arts. 235.3 y 246.4 LRJS).

1.3. Los elementos personales

6.–Un tercer aspecto general a analizar en el proceso ejecutivo es el relativo a los elementos personales que intervienen en el mismo: el órgano jurisdiccional, las partes e, incluso, los terceros.

1.3.1. Órgano judicial competente

7.–Por lo que respecta al órgano jurisdiccional, la competencia para conocer de las pretensiones ejecutivas viene regulada en el art. 237.2 LRJS, que diferencia en función de que en la constitución del título haya intervenido o no un órgano jurisdiccional.

7.1.–En el caso de que haya habido dicha intervención, como regla general, la competencia funcional se atribuye al órgano que haya conocido del asunto en la instancia. Se trata de una regla de competencia funcional. En la práctica, la mayor parte de las ejecuciones laborales son competencia de los juzgados de lo social pues son los órganos que tienen atribuidos el conocimiento de un mayor número de asuntos en la instancia.

7.2.–Si no se ha producido dicha intervención, la competencia corresponde al juzgado de lo social en cuya circunscripción se haya constituido el título en cuestión.

7.3.–Esta regla general presenta algunas excepciones:

a) En primer lugar, las relacionadas con la existencia de circunscripciones en las que se haya atribuido a un juzgado en exclusiva el conocimiento de las ejecuciones (en Valencia, es el Juzgado de lo Social núm. 3, D. 20-12-1989, o en Barcelona, juzgados números 5 y 23, D. 13-12-1989).

b) En segundo lugar, la acumulación de ejecuciones puede determinar una alteración en las reglas de competencia (art. 38.2 LRJS).

c) En tercer lugar, las derivadas de la Ley Concursal, pues en este último caso la ejecución laboral puede estar atribuida al juez del concurso. El art. 52.2 de la LC atribuye al juez del concurso toda ejecución de contenido patrimonial del concursado. Nótese que ello afecta a las ejecuciones dinerarias, no a las ejecuciones de sentencias de despido ni a otras ejecuciones especiales. Respecto a las ejecuciones dinerarias, una vez declarado el concurso, no podrán iniciarse ejecuciones singulares, ni seguirse apremios contra los bienes del deudor. Los créditos de los acreedores quedarán incluidos en la masa pasiva del concurso. Esta cuestión será tratada con más detalle en el anexo.

1.3.2. Las partes

8.–Por lo que respecta a las partes, en el proceso ejecutivo son dos: de un lado, se encuentra el ejecutante o titular del derecho reconocido en el título ejecutivo; de otro, el ejecutado o persona contra la cual se reclama la satisfacción de la pretensión reconocida en el título –sólo los que aparezcan en el mismo; de ahí la importancia de demandar a todos los eventuales responsables en los casos de responsabilidad solidaria o subsidiaria.

8.1.–También cabe tener en cuenta la legitimación derivada de los sujetos que hayan sido declarados sucesores de los acreedores o deudores, normalmente por sucesión *mortis causa* o como consecuencia de una transmisión.

8.2.–Por otra parte, cuando el FOGASA haya abonado prestaciones a los trabajadores con anterioridad al inicio de la ejecución, se subrogará obligatoriamente en los derechos y acciones de los mismos, quedando legitimado para iniciar o intervenir en el proceso de ejecución iniciado por los trabajadores, (arts. 23 LRJS y 33.4 ET). Esta intervención será notificada a los trabajadores afectados por si conservaran créditos contra la empresa y estuvieran interesados en constituirse como ejecutantes en el plazo de quince días. Las cantidades obtenidas se abonarán prorrateadas entre el Fondo y los trabajadores en proporción a los importes de sus respectivos créditos.

1.3.3. Los terceros

9.–Junto a las partes, hay una serie de sujetos que pueden tener un interés en la ejecución laboral y que, por ello, el ordenamiento les habilita expresamente para intervenir en el proceso.

9.1.–En este sentido, el art. 240 LRJS establece que aquellos sujetos que, sin figurar como acreedores o deudores en el título ejecutivo, o sin haber sido declarados sucesores de unos u otros, aleguen un derecho o interés legítimo y personal que pudiera resultar afectado por la ejecución que se trata de llevar a cabo, tendrán derecho a intervenir en condiciones de igualdad con las partes en los actos que les afecten.

Se pueden mencionar los siguientes supuestos.

a) En primer lugar, se encontrarían, por ejemplo, quienes afirman ser titulares del bien embargado para hacer frente a las deudas empresariales. Tales sujetos emplearían la llamada **tercería de dominio**, a la que alude el art. 260 LRJS.

b) En segundo lugar, hay otros sujetos que pueden entender que presentan una mejor posición que los ejecutantes para ver satisfecha su pretensión. En este caso, tales sujetos emplearían la **tercería de mejor derecho**, mencionada en el art. 275 LRJS.

9.2.–Otros supuestos distintos son los previstos a lo largo del articulado de la LRJS en diferentes lugares.

a) Así, por un lado, cabe citar a los trabajadores dependientes del ejecutado (art. 244.3 LRJS). Tales trabajadores cuentan con legitimación para solicitar el aplazamiento de la ejecución. Dicho aplazamiento se concede en beneficio de éstos, y no directamente del ejecutado, cuando prueben que de seguirse la ejecución se puede poner en peligro cierto la continuidad de las relaciones laborales en la empresa deudora. Este aplazamiento puede ser decidido por el letrado de la administración de justicia, previa audiencia de los interesados ante éste en una comparecencia incidental, donde los interesados pueden probar lo que estimen conveniente para justificar la petición.

En particular, los trabajadores han de acreditar el peligro cierto para la continuidad de sus relaciones laborales y que de seguirse la ejecución se les causarían más perjuicios que beneficios al ejecutante. El letrado de administración de justicia decidirá, mediante un decreto recurrible en revisión, pudiendo admitir el aplazamiento por el tiempo imprescindible.

b) Por otro lado, también los representantes de los trabajadores pueden comparecer en el proceso ejecutivo de conformidad con lo establecido en el art. 252 LRJS. Esta intervención se facilita al existir la obligación de notificar a los representantes unitarios y sindicales de la empresa ejecutada de los autos de despacho de ejecución, de la cantidad objeto de apremio y de las resoluciones en las que se decreten los embargos. Recuérdese que los sindicatos con implantación suficiente en el ámbito del conflicto tienen legitimación para la defensa de los intereses colectivos, considerándose entre tales, en fase de ejecución, la conservación de la empresa y de los puestos de trabajo.

1.3.4. Los colaboradores

10.–Al margen de todos los sujetos anteriores, hay otros sujetos que colaboran con el órgano jurisdiccional proporcionando información sobre los bienes del ejecutado. Así sucede, por ejemplo, con los organismos o registros públicos o entidades financieras (art. 250 LRJS).

1.4. La acción ejecutiva y el proceso ejecutivo

11.–La ejecución no se inicia, como regla general, de oficio, sino que es la parte la que debe solicitar la actuación del órgano jurisdiccional para que éste realice lo necesario a efectos de satisfacer el derecho documentado en el título. A tal fin presentará la oportuna acción ejecutiva, dentro del plazo correspondiente, lo que originará la tramitación del proceso de ejecución.

1.4.1. La pretensión ejecutiva

12.–La acción ejecutiva supone el ejercicio de una pretensión que se dirige al órgano jurisdiccional solicitándole la efectividad del título ejecutivo.

12.1.–Esta acción se caracteriza por no requerir de fundamentación, pues la misma trae su causa de un título que le proporciona una cobertura suficiente, sin que sea preciso demostrar la existencia de la obligación. En su caso, correspondería al ejecutado evidenciar que ya se produjo el cumplimiento.

12.2.–La solicitud se efectúa mediante la presentación del escrito al que alude el art. 239.2 LRJS ante el órgano jurisdiccional competente. Por otra parte, se debe hacer referencia y aportar el título, cabe señalar bienes del deudor y se debe solicitar expresamente la actividad ejecutiva.

12.3.–La acción ejecutiva no puede plantearse en cualquier momento, sino dentro de los correspondientes plazos que fija la ley, en concreto, en el art. 243 LRJS.

a) El precepto en cuestión señala que el plazo para el ejercicio de la acción ejecutiva coincide con el fijado en las leyes sustantivas para el ejercicio de la acción tendente al reconocimiento del derecho, siendo el plazo de prescripción a todos los efectos; con todo, el precepto reseñado remite en el caso del despido al art. 279 LRJS (cuando existiese obligación de readmitir y el empresario no lo hiciere, el artículo 279 fija plazos específicos); asimismo, remarca que para la entrega de cantidades de dinero será siempre de un año; en fin, por último, contiene unas previsiones específicas en materia de Seguridad Social.

b) Ahora bien, una vez iniciada la ejecución, la misma se sigue de oficio, por lo que la inactividad del ejecutante no podría dar lugar a la prescripción de lo ejecutado (art. 243.3), ni siquiera en el supuesto en que las actuaciones se hubieran archivado por insolvencia provisional. La única matización a tal afirmación es la relativa a los intereses legales, que, si no se solicitan, pueden prescribir al año.

1.4.2. El proceso ejecutivo

13.–El ejercicio de la pretensión ejecutiva da origen al **procedimiento ejecutivo**, un proceso **que no es gratuito** –a diferencia del declarativo en instancia–.

13.1.–Aunque el inicio de la ejecución se produce siempre a instancia de parte, como señala el art. 239 LRJS (salvo en los procedimientos de oficio que regula la LRJS, cuya ejecución también se efectúa de oficio), las restantes actuaciones se van produciendo de oficio (art. 239.3 LRJS), dictando el letrado de la administración de justicia o el órgano jurisdiccional cuantas resoluciones resulten necesarias.

13.2.–Asimismo, el letrado de la administración de justicia y el órgano jurisdiccional, en dicho proceso, adoptarán las medidas precisas para que el ejecutante vea satisfecho el derecho reconocido en el título y, además, en los mismos términos que en dicho título se reconoce: si es un dar, que se dé; si es un hacer, que se haga; si es un no hacer, que no se haga o deshaga. Así se deduce del art. 241.1 LRJS; es más, el propio TC ha reconocido que la ejecución en sus propios términos o *in natura* integra el art. 24 CE. Y normalmente será así.

a) En efecto, de entrada, hay supuestos en los que resulta sencillo llevar a cabo la ejecución en sus propios términos:

– Así, tratándose de una cuestión dineraria, resulta relativamente sencilla la ejecución en sus propios términos: se procede al embargo y a la realización de los bienes embargados y el producto obtenido se aplica a la satisfacción de la deuda.

– En el caso de obligaciones de hacer, no hacer y de dar cosa diferente al dinero, el art. 241.2 LRJS permite al letrado de la administración de justicia la imposición de apremios pecuniarios para forzar el cumplimiento, con los criterios y límites allí previstos. Asimismo, el órgano judicial puede imponer a terceros que deban colaborar en la ejecución multas coercitivas si no lo hacen (art. 241.3 LRJS).

b) Cuando la ejecución en sus propios términos no resulta posible, la LRJS permite el cumplimiento de la misma por equivalente. Ello supone la conversión de la obligación en dinero y la ejecución del título como si se tratara de una ejecución dineraria.

13.3.–Como regla general, está prohibida la renuncia por el trabajador ejecutante a los derechos que se le reconocen en la sentencia firme. Sin embargo, ello no impide que en ciertas condiciones se llegue a acuerdos transaccionales que requieren preceptivamente la homologación judicial (art. 246 LRJS)

14.–Antes se ha señalado que la pretensión ejecutiva no requiere de fundamentación: basta la aportación del título.

14.1.–En su caso, el ejecutado puede alegar cumplimiento de la obligación para que no proceda la ejecución. Igualmente podría alegar prescripción o carecer de legitimación. En definitiva, el ejecutado podría oponerse a la ejecución por cualquiera de los motivos regulados en los arts. 559 y ss. LEC o por otros distintos, sin que ello determine la suspensión del procedimiento (salvo la falsedad documental que afectase al propio título).

14.2.–En caso de que se formule oposición a la ejecución se abre un incidente que se resuelve aplicando las previsiones del art. 238 LRJS, integradas con las previsiones de la LEC –arts. 556 a 564–. Este mismo trámite permite resolver cualquier incidente que surja a lo largo del proceso de ejecución: por ejemplo, cuando se produzca un fenómeno de transmisión posterior a la constitución del título y se pretenda seguir la ejecución contra el nuevo titular de la empresa.

15.–Las resoluciones que se dictan a lo largo del proceso ejecutivo pueden ser objeto de recurso (que no determina la suspensión, según el 245 LRJS).

15.1.–Cabrá el recurso de reposición o de revisión, en función del sujeto que haya dictado la resolución y su contenido.

15.2.–Además, como ya sabemos, contra el auto que resuelve tales recursos, en ciertos casos, resulta posible interponer suplicación o casación –sin que sea necesario consignar el importe, salvo en el caso de la ejecución del despido cuando no se hubiera constituido con anterioridad–.

2. Clases de ejecución

16.–El procedimiento de ejecución no es único, de hecho, existen diferencias en función del título a ejecutar y de su contenido.

16.1.–Por un lado, cabe mencionar la **ejecución provisional**, que procede frente a sentencias definitivas. Esta ejecución presenta variantes según se trate de sentencias condenatorias al pago de cantidad, sentencias condenatorias en materia de Seguridad Social, sentencias de despido o sentencias recaídas en otros procesos.

16.2.–Por otro lado, están las **ejecuciones definitivas** (es decir, contra sentencias firmes) y, dentro de ellas, se distingue entre ejecuciones ordinarias y especiales. Las ejecuciones ordinarias, a su vez, pueden ser dinerarias y no dinerarias (hacer; no hacer; dar cosa genérica o específica). Las ejecuciones especiales están previstas en los casos de sentencias firmes de despido y de sentencias frente a organismos públicos.

2.1. La ejecución provisional

2.1.1. Cuestiones generales

17.–Al iniciar el estudio de la ejecución, se indicó que la misma procedía contra sentencias firmes. Con todo, ya en su momento se señaló que dicha regla general conocía de excepciones: en concreto, que en determinados casos resulta posible proceder a una ejecución de sentencias definitivas, esto es, de sentencias que aún no han devenido firmes, pues contra las mismas resulta posible plantear algún recurso.

18.–El **fundamento** de esta posibilidad es múltiple (Baylos, Cruz y Fernández, 1995) (Montero, 2003).

18.1.–De entrada, se encontraría la necesidad de dar efectividad inmediata a ciertas resoluciones.

18.2.–Por otra parte, se puede decir que después de obtener una resolución estimatoria, la parte vencedora en el pleito ha salido robustecida del mismo. Y es que existiría una especie de presunción de legitimidad que pendería sobre las resoluciones judiciales.

18.3.–Finalmente, la ejecución provisional perseguiría impedir una utilización dilatoria de los recursos. En este sentido, se trataría de evitar el riesgo de que el sujeto favorecido por la resolución judicial se pueda ver perjudicado por la tramitación de un eventual recurso contra la resolución que le reconoce un determinado derecho. Y es que dicha tramitación implicaría esperar un cierto período de tiempo hasta la resolución, período durante el cual se podrían materializar algunos peligros.

2.1.2. Los supuestos

19.–La **regulación** de la ejecución provisional se encuentra en los arts. 289 y siguientes de la LRJS. Estos preceptos permiten únicamente la ejecución provisional de las sentencias, no de otros títulos ejecutivos; como regla general, parece que se puede ejecutar provisionalmente cualquier sentencia laboral que se encuentre recurrida.

19.1.–En efecto, en principio, la LRJS menciona unos supuestos específicos de ejecución provisional:

a) En primer lugar, la ejecución provisional de sentencias condenatorias al pago de cantidad (289-293 LRJS).

b) En segundo lugar, la ejecución provisional de sentencias condenatorias en materia de Seguridad Social (294-296 LRJS).

c) En tercer lugar, la ejecución provisional de sentencias condenatorias en materia de despido (297-302 LRJS).

d) En cuarto lugar, la ejecución provisional de otras sentencias (art. 303 LRJS), en las que se incluirían los siguientes procesos: conflictos colectivos, impugnación de convenios colectivos y tutela de la libertad sindical y demás derechos fundamentales, impugnación de actos administrativos en materia laboral, extinción del contrato de trabajo a través del artículo 50 ET.

19.2.–Al margen de lo anterior, el art. 305 LRJS incluye una cláusula de cierre de conformidad con la cual cualquier sentencia favorable al trabajador o beneficiario que no pueda ser ejecutada provisionalmente con arreglo a lo previsto en la LRJS –es decir, no prevista en los supuestos anteriores– se podrá ejecutar en la forma y condiciones previstas en la LEC –arts. 524 y ss.–.

20.–Una regla importante en materia de ejecución provisional es la de que, frente a las resoluciones dictadas en ejecución provisional, sólo procederá recurso de reposición, salvo que fueran directamente recurribles en revisión (art. 304.4 LRJS). El auto que resuelva la reposición y los autos que decidan el recurso de revisión interpuesto contra los decretos del letrado de la administración de justicia no serán recurribles en suplicación, salvo que adopte una decisión no comprendida dentro de los límites de la ejecución provisional o declare la falta de jurisdicción o la falta de competencia (art. 191.4.4 LRJS).

21.–Si descendemos a los supuestos previstos, de entrada, hay que aludir a la **ejecución provisional dineraria, que** aparece regulada en los arts. 289 y ss. LRJS. Esta ejecución procede en aquellos casos en que el trabajador ha obtenido un fallo judicial en el que se condena al empresario al pago de una determinada cantidad y se ha interpuesto un recurso contra dicho fallo. En estos casos la ejecución se lleva a cabo a través de los llamados **anticipos reintegrables**.

21.1.–La petición la presentará el trabajador en el mismo órgano que dictó la resolución.

21.2.–Esta petición no determinará que el trabajador perciba la totalidad de la condena en este momento. En realidad, la suma que se puede obtener aparece limitada en el art. 289, apartados 2 y 3 LRJS: por un lado, como máximo alcanzará el 50 % de la condena; por otro, la cantidad no puede exceder anualmente del doble del SMI fijado para mayores de 18 años, incluida la parte proporcional de pagas extraordinarias.

21.3.–La cantidad a anticipar puede proceder de diferentes vías. Por un lado, se puede efectuar **con cargo a las consignaciones** efectuadas para recurrir cuando éstas sean necesarias. A esta posibilidad se refiere el art. 290 LRJS, donde se señala que el Estado garantiza la devolución al empresario –caso de que el recurso por éste interpuesto prosperase–. Por otro, si no se efectuaron tales consignaciones por no resultar necesarias, lo abona el Estado con **cargo al FOGASA**.

21.4.–La ejecución provisional parte de la existencia de una sentencia que ha sido recurrida. El resultado del recurso puede provocar los efectos siguientes:

– Si la sentencia confirma la resolución impugnada, el trabajador adquiere de forma definitiva la titularidad de lo que se le entregó anticipadamente. Si esa cantidad fue abonada por el Estado, éste se subroga en la posición del trabajador y puede reclamar el anticipo a la empresa (art. 291.2 LRJS). Por otra parte, el trabajador tendrá derecho a percibir la parte de deuda que todavía no se le ha entregado.

– Si la sentencia fuera revocatoria, total o parcial, o se anulase la sentencia ejecutada provisionalmente la cantidad anticipada deberá ser devuelta (art. 292 LRJS). En principio, se le devolverá al empresario, cuando fue éste quien la anticipó con cargo a las consignaciones. En estos casos, el Estado es responsable solidario. Si el sujeto que anticipó las cantidades fuera el Estado, será a éste a quien haya que reintegrarle las cantidades. De manera que si el anticipo se abonó por el Estado a través del FOGASA, el trabajador es responsable frente a dicho organismo de la devolución de lo percibido

22.–En segundo lugar, los arts. 294 y ss. LRJS regulan la posibilidad de ejecutar provisionalmente las sentencias condenatorias en **materia de Seguridad**

Social que hubiesen sido recurridas, con independencia de quién sea el sujeto responsable del pago, eso sí, siempre que se trate del régimen público de Seguridad Social:

– Por un lado, cuando se ha condenado al pago de una prestación de pago periódico, ésta se debe abonar durante la tramitación del recurso; en caso de que en el recurso se revoque total o parcialmente la sentencia impugnada, el beneficiario no viene obligado a la devolución de las cantidades percibidas y conserva el derecho al abono de las devengadas durante la tramitación y que aún no hubiera percibido (art. 294 LRJS).

– Por otro lado, cuando se trate de prestaciones de pago único, el art. 295 LRJS determina que se ejecute por la vía de los anticipos reintegrables, es decir, puede pedirse la ejecución provisional como si se tratara de obligaciones dinerarias, y, en este caso, si la sentencia es revocada, habrá de devolverse la percibido.

– En fin, tratándose de prestaciones de hacer o no hacer, el art. 296 LRJS prevé la posibilidad de ejecución provisional, sin ulteriores especificaciones, lo que lleva a entender aplicables las previsiones de las LEC al respecto (art. 524 y ss. LEC), si bien sin exigencia de fianza. La LEC prevé que puede pedirse la ejecución provisional; a partir de ahí, si la sentencia es revocada, se cesará en el hacer, pero el beneficiario no deberá indemnizar por lo realizado (art. 534.2 LEC).

23.–En tercer lugar, debe aludirse a la **ejecución provisional de sentencias por despido**, regulada en los arts. 297 y siguientes de la LRJS y que ha sido objeto de análisis en el módulo quinto.

24.–En fin, el art. 303 LRJS prevé medidas de ejecución provisional para otras sentencias:

24.1.–Las sentencias recaídas en los procesos de conflicto colectivo, impugnación de convenio y tutela de la libertad sindical y demás derechos fundamentales son ejecutivas desde el momento en que se dicten; así pues, aunque se interponga recurso contra ellas, procede llevar a cabo la ejecución (art. 303.1 LRJS).

24.2.–Este mismo criterio, con la salvedad de que la ejecución provisional pueda producir situaciones irreversibles o perjuicios de difícil reparación, se prevé para las sentencias dictadas en la impugnación de actos administrativos en materia laboral y de Seguridad Social (art. 303.2 LRJS).

24.3.–En fin, el art. 303.3 LRJS prevé, para la sentencia que haya estimado una acción resolutoria del trabajador con base en el art. 50 ET, ejecución provisional consistente en la posibilidad de que aquél opte entre continuar prestando servicios o dejar de hacerlo. En este último caso, pasa a percibir prestaciones por desempleo y el período se considera de ocupación cotizada, quedando obligado a reingresar si, con posterioridad, la sentencia es revocada. La opción deberá ejercitarse mediante escrito o comparecencia en el plazo de 5 días desde la notificación de que la empresa ha planteado recurso. Si la sentencia es revocada, el empresario deberá comunicar al trabajador dentro del plazo de diez días desde su notificación, la fecha de reincorporación, para efectuarla en un plazo máximo de tres días desde la recepción del escrito. Si la empresa no readmitiese al trabajador, éste debería plantear la ejecución conforme a lo previsto en el art. 278 LRJS. En cambio, si fuese el trabajador quien no se reincorporase quedará extinguido definitivamente el contrato.

2.2. La ejecución definitiva

25.–La ejecución definitiva es la que procede frente a sentencias que han adquirido firmeza y otro tipo de títulos cuando no hay un cumplimiento voluntario. Asimismo, existen diferentes cauces ejecutivos en atención al contenido del título.

2.2.1. La ejecución ordinaria dineraria

26.–De entrada, la ejecución ordinaria dineraria surge cuando el título ejecutivo presenta como contenido el pago de una cantidad, la entrega de una suma dineraria. La falta de entrega de dicha cuantía económica es, precisamente, la que determina las actuaciones ejecutivas –como siempre, a instancia del ejecutante–. En estos casos, la actividad ejecutiva se dirige a la consecución de dicha suma dineraria. La ejecución ordinaria dineraria aparece regulada en el ordenamiento procesal laboral en los arts. 248 a 277 LRJS, que sirven de derecho supletorio para el resto de ejecuciones laborales. Se trata de unas previsiones especiales que deberán ser completadas con las recogidas en la LEC, es decir, con los arts. 571 y siguientes del texto procesal civil, según expresa remisión del art. 237.1 LRJS.

27.–El **inicio** de la ejecución se produce a instancia de parte –salvo en los procesos de oficio–. La demanda ejecutiva irá acompañada de los documentos señalados en el art. 550 LEC, en particular, del título ejecutivo. Una vez presentada la demanda de ejecución, el juez dictará un auto despachando la ejecución o denegándola.

27.1.–En todo caso, este auto se dicta sin dar audiencia al ejecutado y no resulta recurrible (se puede recurrir el denegatorio, pero no el que despacha).

27.2.–El auto determinará la cantidad total por la que ha de despacharse ejecución, que es una cantidad provisional, pues se determinará totalmente en el proceso ejecutivo. La cantidad incluye el principal (es decir, la cantidad reflejada en el título ejecutivo), más los intereses y las costas, conforme a lo previsto en el art. 251 LRJS. Respecto a los primeros, la cantidad a despachar en concepto de intereses de demora no excederá del importe de los que se devengarían durante un año, calculados conforme a lo dispuesto en el art. 576 LEC y con la posibilidad de que se incrementen en algunos casos detallados en el art. 251.2 LRJS. Respecto a las costas, las cantidades no excederán del diez por ciento del principal.

27.3.–El auto va seguido por un decreto del letrado de la administración de justicia en el que se concretan las medidas ejecutivas correspondientes, entre las que ocupa un lugar central el embargo de bienes y que incluyen también medidas de localización y averiguamiento. Al respecto, hay que tener en cuenta un par de cosas adicionales.

a) Por un lado, en los casos de concurrencia de embargos laborales, si no se ha acordado la acumulación de ejecuciones conforme al art. 36 LRJS, la preferencia para seguir la vía de apremio corresponde al órgano judicial que primero trabó embargo sobre los bienes. Así pues, rige el criterio de temporalidad en los embargos, matizado por los privilegios de ciertos créditos. En efecto, aunque el embargante anterior puede seguir la vía de apremio, en el momento del pago, se tendrán en cuenta las preferencias de créditos legalmente establecidas, debiendo ser abonados en primer lugar los créditos privilegiados, aunque su embargo fuera posterior.

b) Por otro lado, como comprobaremos en el anexo, cuando se trate de ejecuciones insertas en un procedimiento de ejecución concursal, el art. 52.2 de la LC atribuye al juez del concurso toda ejecución de contenido patrimonial del concursado.

28.–El **embargo de bienes** al que se acaba de hacer referencia constituye, precisamente, la segunda fase del proceso ejecutivo.

28.1.–El embargo consiste en una actividad jurisdiccional que persigue la individualización de bienes suficientes del patrimonio del deudor, declarándolos sujetos a la ejecución para proporcionar al acreedor una cantidad de dinero, bien directamente, porque pueda ser habido, o bien a través de la realización de otros elementos patrimoniales susceptibles de conversión en dinero (Montero, 2003).

28.2.–El embargo recae sobre elementos concretos del patrimonio del deudor –no sobre su conjunto de forma genérica– y no determina una limitación en sus facultades dispositivas: se puede disponer de los bienes, pero estos continúan estando afectos al embargo.

29.–La puesta en marcha del embargo exige realizar una sucesión de actos.

29.1.–En primer lugar, la **localización** de los bienes del deudor que van a ser objeto del embargo.

a) La LRJS impone al ejecutado la obligación de manifestación de bienes. Además de las indicaciones del acreedor, también permite al letrado de la administración de justicia, dirigirse de oficio a organismos y registros públicos para que faciliten relación de todos los bienes y derechos del deudor de que tuvieran constancia. Cabe adicionalmente, que se dirija o recabe información de entidades financieras o depositarias, dentro del respeto al derecho a la intimidad personal (art. 250 LRJS).

b) Si la búsqueda de bienes resultase infructuosa, se procedería a la declaración de insolvencia total o parcial del deudor. A partir de ahí se procedería de conformidad con lo establecido en los arts. 276 y ss. LRJS a efectos de la posterior intervención del FGS.

29.2.–En segundo lugar, partiendo de un resultado positivo en la actividad anterior, la siguiente fase consistirá en seleccionar los bienes a embargar –pues no se puede embargar la totalidad del patrimonio, sino sólo lo necesario– y afectarlos al cumplimiento de la deuda, en definitiva, a **trabar el embargo**. El orden se fija en el artículo 592 LEC, que no permite un embargo indiscriminado ni que se embargue un bien, si previamente no se ha procedido al embargo del establecido legalmente con anterioridad.

En primer lugar, habrá que estar al acuerdo entre las partes, que puede ser judicial o extrajudicial.

En segundo lugar, si no existiera dicho acuerdo, el letrado de la administración de justicia responsable de la ejecución embargará los bienes del ejecutado, procurando tener en cuenta la mayor facilidad de su enajenación y la menor onerosidad para el ejecutado.

En tercer lugar, y con carácter subsidiario, cuando no fuera posible o fueran de difícil aplicación los criterios anteriores, el artículo 592.2 LEC fija nueve apartados en la prelación del orden de los bienes embargados:

1.º Dinero o cuentas corrientes.

2.º Créditos y derechos realizables en el acto o a corto plazo, valores u otros instrumentos financieros admitidos a negociación en un mercado secundario oficial de valores.

3.º Joyas y objetos de arte.

4.º Rentas en dinero.

5º. Intereses, rentas y frutos de toda especie.

6.º Bienes muebles o semovientes, acciones, títulos o valores no admitidos a cotización oficial y participaciones sociales.

7.º Bienes inmuebles.

8.º Sueldos, salarios, pensiones e ingresos procedentes de actividades profesionales y mercantiles autónomas, con los límites de embargabilidad que se expondrán más adelante.

9.º Créditos, derechos y valores realizables a medio y largo plazo.

En cuarto lugar, y como último criterio, establece el art. 592.3 LEC que también podrá decretarse el embargo de empresas cuando, atendidas todas las circunstancias, resulte preferible que el embargo de distintos elementos patrimoniales.

29.3.–Algunos bienes y derechos son inembargables (arts. 605 a 607 LEC). Esos **bienes no susceptibles de ser embargados** constituyen una excepción al principio general contenido en el art. 1911 Cc en virtud del cual un deudor debe responder de sus deudas con todos sus bienes presentes y futuros.

La LEC distingue entre bienes absolutamente inembargables (art. 605 LEC) y bienes inembargables del ejecutado, en cuyo último caso, se embargarán o no en función de determinadas circunstancias del ejecutado.

a) Los bienes absolutamente inembargables con independencia de las circunstancias personales del ejecutado son los siguientes:

Los bienes que hayan sido declarados inalienables. Son bienes que no pueden ser enajenados ni transmitidos válidamente a terceros. Por ejemplo, bienes de dominio público de las Administraciones públicas.

Los derechos accesorios que no sean transmisibles con independencia del principal. Por ejemplo, derechos de servidumbre inseparables de la finca a la que pertenecen o bien, elementos comunes en las comunidades de propiedad horizontal.

Los bienes que carezcan de contenido patrimonial por sí solos. Sería el caso de los derechos de personalidad, como el derecho a la vida, el derecho a la intimidad o el derecho al honor.

Los bienes declarados expresamente inembargables por una disposición legal. Sería el caso de los bienes y derechos de la Hacienda pública y de la Seguridad Social.

b) Los bienes inembargables del ejecutado, cuya inembargabilidad va ligada a las circunstancias personales del ejecutado se enumeran en el art. 606 LEC y son los siguientes:

– El mobiliario y menaje de la casa, así como las ropas del ejecutado y de su familia, en lo que no pueda considerarse superfluo. Se incluyen también los alimentos, combustibles y otros bienes imprescindibles para que el ejecutado y su familia puedan atender a su subsistencia. Será el órgano judicial quien valorará en cada caso en concreto la suficiencia de estos bienes.

– Los libros e instrumentos necesarios para el ejercicio de su profesión u oficio, cuando su valor no guarde proporción con la cuantía de la deuda.

– Los bienes sacros y dedicados al culto de las religiones legalmente registradas. Estos bienes son inviolables (concordato con la Iglesia Católica y acuerdos de cooperación con otras religiones).

– Las cantidades expresamente declaradas inembargables por la ley o por Tratados ratificados por España.

c) Entre las cantidades expresamente declaradas inembargables se establece el salario, sueldo, pensión o retribución en una cuantía equivalente al salario mínimo interprofesional. Si bien el artículo 607 LEC fija una escala ascendente cuando la cuantía de éstos excede del salario mínimo interprofesional, teniendo en cuenta el importe y el número de miembros de la unidad familiar. Para lo que sean superiores, se prevé una escala de porcentajes que pueden ser embargados:

hasta el doble del SMI, el 30%

hasta el triple, el 50%

hasta el cuádruplo, el 60%

hasta el quíntuplo, el 75%

para cantidades superiores, el 90% (arts. 607.1 y 2 LEC).

d) La regulación se completa con una serie de reglas:

En caso de concurrencia de varias retribuciones, del mismo titular o de ambos cónyuges que no tengan separación de bienes, todas ellas deben acumularse para deducir de una sola vez la parte inembargable.

El órgano judicial, en atención a las cargas familiares del ejecutado, podrá aplicar una rebaja de entre el 10 y el 15 por 100 de los porcentajes establecidos en los cuatro primeros niveles de la escala.

Si el salario estuviese gravado con descuentos de carácter público (fiscales, de Seguridad Social), servirá de tipo para regular el embargo la cantidad líquida percibida, una vez descontados aquéllos.

La inembargabilidad de la cuantía del equivalente al salario mínimo interprofesional se exceptúa cuando se ejecute una sentencia que condene al pago de alimentos (art. 608 LEC), en cuyo caso el órgano judicial deberá fijar la cantidad objeto de embargo.

El embargo de bienes inembargables se declara nulo de pleno derecho (art. 609 LEC).

29.4.–La traba del embargo puede ir acompañada de una serie de **medidas que tiendan a asegurar** el mismo, es decir, a dotarle de una mayor efectividad. Las medidas a adoptar dependen del tipo de bien sobre el que se haya trabado el embargo:

a) la anotación preventiva de embargo, aplicable a los bienes inmuebles y a los bienes susceptibles de inscripción registral;

b) si se trata de dinero, se procede a su depósito en la cuenta de depósitos y consignaciones del juzgado;

c) tratándose de otros bienes muebles que no acceden al registro, se procede a un depósito también pero que, a diferencia del anterior, ofrece diferentes posibilidades;

d) finalmente, tratándose de frutos o rentas, se procede a la administración o intervención judicial.

29.5.–Al hilo del embargo, se pueden plantear una serie de incidencias que es preciso analizar antes de continuar con el proceso ejecutivo. Las mismas no determinan la suspensión del mismo en todo caso.

– Por un lado, el art. 259.2 LRJS permite que el letrado de la administración de justicia pueda modificar las decisiones relativas al embargo con objeto de mejorarlo –por insuficiencia–, reducirlo –por exceso– o alzarlo –por devenir innecesario o imposible–.

– Por otro lado, se pueden plantear tercerías, que tampoco determinan la suspensión y se resuelven por la vía del art. 238 LRJS. Las tercerías pueden ser de dominio o de mejor derecho, según ya se ha señalado.

30.–Una vez embargados los bienes del deudor, la siguiente fase consiste en proceder a su **realización**, esto es, a convertirlos en dinero.

30.1.–Lógicamente, en ocasiones, en función del bien embargado no se precisa llevar a cabo la realización –el bien ya consiste en dinero y se procede a pagar directamente; así sucede cuando se trata de dinero, cuentas, etc.–.

30.2.–Las actuaciones a seguir en esta realización aparecen reguladas en los arts. 261 y ss. LRJS. Estas previsiones introducen unas peculiaridades respecto las previsiones propias de la LEC que, en todo caso, habrá que tener también en cuenta.

A) La realización de los bienes embargados parte de la **tasación** de los bienes embargados. Esta actividad persigue determinar el valor de mercado del bien sobre el que se trabó el embargo. El órgano jurisdiccional, para ello, encarga la labor de fijación del justiprecio, bien a un perito tasador, bien a otras entidades –FOGASA, entidades gestoras, etc., según las previsiones del art. 253–, aunque la tasación por estos organismos es cada vez menos frecuente. El valor obtenido se podría ver reducido por aplicación de lo establecido en el art. 262 LRJS, cuando los bienes embargados estuviesen afectos con cargas o gravámenes que debieran quedar subsistentes tras la venta o adjudicación judicial.

B) La LRJS prevé diferentes posibilidades para proceder a la realización de los bienes embargados.

a) A tales posibilidades se refiere el artículo 263 LRJS que distingue entre venta en entidad autorizada, subasta ante fedatario o subasta judicial.

– La venta del bien en entidad autorizada y especializada en el mercado en que se compran y venden determinados bienes está regulada en el art.641 LEC como un sistema para facilitar la realización del bien sin las dilaciones y requerimientos del procedimiento de subasta judicial y un precio del bien más acorde con los precios de mercado. Entre las entidades autorizadas para estas ventas se incluye a los colegios de procuradores, aunque también pueden designarse otras entidades públicas y privadas.

– La enajenación ante fedatario público se aplica a la transmisión por medio de un notario o corredor de comercio colegiado, de acciones, obligaciones y otros valores adquiridos en mercados secundarios como son las Bolsas de Valores, los mercados de deuda pública o los mercados de futuros y operaciones (art. 635 LEC).

– La subasta es una forma de enajenación de los bienes embargados mediante la venta forzosa, en uno o varios lotes, de los bienes muebles o inmuebles, previa peritación de los mismos, para la obtención de dinero suficiente que permita realziar el pago al acreedor.

b) A pesar de que tales medios se prevén como subsidiarios unos de otros, lo cierto es que el principal medio empleado es la subasta judicial, prácticamente único –salvo títulos valores, por ejemplo–.

– La regulación de la subasta en la LRJS se articula, como toda la ejecución, a través de especialidades respecto al régimen civil. Al respecto, la LEC establece previsiones diferenciadas en función de que el bien a subastar sea inmueble o, diversamente, pertenezca a la categoría de bienes muebles. La regulación de la subasta judicial de los bienes muebles se regula en los artículos 643 a 654 de la LEC y la de los bienes inmuebles en los artículos 655 a 675 de la LEC. Todas las subastas judiciales tienen obligación de tramitación electrónica a través del portal del BOE, para tratar de lograr la máxima transparencia del procedimiento y el mayor rendimiento del bien. Para ello, se ofrece el bien a todos aquellos que deseen participar y el que ofrezca una mejor oferta, o postura, ganará la adjudicación del mismo.

– En todo caso, la principal especialidad laboral se encuentra en que, de declararse desierta la subasta, los acreedores o los responsables solidarios o subsidiarios pueden adjudicarse el bien por el 30 % del avalúo (art. 264 LRJS).

31.–La última fase del proceso ejecutivo viene constituida por el **pago al acreedor**. Con carácter general, se procede primero al pago del principal, después a los intereses y, finalmente, las costas, que habrán de ser recalculados definitivamente, pues el auto que despachó ejecución hizo un cálculo de interés y costas estimativo. Ahora bien, puede suceder que no se obtenga dinero suficiente, en cuyo caso, al margen de la declaración de insolvencia, se procede del siguiente modo.

31.1.–En los casos en que ha habido acumulación de ejecuciones, se procede a un pago proporcional con respeto a posibles preferencias –es decir, proporcionalidad dentro del mismo grado–. El reparto aparece en los arts. 271 ss. LRJS.

31.2.–En los casos en que no ha habido acumulación de ejecuciones, se procede a un pago regido por el principio de temporalidad, con respeto a las eventuales preferencias.

32.–Cuando no puede procederse a la satisfacción del derecho, se ha de decretar la insolvencia provisional y al archivo de las actuaciones, a la espera de que el deudor devenga en mejor fortuna, lo puede que nunca suceda. El decreto de insolvencia puede comportar que determinados créditos laborales sean satisfechos por el FOGASA con los requisitos establecidos en el artículo 33 ET, de ahí que se le dé audiencia por un plazo máximo de quince días para que pueda practicar las diligencias que le interesen y designe bienes del deudor principal (art. 276.1 LRJS).

2.2.2. La ejecución ordinaria no dineraria

33.–La ejecución ordinaria no dineraria se produce en aquellos casos en que el título incorpora un dar cosa específica, hacer o no hacer. En estos casos, las medidas a adoptar son un poco diferentes.

33.1.–Si se trata de conductas no personalísimas, se ejecutan a costa del deudor. Se trata de un modo de conversión en conductas dinerarias mediante el encargo de la prestación a un tercero.

33.2.–Si se trata de conductas personalísimas, la cuestión es más delicada. Normalmente se procede a su conversión en equivalente económico –régimen civil–. El ordenamiento laboral conoce de ciertas medidas coercitivas para forzar el cumplimiento –art. 241.2 LRJS–.

2.2.3. La ejecución de sentencia firmes por despido

34.–La ejecución de sentencias por despido aparece regulada en los arts. 278 y siguientes LRJS, a modo de procedimiento ejecutivo especial.

34.1.–El objeto de esta modalidad ejecutiva persigue forzar al empresario a cumplir con los efectos derivados del despido, pero sólo en lo relativo a la readmisión, pues el pago de la indemnización se tramitaría por una ejecución ordinaria.

34.2.–La LRJS regula dos tipos diferentes de ejecución de sentencias por despido: la ejecución *in natura* y la ejecución por equivalente, ambos analizados en la lección sexta, a la que procede efectuar la correspondiente remisión.

2.2.4. La ejecución de sentencias frente a entes públicos

35.–En fin, los arts. 287 y ss. LRJS regulan ciertos aspectos relativos a las ejecuciones seguidas frente al Estado, entidades gestoras o servicios comunes de la Seguridad Social y demás entes públicos que, no con poca frecuencia, son condenados en procesos ante el orden social. Las principales especialidades son dos. De un lado, la naturaleza del órgano de la Administración impide que se adopten medidas de coacción a las que se podría recurrir si se tratara de simples ciudadanos, en concreto, no les resultan aplicables los apremios pecuniarios previstos en el art. 241.2 LRJS. De otro lado, resultan aplicables de forma supletoria las reglas de la LJCA (arts. 103 a 113 LJCA).

35.1.–La ejecución frente a entes públicos se regula en el art. 287 LRJS, que señala que las sentencias dictadas frente a éstos, deberán llevarse a efecto por dichos entes dentro del plazo de dos meses a partir de su firmeza, si bien el órgano judicial puede fijar un plazo inferior cuando tal plazo pueda causar un grave perjuicio o hacer ineficaz el pronunciamiento. Tras el transcurso de este plazo de dos meses o el inferior fijado en determinadas circunstancias, se ordena al órgano ejecutor que mientras no conste la total ejecución de la sentencia, adopte, de oficio o a instancia de parte, cuantas medidas sean adecuadas para promover y activar la ejecución de la sentencia. La LRJS prevé el requerimiento a la Administración demandada y, también, la posibilidad de citar a las partes para comparecencia, tras la que el órgano judicial podrá decidir cuantas cuestiones se planteen en la ejecución y, especialmente, las siguientes:

a) Determinar el órgano administrativo y funcionarios que han de responsabilizarse de realizar las actuaciones. En este punto, la individualización de los funcionarios obligados supone un tímido avance en orden a la posible exigencia de responsabilidades concretas.

b) Establecer un plazo máximo para su cumplimiento, en atención a las circunstancias que concurran. Tal fijación rompe con el principio de la inmediata ejecutividad de las sentencias firmes, habida cuenta que puede dilatarse en el tiempo y del no devengo de intereses.

c) Medios con que ha de llevarse a efecto y procedimiento a seguir.

d) Medidas necesarias para lograr la efectividad de lo mandado. Estas no quedan determinadas, pero no caben los apremios pecuniarios del art. 241.2 LRJS.

e) Cuando el ente público fuera condenado al pago de una cantidad líquida, el devengo de intereses procederá conforme a lo dispuesto en la legislación presupuestaria, si bien, en determinados casos de falta de diligencia del ente en el cumplimiento, la autoridad judicial podrá incrementar en dos puntos el interés legal.

35.2.–El art. 288 LRJS regula un trámite previo y necesario para el cumplimiento de los procesos seguidos por prestaciones de pago periódico de la Seguridad Social que no resultan únicamente aplicables cuando la condenada es un ente público, sino también, cuando es persona distinta, como una Mutua o una empresa. Se trata de supuestos donde el fallo de la sentencia ha condenado a la constitución de capital coste de renta con el que poder pagar prestaciones de pago periódico de la Seguridad Social o de una prestación no capitalizable. A ese efecto, firme la sentencia y si no se ha determinado antes el capital, el letrado de la Administración de justicia, remitirá a la TGSS copia certificada de la sentencia para que se proceda a la fijación del capital coste renta, lo que deberá hacerse en el plazo de diez días. Una vez recibida la respuesta en la oficina judicial, se notificará a las partes, requiriendo al condenado para que ingrese el capital en otros diez días. Si se efectúa el ingreso se ha producido el cumplimiento voluntario; si no se efectúa habrá de iniciarse la ejecución ordinaria por obligaciones dinerarias.

II. CUESTIONARIO

1. Los títulos ejecutivos en nuestro derecho

a) son siempre sentencias.

b) son siempre resoluciones judiciales.

c) son siempre resoluciones judiciales firmes.

d) ninguna de las contestaciones anteriores es correcta.

2. La acción ejecutiva

a) no está sujeta a plazo.

b) con carácter general, está sujeta a un plazo de caducidad de un año.

c) con carácter general, está sujeta al mismo plazo que existe para el ejercicio de la correspondiente acción declarativa.

d) con carácter general, está sujeta a un plazo de prescripción de un año.

3. El proceso ejecutivo

a) como regla general, se inicia a instancia de parte y, a partir de ahí, se tramita de oficio.

b) como regla general, se inicia y tramita de oficio.

c) como regla general, se inicia a instancia de parte y se tramita del mismo modo.

d) como regla general, se inicia de oficio, pero se tramita a instancia de parte.

4. El proceso ejecutivo

a) se tramita siempre ante el juzgado de lo social.

b) se tramita siempre ante un órgano especializado en materia ejecutiva.

c) se tramita, como regla general, por el órgano que conoció del asunto en la instancia.

d) e tramita ante los juzgados de lo mercantil.

5. La ejecución provisional

a) sólo procede en el caso de sentencias condenatorias de despido que hubiesen sido recurridas.

b) sólo procede en el caso de sentencias condenatorias al pago de cantidad que hubiesen sido recurridas.

c) nunca procede en el caso de sentencias condenatorias en materia de seguridad social que hubiesen sido recurridas.

d) ninguna de las afirmaciones anteriores es verdadera.

6. En la ejecución dineraria, el auto despachando ejecución

a) Se dicta con audiencia previa del ejecutado y resulta recurrible por el ejecutado.

b) Se dicta sin dar audiencia previa al ejecutado y resulta recurrible por el ejecutante si se deniega la ejecución.

c) Se dicta sin dar audiencia previa al ejecutado y resulta recurrible por el ejecutado si se acuerda en él despachar la ejecución.

d) Se dicta sin audiencia previa del ejecutado y nunca resulta recurrible.

7. En la ejecución dineraria, el auto despachando ejecución fijará la cantidad total por la que ha de despacharse ejecución, que incluirá el principal, que es la cantidad reflejada en el título ejecutivo, más

a) únicamente los intereses.

b) únicamente las costas.

c) los intereses y las costas, fijados éstos últimos definitivamente.

d) los intereses y las costas, fijados éstos últimos provisionalmente.

8. En la ejecución dineraria, la forma de asegurar el embargo es

a) La anotación preventiva del embargo en los bienes inmuebles y los bienes susceptibles de inscripción registral.

b) La anotación preventiva del embargo en los bienes muebles y los bienes susceptibles de inscripción registral.

c) La anotación preventiva del embargo en el caso de dinero.

d) La anotación preventiva del embargo en el caso de frutos o rentas.

9. En la ejecución dineraria, el principal medio para realizar los bienes embargos es:

a) La subasta judicial.

b) La venta entre particulares.

c) El depósito.

d) La subasta ante fedatario.

10. Si se declara desierta la subasta, el acreedor o los responsables subsidiarios o solidarios pueden adjudicarse el bien

a) Por el 10 por cien del valor de su tasación.

b) Por el 20 por cien del valor de su tasación.

c) Por el 30 por cien del valor de su tasación.

d) Por el 50 por cien del valor de su tasación.

11. Rubén Albiach, trabajador de la empresa TURILALIA, S.L., instó proceso ejecutivo contra su empresa y ésta pretende oponerse a la ejecución por diferentes motivos, si bien hay uno de los listados que no cabe aducir:

a) Que el título ejecutivo es injusto.

b) Que la deuda está saldada porque ya cumplió la condena.

c) Que carece de legitimación.

d) Que la deuda está prescrita.

12.- Rubén Albiach, trabajador de la empresa TURILALIA, S.L., instó proceso ejecutivo contra su empresa; en el seno del mismo, han alcanzado un acuerdo por el que el ejecutante acepta condonar o perdonar un 10 por cien de la deuda al ejecutado, a cambio éste acepta pagar la deuda en el plazo de 1 mes.

a) No hace falta que sea homologado nunca porque es un acuerdo privado.

b) El acuerdo transaccional debe ser necesariamente homologado por la autoridad judicial para que pueda ser ejecutado.

c) Sólo ha de ser homologado si lo piden las partes.

d) Sólo es necesaria la homologación cuando hay una reducción de la deuda.

13.- Rubén Albiach, trabajador de la empresa TURILALIA, S.L., instó proceso ejecutivo contra su empresa; en el seno del mismo, se pretende embargar una nave industrial del empresario, pero resulta que el bien ya está embargado.

a) Será posible la concurrencia de embargos si así lo decide el titular del Registro de la propiedad donde está inscrita la nave.

b) Habrá que localizar otro bien, pues la legislación no permite que se embargue algo que ya está embargado.

c) No hay problema, pues la legislación permite la concurrencia de embargos sobre un mismo bien.

d) Será posible la concurrencia de embargos sólo si así lo pide el Fondo de Garantía Salarial.

14.- Rubén Albiach, trabajador de la empresa TURILALILA, S.L., instó proceso ejecutivo contra su empresa; la empresa se plantea si está obligada a señalar los bienes que posee para la traba y embargo.

a) Sí está obligado, pero sólo a señalar las cuentas corrientes de las que sea titular, no otros bienes.

b) No, es una tarea que corresponde al órgano judicial.

c) No, es una tarea que corresponde al ejecutante.

d) Sí, estará obligada cuando se lo requiera el Letrado de la Administración de Justicia

15.- Luis Sanabria es la parte ejecutada en un embargo. Señale de los siguientes bienes que posee cuáles no pueden ser embargados:

a) Los saldos favorables en cuentas bancarias

b) Depósitos obrantes en bancos.

c) Bienes inmuebles

d) Sus ropas, salvo que puedan considerarse superfluas.

16.- La mercantil LÓPEZ LÓPEZ, S.L. ha sido condenada a pagar una indemnización de despido improcedente por valor de 39.500 € al trabajador Santiago García. El trabajador, pasados 3 meses, pretende ejecutar la sentencia.

a) Santiago podrá ejecutar la sentencia por el procedimiento de ejecución de cantidad.

b) Santiago podrá ejecutar la sentencia por el procedimiento de ejecución de sentencias de despido.

c) Santiago no podrá ejecutar la sentencia pues está fuera de plazo.

d) Santiago podrá ejecutar la sentencia por el procedimiento de ejecución de sentencias de despido, pero pidiendo apremios pecuniarios.

17.- Pepa Batalla interpuso demanda contra su empresa, ARTEMISA, S.L., reclamando el pago de 3.000 euros. La sentencia del Juzgado de lo social nº 3 de Alicante condenó a la empresa al pago de la mencionada cantidad y fue recurrida en suplicación ante el TSJ de la Comunidad Valenciana, que la confirmó. A pesar de ello, ARTEMISA, S.L. no ha dado cumplimiento al fallo y por ello Pepa Batalla ha decidido iniciar el proceso de ejecución, planteándose cuál será el órgano judicial competente para su tramitación

- a) La sala de lo social del Tribunal Superior de Justicia de la Comunidad Valenciana.
- b) El Juzgado de lo Social nº 3 de Alicante.
- c) La sala de lo social de la Audiencia Nacional
- d) La sala de lo social del Tribunal Supremo

18.- Pepa Batalla interpuso demanda contra su empresa, ARTEMISA, S.L., reclamando el pago de 3.000 euros. La sentencia del Juzgado de lo social nº 3 de Alicante condenó a la empresa al pago de la mencionada cantidad y fue recurrida en suplicación ante el TSJ de la Comunidad Valenciana, que la confirmó. A pesar de ello, ARTEMISA, S.L. no ha dado cumplimiento al fallo y por ello Pepa Batalla ha decidido iniciar el proceso de ejecución presentando la oportuna demanda ejecutiva.

- a) La demanda ejecutiva se debe comunicar siempre al Fondo de garantía salarial.
- b) La demanda ejecutiva debe contener una fundamentación jurídica.
- c) La demanda ejecutiva se debe comunicar siempre al Ministerio Fiscal.
- d) La demanda ejecutiva no debe contener una fundamentación jurídica, basta con aportar el título de ejecución y solicitar la actividad ejecutiva.

19.- Pepa Batalla interpuso demanda contra su empresa, ARTEMISA, S.L., reclamando el pago de 3.000 euros. La sentencia del Juzgado de lo social nº 3 de Alicante condenó a la empresa al pago de la mencionada cantidad y fue recurrida en suplicación ante el TSJ de la Comunidad Valenciana, que la confirmó. A pesar de ello, ARTEMISA, S.L. no ha dado cumplimiento al fallo y por ello Pepa Batalla ha decidido iniciar el proceso de ejecución presentando la oportuna demanda ejecutiva que ha sido admitida, dictándose auto despachando ejecución.

- a) El auto despachando ejecución sólo puede establecer el pago de 3.000 euros como cantidad principal, pero no intereses ni costas.
- b) El auto despachando ejecución puede establecer el pago de 3.000 euros, a los que sólo cabe añadir el pago de los intereses.
- c) El auto despachando ejecución puede incluir el principal de 3.000 euros, más los intereses y las costas.

d) El auto despachando ejecución nunca contiene un cálculo de la cantidad que ha de ejecutarse.

20.- Luis Sanabria es la parte ejecutada en un embargo laboral y ha visto cómo le embargaban su vehículo particular.

a) El vehículo, desde que se decreta el embargo, pasa a ser propiedad del Estado.

b) Luis ya no puede usar su vehículo.

c) Un vehículo es un bien mueble, y este tipo de bienes nunca pueden ser embargados.

d) Luis puede usar su vehículo en tanto éste no sea subastado y adjudicado.

III. SOLUCIONES AL CUESTIONARIO

1: D	2: C	3: A	4: C	5: D	6: B	7: D	8: A	9: A	10: C
11: A	12: B	13: C	14: D	15: D	16: A	17: B	18: D	19: C	20: D

IV. ACTIVIDADES PROPUESTAS

Trate de resolver los siguientes supuestos que se plantean en relación con la ejecución; en todos ellos, proceda a leer atentamente los hechos que se relatan para, a continuación, responder a las cuestiones que se formulan.

Supuesto 1

Un trabajador planteó demanda contra su empresa en reclamación de tres meses de salario que no le habían sido abonados. La sentencia le fue favorable. El fallo, en efecto, estimaba la demanda y declaraba el derecho del actor a percibir la cantidad de 3.927,50 euros.

Cuestiones

1. Suponga que la empresa recurre esta decisión y que el trabajador tiene necesidad acuciante del dinero al no tener otras fuentes de ingresos. ¿Cree Vd. que existe alguna solución?

2. Suponga que la empresa no recurre y que pasan dos meses sin que haya dado cumplimiento a la sentencia.

   2.1. ¿A quién habría de dirigirse el trabajador para obtener satisfacción de su pretensión?

2.2. Redacte un escrito dirigido al indicado órgano con la finalidad de que se dé cumplimiento a la sentencia.

2.3. ¿Qué pasará en caso de que el empresario sea titular de bienes suficientes para pagar la deuda? ¿Y en caso contrario?

3. Imagine que el asunto que nos ocupa no llegó a juicio, sino que trabajador y empresario alcanzaron un acuerdo en la conciliación administrativa previa, reconociendo éste adeudar a aquel la cantidad de 3.927,50 €. ¿Cómo incidiría esta circunstancia en la respuesta a las cuestiones anteriores?

Supuesto 2

D. José R.P. prestaba servicios como único trabajador en el Mercado de Abastos de Barcelona de la empresa "Pescados Ferpa, SL", domiciliada también en la calle Joaquín Costa de Barcelona. El trabajador ha sido despedido el 21 de enero de este año, interponiendo la papeleta de conciliación el día 25 del mismo mes. Celebrado el acto de conciliación ante el SMAC de Barcelona el 30 de enero, se llegó a un acuerdo, porque la empresa reconoció la improcedencia del despido aceptando depositar la indemnización, que según los cálculos del graduado social que representaba el trabajador, ascendía a la cantidad de 8.202,58 euros. El letrado conciliador extendió la correspondiente acta del acuerdo.

No obstante, la empresa no hizo efectivo el pago de la indemnización pactada, por lo que el trabajador decide instar la ejecución solicitando el pago de la mencionada cantidad, más intereses y costas. El trabajador tuvo conocimiento después que la empresa había sido disuelta el 17 de febrero de este mismo año y que una nueva empresa dedicada también a la venta de pescado y marisco, denominada "Pescado y Marisco Mario, SL" había adquirido el contrato de alquiler correspondiente a los lugares de venta que tenía la empresa "Pescados Ferpa, SL" en el Mercado de Abastos y otros bienes propiedad de la empresa.

Cuestiones

1. Determine si el trabajador goza de título suficiente para instar la correspondiente ejecución, y en su caso el plazo, el órgano y el tipo de ejecución que debe instar.

2. El trabajador ante el peligro de no cobrar ninguna cantidad decide intentar ampliar la ejecución contra el administrador de su empresa, el señor Jorge F.G. y la empresa "Pescado y Marisco Mario, SL", por entender que se ha producido una sucesión de empresa del art. 44 ET. ¿En qué trámite podría solicitar la ampliación de la ejecución?

3. Tanto la empresa "Pescado y Marisco Mario, SL", como el señor Jorge F.G. se oponen a la ampliación alegando falta de legitima-

ción pasiva. El órgano judicial, tras la celebración de la correspondiente comparecencia, resuelve por medio de auto de 7 de abril. La parte dispositiva de dicho auto era del siguiente tenor literal: «No ha lugar la ampliación de responsabilidad solicitada por D. José R.P., contra D. Jorge F.G. y contra la entidad "Pescado y Marisco Mario SL"».

El trabajador decide impugnar la resolución judicial. ¿Qué tipo de medio de impugnación debe utilizar? Si el órgano ante el cual plantea el primer medio de impugnación se lo desestimara de nuevo por medio de auto, ¿podría plantear un nuevo recurso?

Supuesto 3

Un trabajador inició un proceso de reclamación de cantidad el 15 de enero del año anterior, celebrándose el juicio el 9 de diciembre del año anterior. Por sentencia del juzgado de lo social de Valencia núm. 16 fechada el 8 de enero del presente año se reconoció a un trabajador el pago de determinadas cantidades en concepto de salarios por un importe de 4.618 euros. Esta resolución devino firme devino firme. Ante la falta de pago de lo reconocido en la sentencia, el trabajador solicitó inicio del proceso de ejecución.

El órgano judicial despachó ejecución, ante lo que se opuso el ejecutado, que pretendía aducir que ya había pagado al trabajador por otros conceptos alegando pagos efectuados en octubre y noviembre del año anterior.

El órgano judicial resolvió mediante un auto, en el que rechazaba la oposición del deudor por ser los pagos aducidos por el ejecutado anteriores a la constitución del título ejecutivo.

Cuestiones

1. Determine el tipo de ejecución que habría de instar el trabajador, el plazo que tendría para instar la ejecución y el órgano judicial competente para su conocimiento.

2. ¿Qué trámite incidental se ha de abrir para sustanciar la oposición del ejecutado?

3. Indique si el motivo aducido por el ejecutado de pagos efectuados con anterioridad a la sentencia es uno de los que permite la ley procesal para oponerse a la oposición previstos en el art. 239.4 LRJS.

4. Imagine que es el letrado del ejecutado y pretende impugnar el auto rechazando la oposición. ¿Qué medio de impugnación podría plantear?

Supuesto 4

En un procedimiento de reconocimiento de derecho seguido a instancia de la trabajadora demandante D. I. Herrera contra la Consellería de Justicia, se dictó Sentencia de 14 de noviembre del año pasado en la que, estimando la demanda, se condenaba a la mencionada entidad a hacer efectivo el cambio de puesto de trabajo reclamado por la actora, asignándole un puesto de trabajo compatible con sus patologías, sin merma de sus retribuciones salariales.

Firme la indicada resolución, la demandante pidió su ejecución, reclamando el cumplimiento efectivo del fallo y señalando que la Administración no había realizado gestión alguna tendente a su acatamiento.

A la vista de tal petición se tramitaron sendos requerimientos al organismo ejecutado sobre el estado de cumplimiento de la sentencia arriba mencionada, resolviendo la Administración que se le asignaría un nuevo puesto de trabajo cuando existiese una vacante compatible con sus características. Dando parte a la representación letrada de la ejecutante, y a instancia de éste primero, el órgano judicial solicitó primero un listado de puestos vacantes compatibles y ante la inexistencia de vacantes, acordó posteriormente por resolución de 14 de julio de este año relevar a la actora de su prestación laboral, con obligación de la Administración demandada de seguir abonándole sus salarios, en tanto no se proveyese la correspondiente vacante.

El auto fundamenta esta solución en que la LRJS posibilita un amplio margen de decisión a los órganos judiciales que están obligados a adoptar cuantas medidas fuesen precisas para el eficaz cumplimiento por la Administración de los fallos judiciales, sin precisar el contenido de esas medidas (STC 26/1993, de 13 de abril y STC 18/1997, de 10 de febrero). En concreto, mientras no conste la total ejecución de la sentencia, el órgano judicial, de oficio o a instancia de parte, adoptará cuantas medidas sean adecuadas para promoverla y activarla. Dentro de este marco legislativo, que posibilita un amplio margen de decisión del órgano ejecutor para decidir las medidas coercitivas más efectivas el órgano judicial entiende que ésta es la mejor medida para presionar a la Administración para que dé cumplimiento a la sentencia.

Cuestiones

1. Determine el tipo de ejecución que habría de instar la trabajadora, el plazo que tendría para instar la ejecución y el órgano judicial competente para su conocimiento.

2. ¿Se podrían imponer las medidas de apremio pecuniario del art. 241.2 LRJS a la administración ejecutada para que ofreciera una vacante?

3. Imagine que es el letrado de la administración ejecutada y pretende oponerse al auto que acuerda relevar a la trabajadora de prestar

sus servicios en tanto no proveyese una vacante. ¿Cuál sería el medio de impugnación que cabría plantear?

4. Imagine que el órgano judicial ejecutante rechaza nuevamente su oposición y usted se plantea recurrir ante un órgano judicial superior aduciendo que ha habido una transformación de la obligación de la condena contenida en la sentencia –que habría pasado de consistir en una obligación de cambio de puesto de trabajo adecuado a sus limitaciones físicas a convertirse en una obligación pecuniaria de abono de salarios sin contraprestación laboral alguna–, lo que supondría una desviación del fallo y el reconocimiento de una petición jamás postulada por la parte actora. ¿Cuál sería el medio de impugnación que cabría plantear?

V. GLOSARIO

– *Ejecución definitiva:* Medidas de ejecución de una sentencia firme.

– *Ejecución provisional:* Medidas de ejecución de una sentencia que no ha adquirido firmeza.

– *Ejecutado:* Sujeto contra el que se dirige el procedimiento ejecutivo.

– *Ejecutante:* Beneficiado por un título ejecutivo, al que corresponde poner en marcha el procedimiento de ejecución.

– *Ejecutoria:* Sentencia que tiene la condición de título ejecutivo.

– *Embargo:* Actividad jurisdiccional que persigue la individualización de bienes suficientes del patrimonio del deudor, declarándolos sujetos a la ejecución para proporcionar al acreedor-ejecutante una cantidad de dinero.

– *Gravamen:* Situación en la que se encuentra una parte cuando es perjudicada, total o parcialmente, por una determinada resolución y que constituye un requisito para poder impugnarla.

– *Tercería de dominio:* Incidente ejecutivo sustanciado a instancias de un tercero que afirma ser el auténtico titular de los bienes embargados al ejecutado.

– *Tercería de mejor derecho:* Incidente ejecutivo sustanciado a instancias de un tercero que afirma tener sobre los bienes embargados una expectativa más fuerte de la que corresponde al ejecutante y que por ello le corresponde cobrar primero sobre el resultado de su realización.

– *Traba:* Decisión judicial por la cual un bien del deudor-ejecutado queda afecto a la finalidad de ejecución del título de que se trate.

LAS ACCIONES LABORALES EN EL MARCO DEL CONCURSO

CONTENIDO GENERAL

Este anexo tiene por objeto apuntar de una manera muy elemental una serie de matices que se producen en el ejercicio de las acciones laborales cuando la empresa se encuentra incursa en una situación concursal y que afectan tanto a la competencia judicial, como al modo de ejercitar las pretensiones. Para su comprensión, siempre de un modo absolutamente simplificado, se aporta una aproximación al significado de la situación concursal y a su tramitación.

OBJETIVOS PERSEGUIDOS

– Aproximarse al significado del concurso de acreedores, tanto a la situación determinante del mismo, como a su declaración.

– Tener una visión general sobre la tramitación del concurso de acreedores.

– Conocer las singularidades con que se encuentran el ejercicio de las acciones laborales en tales situaciones.

SUMARIO: I. DESARROLLO. 1. Introducción. 1.1. Pluralidad de acreedores e insuficiencia patrimonial. 1.1.1. La perspectiva del acreedor: el riesgo de insatisfacción. 1.1.2. La perspectiva del deudor: el riesgo de desaparición. 1.2. La respuesta del ordenamiento jurídico. 1.2.1. La respuesta tradicional: concurso, quiebra y suspensión de pagos. 1.2.2. La respuesta de la Ley Concursal: la unificación. 1.3. Los principios concursales. 2. La tramitación concursal: visión general. 2.1. Incoación: la situación de insolvencia como presupuesto. 2.1.1. Legitimación. 2.1.2. Competencia. 2.2. Declaración del concurso. 2.2.1. La verificación de los presupuestos –arts. 13 a 20 LC–. 2.2.2. El auto de declaración: objetivos y efectos. A) Evitar un mayor deterioro: suspensión o intervención de facultades. B) Evitar la satisfacción individual: paralización de ejecuciones. 2.3. Fase común del concurso. 2.3.1. La determinación de las masas activa y pasiva: inventario y lista de acreedores. 2.3.2. El desarrollo y la finalización. 2.4. Fase convenio o liquidación. 3. Las acciones "sociales" en las situaciones concursales. 3.1. La declaración del concurso y su repercusión en las relaciones laborales. 3.2. Los conflictos sociales tras la declaración del concurso. 3.2.1. La incidencia respecto los procesos en tramitación. A) Procesos declarativos. B) Procesos ejecutivos. 3.2.2. La incidencia respecto el planteamiento de nuevos procesos. A) Procesos declarativos. B) Procesos ejecutivos. 3.2.3. El incidente concursal. A) La demanda. B) El acto del juicio. C) La sentencia.

I. DESARROLLO

1. *Introducción*

1.1. Pluralidad de acreedores e insuficiencia patrimonial

1.–El hecho de que un sujeto tenga contraídas una pluralidad de deudas con diferentes personas o entidades a las cuales no puede hacer frente genera una serie de problemas específicos a los que el ordenamiento jurídico debe intentar de responder teniendo en cuenta la diversidad de intereses concurrentes. Y es que, en tales circunstancias, las distintas ejecuciones individuales derivadas de cada concreta deuda impagada irán vaciando paulatinamente el patrimonio del deudor, sus activos, hasta que, al extremo, aquél llegue a desaparecer.

1.1.1. *La perspectiva del acreedor: el riesgo de insatisfacción*

2.–Pues bien, así las cosas, resulta obvio que los **acreedores** se enfrentan a una situación en la que si no se adoptan medidas especiales, las perspectivas de satisfacción de sus respectivos créditos se reparten desigualmente entre los mismos, lo que puede llevar a que unos cobren y otros no –en función de las garantías con que hayan asegurado el pago, el momento de ejercicio de la acción, etc.–, algo que resulta ciertamente injusto. Por ello, en general, estarán interesados en que el ordenamiento jurídico garantice, de alguna manera, sus perspectivas de cobro en condiciones de igualdad.

1.1.2. *La perspectiva del deudor: el riesgo de desaparición*

3.–Por otra parte, también el **deudor** puede tener un interés propio en que se adopten unas medidas concretas que le permitan librarse, al menos temporalmente, del deber de atender puntualmente a los pagos de sus deudas, evitando que de su patrimonio vayan saliendo bienes como consecuencia de las ejecuciones singulares despachadas. Y ello por diferentes motivos, como, por ejemplo, evitar la desaparición de sus activos, sobre todo cuando esa desaparición pueda determinar el cese de su actividad económica o profesional.

1.2. La respuesta del ordenamiento jurídico

4.–Las circunstancias señaladas suelen ser objeto de consideración por parte de cualquier ordenamiento jurídico a la hora de regular la solución a los problemas que derivan de la insuficiencia del patrimonio del deudor para afrontar el pago de sus deudas. En este sentido, resulta habitual en nuestro entorno jurídico el establecimiento de unos procedimientos de *ejecución colectiva* que permiten responder a la pluralidad de intereses concurrentes, hablándose en estos casos de procedimientos concursales. El objetivo de los mismos no es otro que bien procurar un acuerdo entre el deudor y sus acreedores, bien establecer una liquidación ordenada de los activos patrimoniales del deudor.

1.2.1. La respuesta tradicional: concurso, quiebra y suspensión de pagos

5.–Estos procedimientos, en el caso del ordenamiento jurídico español, tradicionalmente habían sido tres: el concurso de acreedores, para el deudor no comerciante; la quiebra y la suspensión de pagos, para el deudor comerciante. La diferencia entre la suspensión de pagos y la quiebra se encontraba tanto en el presupuesto –en la suspensión, la iliquidez; en la quiebra, la insolvencia– como en el objetivo –en la suspensión, lograr un convenio de quita y espera; en la quiebra, llevar a cabo una ejecución ordenada del patrimonio, si bien podía finalizar con un convenio–.

1.2.2. La respuesta de la Ley Concursal: la unificación

6.–La aprobación de la Ley Concursal en 2003 alteró sustancialmente este organigrama, procediendo a unificar estos procedimientos.

6.1.–En efecto, la Ley Concursal (en la actualidad, texto refundido aprobado por Real Decreto Legislativo 1/2020, de 5 de mayo), regula un procedimiento común que se denomina concurso y que resulta aplicable tanto al deudor comerciante como al no comerciante.

6.2.–En este sentido se manifiesta el art. 1.1 LC cuando establece que "*la declaración de concurso procederá respecto de **cualquier** deudor, sea persona natural o jurídica*".

1.3. Los principios concursales

7.–La regulación de los procedimientos concursales trata de ajustarse a una serie de principios rectores comunes o principios de carácter general, lo que no implica que se cumplan siempre.

7.1.–En primer lugar, se encontraría el relativo al de la ejecución colectiva de todos los acreedores. Ello implica que no habrá ejecuciones individuales, sino que el procedimiento afectará a la generalidad de acreedores, salvo aquéllos que tengan unos garantías específicas.

7.2.–En segundo lugar, estaría el principio de patrimonialidad o ejecución universal –art. 1911 c.c–. Este principio supone que el deudor responde con todos sus bienes presentes y futuros, salvo el inembargable.

7.3.–Finalmente, hay que mencionar el principio de ejecución en comunidad de pérdidas, lo que se denomina *par conditio creditorum*, en función del cual los recursos del deudor, en principio, se reparten entre todos los acreedores.

2. La tramitación concursal: visión general

8.–Los principios señalados van a estar presentes en toda la tramitación que se sigue una vez se declare el concurso. Esta tramitación resulta bastante compleja y atraviesa diferentes fases.

8.1.–En este sentido, el art. 508 LC señala que el procedimiento de concurso se dividirá en seis secciones.

a) La **sección primera** sobre la declaración –*comprenderá todo lo relativo a la declaración de concurso, a las medidas cautelares, a la resolución final de la fase común, a la conclusión y, en su caso, a la reapertura del concurso–*.

b) La **sección segunda**, sobre la administración –*comprenderá todo lo relativo a la administración del concurso, al nombramiento y al estatuto de los administradores concursales, a la determinación de sus facultades y a su ejercicio, a la rendición de cuentas y, en su caso, a la responsabilidad de los administradores concursales–*.

c) La **sección tercera**, relacionada con la masa activa –*comprenderá todo lo relativo a la determinación de la masa activa, a la sustanciación, decisión y ejecución de las acciones de reintegración y de reducción, a la realización de los bienes y derechos que integran la masa activa, al pago de los acreedores y a las deudas de la masa–*.

d) La **sección cuarta**, relativa a la masa pasiva –*comprenderá lo relativo a la determinación de la masa pasiva, a la comunicación, reconocimiento, graduación y clasificación de los créditos. En esta sección se incluirán también, en pieza separada, los juicios declarativos contra el deudor que se hubieran acumulado al concurso de acreedores y las ejecuciones que se inicien o reanuden contra el concursado–*.

e) La **sección quinta**, relativa al convenio o liquidación en que puede finalizar el concurso –*comprenderá todo lo relativo al convenio o, en su caso, a la liquidación–*.

f) La **sección sexta**, sobre calificación –*comprenderá todo lo relativo a la calificación del concurso y a sus efectos–*.

8.2.–Este conjunto de secciones y las actuaciones que comprenden son susceptibles de sistematizarse del siguiente modo: en primer lugar, la incoación; en segundo lugar, la declaración; en tercer lugar, la fase común del concurso; por último, la finalización.

2.1. Incoación: la situación de insolvencia como presupuesto

9.–La puesta en marcha del procedimiento concursal parte de la concurrencia de unos presupuestos que permiten declarar el mismo.

9.1.–En este sentido, la declaración de concurso procederá cuando un deudor, sea personal natural o jurídica como se ha indicado anteriormente, se encuentre en situación de INSOLVENCIA –art. 2.2 LC–, es decir, cuando dicho sujeto *"no puede cumplir regularmente sus obligaciones exigibles"*, según aclara el art. 2.3 LC. Es posible asimismo la declaración en caso de insolvencia inminente, cuando el deudor prevea, esto es, "que no podrá cumplir regular y puntualmente sus obligaciones".

9.2.–En estos casos, los sujetos legitimados a los que se refiere el art. 3 LC pueden solicitar al órgano judicial competente dicha declaración. Así pues, de entrada, cabe cuestionarse quiénes son los legitimados para solicitar la incoación del procedimiento, la declaración del concurso; por otra parte, debe concretarse cuál es el órgano judicial competente para efectuar dicha declaración.

2.1.1. Legitimación

10.–La legitimación para solicitar la declaración del concurso aparece regulada en el art. 3 LC. Este artículo recoge en su apartado primero una regla general en función de la cual pueden instar la declaración del concurso tanto el deudor como cualquiera de sus acreedores –con la salvedad de los aludidos en el apartado 2–. Además, la declaración de concurso de una sociedad puede ser instada por los socios "que sean personalmente responsables de las deudas de aquella" (apartado 3).

10.1.–Así pues, la solicitud la puede presentar el propio deudor. En estos casos se habla de concurso voluntario, atendiendo a que ha sido el propio deudor el que ha interesado la declaración del concurso. En todo caso, esta solicitud puede constituir para dicho sujeto un deber o una facultad.

A) El deudor tiene el deber de solicitar su propia declaración de concurso cuando se encuentre en estado de insolvencia. La solicitud deberá presentarla dentro de los dos meses siguientes a la fecha en que hubiese conocido o debido conocer su estado insolvente –art. 5.1 LC–. Al respecto, existe una presunción *iuris tantum* de que el deudor conocía su estado cuando haya tenido lugar alguna de las circunstancias relatadas en el art. 2.4 LC a las que luego se hará referencia. El incumplimiento de este deber acarrea dos consecuencias de importancia: de un lado, el deudor no podrá presentar propuesta anticipada de convenio; de otro lado, si se abre la sección de calificación se presumirá *iuris tantum* que ha existido dolo o culpa por su parte, lo que conducirá a la calificación del concurso como culpable.

B) La solicitud de declaración de concurso deja de ser un deber y pasa a ser una mera facultad en los casos en que el deudor no se encuentra en situación de insolvencia actual pero sí en insolvencia inminente, esto es, cuando prevé que en un futuro próximo no podrá cumplir regular y puntualmente sus obligaciones.

10.2–. La legitimación para instar el concurso corresponde también a cualquiera de los acreedores. En estos casos, se habla de concurso necesario. La solicitud deberá fundarse en alguna de las circunstancias previstas en el art. 2.4 LC, que son las siguientes:

– La existencia de una previa declaración judicial o administrativa de insolvencia del deudor, siempre que sea firme.

– La existencia de un título por el cual se haya despachado mandamiento de ejecución o apremio sin que del embargo hubieran resultado bienes libres conocidos bastantes para el pago.

– La existencia de embargos por ejecuciones en curso que afecten de una manera general al patrimonio del deudor.

– El sobreseimiento generalizado en el pago corriente de las obligaciones del deudor.

– El sobreseimiento generalizado en el pago de las obligaciones tributarias exigibles durante los tres meses anteriores a la solicitud de concurso; el de las cuotas de la seguridad social y demás conceptos de recaudación conjunta durante el mismo período, o el de los salarios e indemnizaciones a los trabajadores y demás retribuciones derivadas de las relaciones de trabajo correspondientes a las tres últimas mensualidades.

– El alzamiento o la liquidación apresurada o ruinosa de sus bienes por el deudor.

2.1.2. Competencia

11.–El legitimado presentará su solicitud de declaración del concurso ante el órgano jurisdiccional competente.

11.1.–La competencia para la solución de estos asuntos está atribuida a los juzgados de lo mercantil, en los términos del artículo 44 LC. La competencia territorial aparece regulada en el artículo 45 LC.

11.2.–Los requisitos que debe presentar la solicitud son diferentes en función de quien haya instado el procedimiento: si se trata de un concurso voluntario –iniciativa del deudor–, estaremos a lo dispuesto en los artículos 6 ss. LC; si se tratase de un concurso necesario –esto es, a iniciativa de algún acreedor u otros legitimados– a lo dispuesto en el artículo 13 ss LC. En ambos casos se requiere de procurador y abogado.

2.2. Declaración del concurso

2.2.1. *La verificación de los presupuestos –arts. 10 ss. LC–*

12.–Una vez se ha presentado la solicitud el juez desarrolla una serie de actuaciones encaminadas a verificar la concurrencia en el caso de las circunstancias que legalmente determinan el estado de insolvencia del deudor y, por tanto, la procedencia o improcedencia de la declaración del concurso. Estas actuaciones son diferentes según se trate de un concurso voluntario o necesario y aparecen reguladas en los artículos 10 ss. LC, en el primer supuesto, y 13 ss., en el segundo.

12.1.–En el primer caso, de manera muy sintética, se prevé un trámite sin contradicción, de forma que a la vista de la solicitud presentada y de la documentación anexa el juez resuelve la petición.

12.2.–En el segundo caso, el trámite es contradictorio, emplazándose al deudor para que pueda formular oposición y, en caso de que efectivamente se oponga, el juez decida celebrar una vista en la que las partes tendrán la oportunidad de formular alegaciones y proponer y practicar pruebas.

2.2.2. *El auto de declaración: objetivos y efectos*

13.–Tras el desarrollo de las actuaciones anteriores, habiendo constatado la situación de insolvencia, el juez declarará el concurso mediante un auto que contendrá los extremos recogidos en el artículo 28 LC. El auto de declaración produce unos efectos inmediatos tendentes a la consecución de dos objetivos diversos (arts. 105 ss. LC).

A) Evitar un mayor deterioro: suspensión o intervención de facultades

14.–El primer objetivo se dirige a evitar que la situación patrimonial del deudor se deteriore aún más.

14.1.–Ello se consigue, principalmente, privando al deudor de la disposición y administración de sus bienes y confiándosela a unos administradores nombrados por el juez, o, sin privarle de tales facultades, sujetando su ejercicio a una fiscalización por parte de los administradores. En el primer caso se habla de SUSPENSIÓN, situación que se liga normalmente al concurso necesario; en el segundo de INTERVENCIÓN, normalmente vinculada al concurso voluntario (arts. 105 ss. LC).

14.2.–En todo caso, interesa resaltar que la LC pretende que con carácter general la declaración del concurso no interrumpa la actividad profesional o empresarial a que se dedique el deudor –art. 111 LC–, lo que va a exigir que se autoricen los actos de gestión patrimonial que sean necesarios para la continuidad de dicha actividad. De manera excepcional, se prevé que el juez pueda decidir el cierre o la suspensión de la actividad empresarial. Todo ello tiene una clara repercusión en las relaciones laborales. En este sentido, el poder empresarial podrá estar complementado o sustituido por el de los administradores, según los casos; otras medidas requerirán para su adopción que sean decididas por el juez del concurso.

B) Evitar la satisfacción individual: paralización de ejecuciones

15.–El segundo de los objetivos se dirige a evitar la satisfacción individual de los acreedores, pues lesionaría el principio de la *par conditio creditorum*.

15.1.–Este objetivo se logra fundamentalmente poniendo fin a los procesos de ejecución singular pendientes al declararse el concurso e impidiendo la iniciación de otros nuevos, con algunas excepciones.

15.2.–Ello implica, por lo que atañe a las relaciones laborales, que el privilegio de la ejecución separada que existía en el art. 32 ET para los créditos de naturaleza laboral desaparece en gran medida.

2.3. Fase común del concurso

16.–Una vez declarado el concurso y designados los administradores se entra en lo que se denomina la fase común del concurso. Esta fase está encaminada a determinar los bienes y derechos que integran el activo patrimonial del deudor y a identificar los acreedores del deudor cuya ordenada satisfacción constituye la finalidad del proceso.

2.3.1. La determinación de las masas activa y pasiva: inventario y lista de acreedores

17.–La primera parte, esto es, la determinación del activo se efectúa mediante la realización de un **INVENTARIO**. Para ello se toma la masa activa del deudor en los términos del art. 192 LC. A partir de ahí, se llevan a cabo una serie de operaciones.

17.1.–Por un lado, se encuentran las de **separación** –pues en la masa activa sólo deben figurar los bienes y derechos del concursado–, a las que se refiere los arts. 239 ss. LC.

17.2.–Por otro lado, estarían las acciones tendentes a la **reintegración** a las que se refieren los arts. 226 y ss. LC, relacionadas con los bienes que han salido indebidamente del patrimonio del concursado y que, en consecuencia, deben retornar.

18.–Una vez realizadas las operaciones anteriores se puede formular el inventario donde aparecerán listados los bienes y derechos del deudor, así como su avalúo. A ello se refiere el art. 82 LC.

19.–La segunda parte se lleva a cabo mediante la confección de la **LISTA DE ACREEDORES**. La masa pasiva está constituida por todos los acreedores que ostentan créditos concursales. La determinación de los mismos pasa por su comunicación (arts. 252 ss. LC), reconocimiento (arts. 259 ss. LC) y finalmente clasificación (arts. 269 ss.).

19.1.–Los **créditos concursales** se clasifican de acuerdo con el art. 269 LC. Existen créditos con privilegio especial (arts. 270 ss. LC); créditos con privilegio general (art. 280 LC); créditos ordinarios (art. 269.3 LC); créditos subordinados (art. 281 ss. LC). Hay que destacar que los privilegios salariales previstos en el art. 32 ET dejan de ser operativos en estas circunstancias y se someten a la clasificación de la Ley Concursal.

19.2.–Junto a los anteriores se encuentran los **créditos contra la masa** –su pago se efectúa al tiempo de su vencimiento, con cargo al activo y no forman parte de la masa pasiva, sin someterse a los mecanismos concursales, es decir, se exceptúan de la *par conditio creditorum* (arts. 242 ss. LC). A esta categoría pertenecen ciertos créditos laborales (los salarios de los últimos treinta días en cuantía no superior al doble del SMI y los créditos laborales posteriores a la declaración del concurso).

2.3.2. *El desarrollo y la finalización*

20.–Toda esta fase puede originar distintos conflictos que determinen el ejercicio de diferentes acciones. Por ejemplo, en la determinación del activo, la de *separatio ex iure dominii*, las rescisorias o la impugnación del inventario; en la determinación del pasivo, las relacionadas con la lista de acreedores, por ejemplo, la clasificación. El juez debe poner fin a la fase común una vez que se aprueba definitivamente el inventario y la lista de acreedores, bien porque no ha habido impugnaciones, bien porque las mismas ya han sido resueltas. A partir de ahí dictará un auto en el que, además de poner fin a esta fase, declarará abierta la siguiente.

2.4. Fase de convenio o liquidación

21.–Una vez han sido desarrolladas las actividades propias de la fase común resulta posible ya emprender las acciones directamente encaminadas a la consecución de un convenio entre el deudor y los acreedores o a liquidar el activo patrimonial del deudor y distribuir el producto entre los acreedores conforme a las reglas legales de preferencia.

21.1.–La LC trata de favorecer la suscripción de un convenio entre el deudor y los acreedores en el que estos se avengan a aceptar algunos sacrificios –quitas o esperas– con vistas a facilitar la recuperación del deudor.

21.2.–Ahora bien, si dicho convenio no se alcanza, o si logrado se incumple, se procede a la liquidación.

3. Las acciones "sociales" en las situaciones concursales

3.1. La declaración del concurso y su repercusión en las relaciones laborales

22.–La declaración del concurso, se ha destacado con anterioridad, no determina de por sí el cese de la actividad empresarial, esto es, no hace desaparecer la empresa necesariamente, sino que, al contrario, ésta puede continuar desarrollando sus actividades. Ahora bien, esa continuidad tiene lugar de una manera especial que tiene su trascendencia en las relaciones laborales.

22.1. Por un lado, tras la declaración del concurso, el empresario habrá quedado suspendido o intervenido y, en consecuencia, la realización de ciertos actos requerirá la actuación de los administradores con carácter sustitutivo o complementario de aquél.

22.2. Por otro lado, ciertas decisiones empresariales únicamente podrán ser adoptadas por el juez del concurso, por el juez de lo mercantil. En este sentido, la situación de la empresa puede requerir de la adopción de determinadas medidas de reorganización productiva como traslados, modificaciones sustanciales, suspensiones o despidos por causas económicas, técnicas, organizativas o de la producción. Pues bien, cuando dichas decisiones tengan un carácter colectivo, su adopción corresponde al juez del concurso.

3.2. Los conflictos sociales tras la declaración del concurso

23.–El hecho de que la empresa continúe desarrollando sus actividades determina que, junto a los conflictos que pudieran estar pendientes de solución, puedan surgir nuevos pleitos; lo mismo sucede cuando se ha decidido la no continuación de la actividad empresarial. Pues bien, sobre cualquiera de las acciones derivadas de estas situaciones, tanto las pendientes como las nuevas, puede tener cierta repercusión la declaración del concurso.

3.2.1. *La incidencia respecto los procesos en tramitación*

24.–En primer lugar, cabe hacer referencia a qué sucede respecto los procesos que pudieran estar abiertos al tiempo de la declaración del concurso, debiéndose distinguir las acciones declarativas de las ejecutivas.

A) Procesos declarativos

25.–Por lo que respecta a las acciones declarativas, la regla general es que los procesos declarativos que estuvieren abiertos continúen sustanciándose ante el mismo juez o tribunal que estuviera conociendo de ellos hasta la firmeza de la sentencia (art. 137 LC) En todos estos casos debe matizarse que será parte la administración concursal (art. 120.2 LC).

B) Procesos ejecutivos

26.–Por lo que respecta a los procesos ejecutivos, el art. 52.2ª LC atribuye al juez del concurso la competencia sobre toda ejecución frente a los bienes y derechos de contenido patrimonial del concursado, cualquiera que sea el órgano que la hubiera ordenado. Esto debe completarse con lo previsto en los arts. 142 ss. LC. La lectura de estos preceptos permite diferenciar las siguientes situaciones respecto las ejecuciones pendientes:

26.1.–Por un lado, y hasta la fase de liquidación, podrán continuarse aquellas ejecuciones laborales en las que con anterioridad a la declaración del concurso se hubiesen embargado bienes del concursado, siempre que estos no resultasen necesarios para la continuación de la actividad empresarial (art. 144 LC).

26.2.–Por otro lado, las restantes –aquéllas en las que se no se hubiese decretado aún el embargo o en las que se decretó pero los bienes embargados resultan precisos para la actividad– quedan en suspenso durante la tramitación del concurso y los créditos a los que se refieran tendrán el tratamiento concursal correspondiente (art. 143 LC).

3.2.2. *La incidencia respecto el planteamiento de nuevos procesos*

27.–Una vez visto qué sucede con los procesos declarativos y ejecutivos pendientes, cabe plantear qué sucede con los nuevos procesos, en concreto, qué repercusión tiene el concurso respecto los mismos.

A) Procesos declarativos

28.–Por lo que atañe a los **procesos declarativos**, la regla general es que la mayor parte de procesos entre el empresario y el trabajador seguirá sustanciándose ante el orden social, si bien deberá ser parte en los mismos la administración concursal –así como el FOGASA cuando se pueden derivar sus responsabilidades–. A ello se refiere el artículo 53 LC. Con todo, hay ciertas acciones que presentan un régimen específico y pasan a ser, al menos en la instancia, competencia del juez del concurso, debiendo abstenerse los jueces de lo social de admitir las demandas correspondientes (art. 136.1.1ª LC).

28.1.–En este sentido, en primer lugar, hay que pensar que la empresa puede necesitar de la adopción de ciertas medidas reorganizativas para seguir adelante. La adopción de estas medidas previstas en los arts. 40, 41, 47 y 51 ET, cuando tienen una dimensión individual o plural no experimenta cambios.

La alteración se produce en los casos en que dichas medidas se califican de colectivas, así como las relacionadas con la suspensión o extinción de contratos de alta dirección. En estos casos, es necesario distinguir diferentes situaciones.

a) Si la **empresa no estuviera concursada,** todas estas medidas, tras el oportuno período de consultas, corresponde adoptarlas a la empresa, se haya alcanzado acuerdo o no. El art. 170 LC establece una serie de reglas especiales para los casos en los que la declaración de concurso sobreviene a procedimientos que se encuentran en tramitación.

b) Si la **empresa estuviera concursada,** todas estas medidas, tras el oportuno período de consultas, las adopta el juez del concurso mediante un auto (arts. 171 ss LC).

– La impugnación de dicho auto se efectúa ante el orden social a través del recurso de suplicación (art. 551 LC)

– Las impugnaciones individuales (preferencias; indemnizaciones; etc.) se efectúan ante el juez del concurso mediante el incidente concursal (art. 541 LC); la sentencia del juez del concurso se impugna ante el orden social mediante el recurso de suplicación (art. 551 LC).

28.2.–En segundo lugar, al margen de las medidas reorganizativas, la situación crítica por la que atraviesa la empresa puede determinar también que se haya producido el impago de salarios. Pues bien, a partir de ese impago, cabe imaginar que algún trabajador solicite la extinción por la vía del art. 50.1.b) ET; en estos casos, cuando las acciones se ejerciten una vez comenzado el procedimiento de despido colectivo, quedarán suspendidas hasta que se resuelva aquel, quedando afectadas por los efectos del auto correspondiente (art. 185 LC).

B) Procesos ejecutivos

29.–Por lo que respecta a los **procesos ejecutivos** que se pudieran plantear con posterioridad a la declaración del concurso, la competencia para conocer de toda ejecución que afecte al patrimonio del concursado, sea cuál sea el órgano que la haya acordado, corresponde al juez del concurso. En este sentido, el art. 142 LC establece que una vez declarado el concurso no podrán iniciarse ejecuciones singulares, judiciales o extrajudiciales, ni seguirse apremios administrativos o tributarios contra el patrimonio del deudor.

3.2.3. *El incidente concursal*

30.–La LC determina, según se ha visto, que determinadas acciones sociales dejen de ser competencia del orden social y pasen a ser competencia del juez de lo mercantil. Esas acciones a veces se tramitan en el seno del propio proceso concursal y, en otras, determinan la apertura de un incidente. El incidente concursal en materia laboral tiene una regulación específica en el art. 541 LC. La lectura de dicho precepto permite sostener que la tramitación de dicho incidente se asemeja bastante al proceso laboral ordinario.

A) La demanda

32.–En efecto, de entrada, por lo que respecta a la interposición de demanda, ésta se efectuará ajustándose a los términos recogidos en el art. 437 LEC.

32.1.–Este precepto alude a una demanda "sucinta" en la que se consignarán los datos y circunstancias de identificación de las partes, el domicilio o los domicilios en que pudieran ser citados, y la petición que se formula de modo claro y preciso.

32.2.–Una vez presentada la demanda, el art. 541.3 LC impone un control de oficio a cargo del órgano jurisdiccional sobre los aspectos formales de la misma.

– Ello puede determinar que el Letrado de la Administración de Justicia, si detecta algún defecto, imprecisión u omisión, requiera a la parte para que proceda a la subsanación en el plazo de cuatro días. La falta de subsanación podrá determinar, en su caso, el archivo de las actuaciones.

– Por otro lado, si la demanda no presentase defectos, o estos hubiesen sido subsanados, se procede a su admisión, señalándose dentro de los diez días siguientes el día y hora en que habrá de tener luegar el juicio, debiendo mediar un mínimo de cuatro días entre la citación y el acto del juicio.

B) El acto del juicio

33.–En segundo lugar, por lo que respecta al acto del jucio, este se inicia con un intento de conciliación ante el Letrado de la Administración de Justicia que puede finalizar con o sin avenencia.

33.1.–A partir de ahí, presuponiendo que no haya habido avenencia, se pasaría al juicio, donde el actor puede ratificar su demanda o ampliarla sin introducir modificaciones sustanciales.

33.3.–El demandado contestaría, a continuación, a la demanda, pasándose después a las pruebas y a las conclusiones, efectuándose todo ello de forma oral.

C) La sentencia

34.–Por último, el juez dictará sentencia en el plazo de diez días, rigiéndose en materia de costas por lo establecido en la LRJS (art. 542.2 LC).

BIBLIOGRAFÍA GENERAL

Obras generales de Derecho Procesal

De la Oliva Santos, A.; Díez-Picazo Giménez, I.; Vegas Torres, J., (2019), *Curso de Derecho Procesal Civil-I. Parte General*, 4ª edición, Madrid, Editorial Universitaria Ramón Areces.

Montero Aroca, J.; Gómez Colomer, J. L.; Barona Vilar, S. (2019), *Derecho Jurisdiccional-I. Parte General*, 27ª edición, Valencia, Tirant lo Blanch.

Gimeno Sendra, V. (2019), *Introducción al Derecho Procesal*, 3ª edición, Madrid, Ediciones Jurídicas Castillo de Luna.

Gimeno Sendra, V. (2017), *Derecho Procesal Civil I. El proceso de declaración. Parte General*, Madrid, Ediciones Jurídicas Castillo de Luna.

Gimeno Sendra, V.; Díaz Martínez, M.; Calaza López, M.ª S. (2021), *Derecho Procesal Civil. Parte General*, Valencia, Tirant lo Blanch.

Ortells Ramos, M. *et al.* (2020), *Introducción al Derecho Procesal*, 10ª edición, Cizur Menor, Aranzadi.

Obras generales de Derecho Procesal Laboral

Albiol Montesinos, M.; Alfonso Mellado, C. L.; Blasco Pellicer, A.; Goerlich Peset, J. Mª. (2015), *Derecho Procesal Laboral*, 11ª edición, Valencia, Tirant lo Blanch.

Alonso Olea, M.; Alonso García, R. Mª. (2010), *Derecho Procesal del Trabajo*, 16ª edición, Madrid, Civitas.

Blasco Pellicer, A. –Dir.–(2021), *El proceso laboral. Ley 36/2011, de 10 de octubre, Reguladora de la Jurisdicción Social, Tomos I y II*, 2ª edición, Valencia, Tirant lo Blanch.

Blasco Pellicer, A.; Goerlich Peset, J. Mª –Dirs.– (2012), *La reforma del proceso laboral. La nueva Ley reguladora de la Jurisdicción Social*, Valencia, Tirant lo Blanch.

Barreiro González, G. *et altri* (1996), *Diccionario Procesal Social*, Madrid, Civitas.

Baylos Grau, A.; Cruz Villalón, J.; Fernández López, Mª. F. (1995), *Instituciones de Derecho Procesal Laboral*, 2ª edición, Madrid, Trotta.

Dans Álvarez de Sotomayor -Coord.- (2014), *La nueva dimensión de la materia contenciosa laboral*, Albacete, Bomarzo.

Folguera Crespo, J. A.; Salinas Molina, F.; Segoviano Astaburuaga, Mª. L. –Dirs.–(2012), *Comentarios a la Ley Reguladora de la Jurisdicción Social*, 3ª edición. Valladolid, Lex Nova.

Garberí Llobregat, J. (2011), *El nuevo proceso laboral. Comentarios a la Ley 36/2011, de 10 de octubre, reguladora de la Jurisdicción Social*, Madrid, Civitas.

Lousada Arochena, J. F. *et al.* (2019), *Sistema de Derecho Procesal Laboral*, 2ª edición, Murcia, Ediciones Laborum.

Maneiro Vázquez, Y. –Dir.–(2019), *Derecho Procesal laboral práctico*, 2ª edición, Valencia, Tirant lo Blanch.

Mercader Uguina, J. –Dir.–(2015), *Ley Reguladora de la Jurisdicción Social comentada y con jurisprudencia*, Madrid, La Ley.

Monereo Pérez, J. L. *et altri* (2020), *Manual de Derecho Procesal Laboral: teoría y práctica*, 5ª edición, Madrid, Tecnos.

Monereo Pérez, J. L. –Dir.–(2013), *Ley de la Jurisdicción Social. Estudio técnico-jurídico y sistemático de la Ley 36/2011, de 10 de octubre*, Granada, Comares.

Montero Aroca, J. (2000), *Introducción al proceso laboral*, 5ª edición, Madrid: Marcial Pons.

Montoya Melgar, A. *et altri* (2019), *Curso de Procedimiento Laboral*, 12ª edición, Madrid, Tecnos.

Nogueira Guastavino, M.; García Becedas, G. –Coords.– (2016), *Lecciones de Jurisdicción Social*, 2º edición, Valencia, Tirant lo Blanch.

Nores Torres, L. E. -Coord- (2020), *Problemas actuales del proceso laboral. Homenaje al profesor José M.ª Goerlich Peset con ocasión de sus 25 años como Catedrático de Derecho del Trabajo y de la Seguridad Social*, Valencia, Tirant lo Blanch.

Bibliografía por lecciones

Bibliografía Lección Primera

Alfonso Mellado, C. L. (1993), *Proceso de Conflicto colectivo. Sistemas alternativos de solución y autonomía colectiva*, Valencia, Tirant lo Blanch.

Altés Tárrega, J. A. (2013), *La competencia del juez del concurso. Una revisión crítica a la luz de las últimas reformas laborales y concursales*, Valencia, Tirant lo Blanch.

Dans Álvarez de Sotomayor, L. (2015), "La nueva dimensión de la materia contenciosa social: un recorrido a través de las sucesivas leyes de procedimiento laboral, en Dans Álvarez de Sotomayor (Coord.), *La nueva dimensión de la materia contenciosa laboral*, Albacete, Bomarzo

De La Rúa, J. L. (1992), "La competencia funcional en el orden jurisdiccional social," *Tribuna Social*, 14, pp. 23-27.

Fotinopoulos Basurko, O. (2008), *El proceso laboral internacional en el Derecho Comunitario*, Sevilla, CES-Andalucía.

Lasaosa Irigoyen, E. (2001). *Delimitación competencial entre los órdenes social y civil de la jurisdicción. Un estudio jurisprudencial*, Pamplona, Aranzadi.

López Terrada, E. –Dir.- (2017), *La internacionalización de las relaciones laborales. Principales cuestiones procesales, laborales y fiscales*, Valencia, Tirant lo Blanch.

López Terrada, E. (2019), *Las relaciones laborales internacionales en la Administración: jurisdicción competente y ley aplicable a los empleados públicos en el exterior*, Revista de Trabajo y Seguridad Social-CEF, 439, pp. 87-114.

Lousada Arochena, J. F. *et al.* (2013), *El contrato de trabajo internacional*, Valladolid, Lex Nova.

Menéndez Sebastián, P. (2006), *Competencia judicial y ley aplicable al contrato de trabajo con elemento extranjero*, Valladolid, Lex Nova.

Montero Aroca, J. (1984), "La unidad jurisdiccional. Su consideración como garantía de la independencia judicial", en M. Aguirre, *Libro homenaje a Jaime Guasp*, Granada, Comares, pp. 427-449.

Nores Torres, L. E. (2012), "Las competencias de la Jurisdicción Social en la Ley 36/2011", en A. Blasco Pellicer; J. Mª. Goerlich Peset (coords.), *La reforma del proceso laboral. La nueva Ley reguladora de la Jurisdicción Social*, Valencia, Tirant lo Blanch, pp. 49-80.

Nores Torres, L. E. (2021), "Los órganos del orden social de la jurisdicción y sus competencias", en A. Blasco Pellicer (Dir.), *El proceso laboral. Ley 36/2011, de 10 de octubre, Reguladora de la Jurisdicción Social*, Tomo I, 2ª edición, Valencia, Tirant lo Blanch, pp. 11-144.

Sáez Lara, C. (2004), *La tutela judicial efectiva y el proceso laboral*, Madrid, Thomson Civitas.

Valle Muñoz, F. A. (2007), *La prejudicialidad penal en el proceso de trabajo*, Valencia, Tirant lo Blanch.

Bibliografía Lección Segunda

Alegre Nueno, M. (2021), "Las partes procesales", en A. Blasco Pellicer (Dir.), *El proceso laboral. Ley 36/2011, de 10 de octubre, Reguladora de la Jurisdicción Social*, Tomo I, 2ª edición, Valencia, Tirant lo Blanch, pp. 233-288.

García Rubio, Mª. A. (2012), "Novedades de la Ley 36/2011 en relación a las partes, la acumulación de acciones y procesos y las actuaciones procesales", en A. Blasco Pellicer; J. Mª Goerlich Peset (Coords.), *La reforma del Proceso Laboral*, Valencia, Tirant lo Blanch, pp. 81-190.

Lousada Arochena, J. F.; Ron Latas, R. P. (2015), *La independencia judicial*, Madrid Dikynson.

Molina Navarrete, C. (2010), *La reforma de la oficina judicial en el proceso laboral: ¿una gestión moderna para un proceso envejecido?*, Madrid, La Ley.

Bibliografía Lección Tercera

Aguilera Izquierdo, R. (2004), *Proceso laboral y proceso civil: convergencias y divergencias*, Madrid, Thomson-Civitas.

Alemañ Cano, J. (2008), *La estructura del proceso laboral*, Valencia, Tirant lo Blanch.

Delamo Rubio, J. (2018), *La nulidad de actuaciones en el orden social*, Madrid, Wolters-Kluwer.

López Balaguer, M. (2021), "Actos procesales y principios inspiradores del proceso laboral", en A. Blasco Pellicer (Dir.), *El proceso laboral. Ley 36/2011, de 10 de octubre, Reguladora de la Jurisdicción Social*, Tomo I, 2ª edición, Valencia, Tirant lo Blanch, pp. 145-232.

Luelmo Millán, M.A.; Rabanal Carbajo, P. F. (1999), *Los principios inspiradores del proceso laboral*, Madrid, Mac Graw Hill.

Mercader Uguina, J.; Macorra Pérez, B. (2018), "A vueltas con la caducidad de la acción de despido en el sector público", Trabajo y Derecho: nueva revista de actualidad y relaciones laborales, nº 88.

Olmos Parés Olmos Parés, I. (2018), *La nulidad de actuaciones en el proceso social*, Valencia, Tirant lo Blanch.

Sanjurjo Rebollo, B. (2015), *Lexnet abogados. Notificaciones electrónicas y presentación de escritos y demandas*, Barcelona, Vlex Networks.

Bibliografía Lección Cuarta

Alemañ Cano, J. (2015), *Actos preparatorios, prueba anticipada y medidas cautelares*, Albacete, Bomarzo.

Bajo García, I. (2021), "La evitación del proceso", en A. Blasco Pellicer (Dir.), *El proceso laboral. Ley 36/2011, de 10 de octubre, Reguladora de la Jurisdicción Social*, Tomo I, 2ª edición, Valencia, Tirant lo Blanch, pp. 397-468.

Blasco Pellicer, A. (1996), *Las medidas cautelares en el proceso laboral*, Madrid, Civitas.

Blasco Pellicer, A. (2021), "Las medidas cautelares en el proceso laboral", en A. Blasco Pellicer (Dir.), *El proceso laboral. Ley 36/2011, de 10 de octubre, Reguladora de la Jurisdicción Social*, Tomo I, 2ª edición, Valencia, Tirant lo Blanch, pp. 2731-2766.

De Nieves Nieto, N. (2002), *La reclamación administrativa previa en los procesos de trabajo*, Valencia, Tirant lo Blanch.

García Quiñones, J. C. (2005), *La conciliación laboral*, Valladolid, Lex Nova.

Nores Torres, L. E; Esteve-Segarra, A. (2018), "El agotamiento de la vía administrativa previa en el orden social", *Trabajo y Derecho*, 42, pp. 126-142.

Romero Pradas, Mª. I. (2000), *La conciliación en el proceso laboral*, Valencia, Tirant lo Blanch.

Viqueira Pérez, C. (2012), "Novedades en materia de medidas tendentes a la evitación del proceso (conciliación administrativa y reclamación previa) y en materia de medidas cautelares" en A. Blasco Pellicer; J. Mª. Goerlich Peset (Dirs.), *La reforma del proceso laboral*, Valencia, Tirant lo Blanch, pp. 191-212.

Bibliografía Lección Quinta

Esteve Segarra, A. (2012), "El proceso ordinario", en A. Blasco Pellicer; J. Mª. Goerlich Peset (Dirs.), *La reforma del proceso laboral*, Valencia, Tirant lo Blanch, pp. 213-287.

Fita Ortega, F. (2021), "Acumulación de actuaciones procesales", en A. Blasco Pellicer (Dir.), *El proceso laboral. Ley 36/2011, de 10 de octubre, Reguladora de la Jurisdicción Social*, Tomo I, 2ª edición, Valencia, Tirant lo Blanch, pp. 289-396.

García-Perrote Escartín, I. (1999), *La prueba en el proceso de trabajo*, Madrid, Civitas.

García Quiñones, J. C. (2007), *La conciliación judicial en el proceso laboral*, Valencia, Tirant lo Blanch.

García Rubio, Mª. A. (2012), "Novedades de la Ley 36/2011 en relación a las partes, la acumulación de acciones y procesos y las actuaciones procesales", en A. Blasco Pellicer; J. Mª. Goerlich Peset (Dirs.), *La reforma del proceso laboral*, Valencia, Tirant lo Blanch, pp. 81-190.

Gil Plana, J. (2017), *La prueba en el proceso laboral. Naturaleza y evolución.*, Cizur Menor, Thomson-Reuters Aranzadi.

González Díaz, F. A. (2005), *Los medios de prueba en el proceso laboral*, Madrid, Thomson-Civitas.

López Terrada, E. (2021), "La sentencia y otras formas de terminación del proceso", en A. Blasco Pellicer (Dir.), *El proceso laboral. Ley 36/2011, de 10 de octubre, Reguladora de la Jurisdicción Social*, Tomo I, 2ª edición, Valencia, Tirant lo Blanch, pp. 627-671.

Mella Méndez, L. (2007), *La reconvención en el proceso laboral*, Albacete, Bomarzo.

Molero Manglano, C. (2006), *La demanda laboral*, Madrid, Civitas.

Monjas Barrena, M. (2017), *El escrito de demanda en el proceso laboral ordinario*, Cizur Menor, Thomson Reuters Aranzadi.

Montoya Medina, D. (2021), "El proceso ordinario: la demanda", en A. Blasco Pellicer (Dir.), *El proceso laboral. Ley 36/2011, de 10 de octubre, Reguladora de la Jurisdicción Social*, Tomo I, 2ª edición, Valencia, Tirant lo Blanch, pp., pp. 469-503.

Morales Vállez, C. E. (2016), *El proceso ordinario en la Ley Reguladora de la Jurisdicción Social*, Madrid, Sepin.

Nores Torres, L. E. (2022), *La prueba "internacional" en el proceso laboral*, Valencia, Tirant lo Blanch.

Plaza Golvano, S. (2010), *Las costas en el proceso laboral*, Valencia, Tirant lo Blanch.

Preciado Doménech, C. H.; Purcalla Bonilla, M. A. (2015), *La prueba en el proceso social*, Madrid, Thomson Reuters.

Segalés Fidalgo, J. (2002), *La prueba documental en el proceso de trabajo*, Granada, Comares.

Segalés Fidalgo J. (2021), "El juicio oral", en A. Blasco Pellicer (Dir.), *El proceso laboral. Ley 36/2011, de 10 de octubre, Reguladora de la Jurisdicción Social*, Tomo I, 2ª edición, Valencia, Tirant lo Blanch, pp. 505-625.

Valle Muñoz, F. A. (2004), *La multa por temeridad y mala fe en el proceso laboral*, Albacete, Bomarzo.

Valle Muñoz, F. A. (2014), *Las diligencias finales en el proceso laboral*, Valencia, Tirant lo Blanch.

Bibliografía Lección Sexta

Albiol Montesinos, I.; Blasco Pellicer, A. (1997), *Proceso de tutela de la libertad sindical y otros derechos fundamentales*, Valencia, Tirant lo Blanch.

Alemañ Cano, J., (2003), *Los procesos de oficio*, Granada, Comares.

Alfonso Mellado, C. L. (1993), *Proceso de conflicto colectivo*, Valencia, Tirant lo Blanch.

Blasco Pellicer, A. (2000), *El régimen procesal del despido*, Valencia, Tirant lo Blanch.

Blasco Pellicer, A. –dir.–(2021), *El proceso laboral. Ley 36/2011, de 10 de octubre, reguladora de la Jurisdicción Social*, Tomos I y II, 2ª edición, Valencia, Tirant lo Blanch.

Blasco Pellicer, A.; Goerlich, J. Mª. –dirs.– (2012), *La reforma del proceso laboral*, Valencia, Tirant lo Blanch.

Blasco Pellicer, A.; García Testal, E. (2021), "Otros procesos por extinción de la relación laboral", en A. Blasco Pellicer (Dir.), *El proceso laboral. Ley 36/2011, de 10 de octubre, Reguladora de la Jurisdicción Social*, Tomo I, 2ª edición, Valencia, Tirant lo Blanch, pp.857-949.

Blasco Pellicer, A.; López Terrada, E. (2021), "Proceso de tutela de los derechos fundamentales y libertades públicas", en A. Blasco Pellicer (Dir.), *El proceso laboral. Ley 36/2011, de 10 de octubre, Reguladora de la Jurisdicción Social*, Tomo I, 2ª edición, Valencia, Tirant lo Blanch, pp. 1169-1245.

Fernández Fernández, S. (2018), *La modalidad procesal de Seguridad Social*, Granada, Comares.

Fernández López, Mª. F. (2012), *Los procesos especiales en la Jurisdicción Social*, Albacete, Bomarzo.

García Rubio, Mª. A. (2021), "El proceso de conflicto colectivo", e en A. Blasco Pellicer (Dir.), *El proceso laboral. Ley 36/2011, de 10 de octubre, Reguladora de la Jurisdicción Social*, Tomo I, 2ª edición, Valencia, Tirant lo Blanch, pp. 1247-1446.

Lopez Balaguer, M. (2021), "Proceso sobre prestaciones de la Seguridad Social", en A. Blasco Pellicer (Dir.), *El proceso laboral. Ley 36/2011, de 10 de octubre, Reguladora de la Jurisdicción Social*, Tomo I, 2ª edición, Valencia, Tirant lo Blanch, pp. 1087-1167

Maneiro Vázquez, Y. (2014), "La modalidad procesal de tutela de los derechos fundamentales y libertades públicas", en L. Dans Álvarez de Sotomayor (Coord.), *La nueva dimensión de la materia contenciosa laboral*, Albacete, Bomarzo, pp. 189-217.

Rivas Vallejo, P. (2002), *Los procesos en materia de prestaciones de la Seguridad Social*, Cizur Menor, Aranzadi.

Valle Muñoz, F. A. (2002), *El proceso laboral de impugnación de sanciones disciplinarias*, Granada, Comares.

Bibliografía Lección Séptima

Cabeza Pereiro, J.; Rabanal Carbajo, P. (2003), *El recurso de reposición y súplica en el orden social*, Cizur Menor, Aranzadi.

Cardenal Carro, M. (2003), *La revisión de sentencias en el Jurisdicción Social*, Cizur Menor: Thomson-Aranzadi.

Delamo Rubio, J. (2018), *La nulidad de actuaciones en el orden social*, Madrid, Wolters-Kluwer.

Falguera Baró, M. A. (2018), *El anuncio del recurso de suplicación*, Albacete, Bomarzo.

Goerlich Peset, J. Mª. (2021), "Los medios de impugnación", en A. Blasco Pellicer (Dir.), *El proceso laboral. Ley 36/2011, de 10 de octubre, Reguladora de la Jurisdicción Social*, Tomo I, 2ª edición, Valencia, Tirant lo Blanch, pp. 1813-1841.

Goerlich Peset, J. Mª. (2021), "Los recursos de casación: casación ordinaria y casación para la unificación de doctrina", en A. Blasco Pellicer (Dir.), *El proceso laboral. Ley 36/2011, de 10 de octubre, Reguladora de la Jurisdicción Social*, Tomo I, 2ª edición, Valencia, Tirant lo Blanch, pp. 1961-2035.

Goerlich Peset, J.Mª (2013), "Recursos contra sentencias firmes", en A. Blasco Pellicer (Dir.), *El proceso laboral. Ley 36/2011, de 10 de octubre, Reguladora de la Jurisdicción Social*, Tomo I, 2ª edición, Valencia, Tirant lo Blanch, pp. 2037-2071.

Ivorra Mira, Mª. J. (1997), *El recurso de casación para la unificación de la doctrina*, Valencia, Tirant lo Blanch.

Lluch Corell, J. (2021), "El recurso de suplicación", en A. Blasco Pellicer (Dir.), *El proceso laboral. Ley 36/2011, de 10 de octubre, Reguladora de la Jurisdicción Social*, Tomo I, 2ª edición, Valencia, Tirant lo Blanch, pp. 1843-1959.

Moliner Tamborero, G.; Sampedro Corral, M. (2009), *El recurso de casación laboral*, Valencia, Tirant lo Blanch.

Morales Vállez, C. E. (2012), *Los recursos en la nueva Ley Reguladora de la Jurisdicción Social*, Cizur Menor, Civitas-Thomson Reuters.

Sempere Navarro, A. V. (1999), *El recurso de casación para la unificación de doctrina*, Pamplona, Aranzadi.

Bibliografía Lección Octava

AA.VV. –Departamento de redacción de Aranzadi– (2018), *La ejecución de sentencias en el proceso laboral*, Pamplona, Aranzadi.

Blasco Pellicer, A. (2021), "La ejecución provisional", en A. Blasco Pellicer (Dir.), *El proceso laboral. Ley 36/2011, de 10 de octubre, Reguladora de la Jurisdicción Social*, Tomo I, 2ª edición, Valencia, Tirant lo Blanch, pp. 2643-2729.

González Calvet, J.; Blanch Domeque, M.R. (2016), *Los intereses procesales en la jurisdicción social*, Albacete, Bomarzo.

González Calvet, J.; Ramos Moragues, F. (2021), *La ejecución laboral ordinaria*, en A. Blasco Pellicer (Dir.), *El proceso laboral. Ley 36/2011, de 10 de octubre, Reguladora de la Jurisdicción Social*, Tomo I, 2ª edición, Valencia, Tirant lo Blanch, pp. 2221- Valencia, Tirant lo Blanch, 2221-2467.

Olarte Madero, F. (2013), "La ejecución laboral", en A. Blasco Pellicer (Dir.), *El proceso laboral. Ley 36/2011, de 10 de octubre, Reguladora de la Jurisdicción Social*, Tomo I, 2ª edición, Valencia, Tirant lo Blanch, pp. 2073-2220.

Olarte, F.; Blasco Pellicer, A. (2021) "Ejecuciones especiales", en A. Blasco Pellicer (Dir.), *El proceso laboral. Ley 36/2011, de 10 de octubre, Reguladora de la Jurisdicción Social*, Tomo I, 2ª edición, Valencia, Tirant lo Blanch, pp. 2573-2641.

Olarte Madero, F. (2011), "Novedades en ejecución: transacción, ejecución en conflictos colectivos y ejecución provisional", en A. Blasco Pellicer y J. Mª. Goerlich Peset (dirs.), *La reforma del procesal laboral*, Valencia, Tirant lo Blanch, pp. 461-498.

Valenciano Sal, A. (2013), *Alternativas a la subasta judicial en el proceso de ejecución dineraria en la jurisdicción social*, Valencia, Tirant lo Blanch.

Bibliografía Anexo

Altés Tárrega, J. A. (2013), *La competencia del juez del concurso. Una revisión crítica a la luz de las últimas reformas laborales y concursales*, Valencia, Tirant lo Blanch.

Melero Bosch, L. (2014), "Orden jurisdiccional social y concurso de acreedores", en L. Dans Álvarez de Sotomayor (coord.), *La nueva dimensión de la materia contenciosa-laboral*, Albacete, Bomarzo, pp. 235-256.

Navarro Frías, I. (2014), "Crédito laboral y crisis de la empresa: delimitación de competencias entre el orden civil y el social de la jurisdicción", en L. Dans Álvarez de Sotomayor (coord.), *La nueva dimensión de la materia contenciosa-laboral*, Albacete, Bomarzo, pp. 257-280.

Talens Visconti, E. E. (2021), "Aspectos procesales en materia laboral dentro del concurso de acreedores, en A. Blasco Pellicer (Dir.), *El proceso laboral. Ley 36/2011, de 10 de octubre, Reguladora de la Jurisdicción Social*, Tomo I, 2ª edición, Valencia, Tirant lo Blanch, pp.1733-1765.